SUSANNA KUBELKA

PILIS YRA –
IEŠKOM PRINCO!

SUSANNA KUBELKA

PILIS YRA – IEŠKOM PRINCO!

Romanas

Iš vokiečių kalbos vertė
Laima Bareišienė

Alma littera

UDK 830-3
Ku-06

Versta: Susanna Kubelka
BURG VORHANDEN –
PRINZ GESUCHT!
Bastei-Lübbe, 2000

ISBN 9955-08-822-2

Skiriu dėdei Udo

1

Didelio kampuotojo bokšto laikrodis muša vidurnaktį. Dvylika trumpų dūžių, pernelyg švelnių seniems mūrams. Po karo laikrodis jau nebe toks kaip anksčiau. Iš teisybės, reikėtų jį taisyti.

Laikrodis su didžiuliu juodu ciferblatu ne tik keistai muša, bet ir rodo netiksliai. Dabar ne dvylika, o vienuolika, taigi likusi visa valanda iki vidurnakčio. Bet taip padaryta tyčia, nes to pageidauja grafas Eduardas Zilvesteris. Jis yra Kronego ponas, ir jo žodis – įsakymas. Jam priklauso ciferblatas, valandų mušimo mechanizmas, kampuotasis bokštas, apvalusis bokštas ir prašmatni sena riterių pilis, kurioje visa tai yra. Tai, kad laikrodis viena valanda skuba, grafui ramina nervus.

– Tai ką pasakysi, vaike? – išdidžiai paklausė jis mane pirmąjį vakarą. – Penkerius metus nestačiau laikrodžio, ir štai rezultatas. Gudrus sumanymas. Iš pradžių išsigąsti, kad laikas taip greitai bėga, o po akimirkos nustembi: laimėjai šešiasdešimt minučių! Kas valandą džiaugsmas! Stebuklingai paveiki laimės terapija!

Grafas Eduardas Zilvesteris visada elgiasi kaip nori, bet prie to pripranti. Kronego pilis – atskiras pasaulis, taigi jam dera kitaip mušąs valandas laikrodis. Kad ir kas nutinka už pilies sienų, nieko čia nesukrečia. Tarp mūsų ir kitų stūkso sienos žiedas, kai kur net vienuolikos metrų storio. Priešais sieną – gilus griovys, į kurį per antrą turkų apsiaustį buvo paleistas vanduo. Bet tai nutiko jau seniai, ir visas vargas buvo veltui. Turkų kariaunos paprasčiausiai aplenkė pilį. Tik todėl galime girtis, jog niekuomet nebuvome užimti.

– Laimė, – sako pilies valdovas, – laimė, vaike. Mus globoja geraširdė lemtis.

Kaip sakyta, laikrodis išmušė dvyliktą, nors buvo tik vienuolika. Sėdėjome aukštai viršuje ant akmeninės pilies sienos. Sėdėjome ant medinio suolo, kuris čia stovėdavo ištisą vasarą, bet taip pat gerai būtume galėję įsitaisyti ir ant akmeninės sienos. Ji tebebuvo įšildyta saulės, kuri ištisą dieną plieskė visu gražumu. Po mumis plytėjo tamsus slėnis. Bet mes žiūrėjome į viršų, nes buvome užsiėmę. Pagal nerašytą įstatymą, griežčiausiai Kronege vykdomą, gražiomis vasaros naktimis mes gėrėdavomės žvaigždėmis.

– Lote, – ką tik paklausė grafas, – ar jau matėte krintančią žvaigždę?

Virėja papurtė galvą.

– O tu? – atsisuko jis į mane.

– Taip pat dar ne.

– Tai lengva ištaisyti, – pasakė grafas Eduardas ir nutaisė mokytojo veidą. – Bet dabar pasižiūrėsime, ar tu vakar negaudei varnų, Anete. Prašau atsakyti man štai į tokį klausimą: kokiomis vasaros naktimis daugiausia krintančių žvaigždžių?

– Apie rugpjūčio dešimtą.

– O kaip jos vadinamos?

– Perseidai, kirčiuojame „i".

– Iš kur jie atsiranda?

– Iš Persėjo žvaigždyno.

– Nuostabu. O kaip vadinasi vakarinė žvaigždė?

– Venera.

Lengvi klausimai.

– Bravo! – sušuko grafas ir atsistojo. – Tu gera mokinė. Prieik vakaro bučiniui! Bet rytoj, vaike, klausimai bus sunkesni. Žinai, apie ką kalbu.

Jis metė tokį skvarbų žvilgsnį, kad man net nugara pagaugais nuėjo. Paskui pasilenkė prie manęs ir pakštelėjo į skruostą.

Vakarinė pamoka apie žvaigždes baigėsi. Buvo vienuolikta, metas eiti vidun.

Na, eiti kitiems. Aš dar likau sėdėti. Pirmiausia, dar nebuvau pamačiusi meteorito, o antra, man trūko miegui būtinos ramybės. Naktis buvo šilta, čirškė žiogai. Stebėjau, kaip iš apvaliojo bokšto be jokio garso išskrido abi pelėdos medžioti vakarienės. Pelėdos gyveno apvaliajame bokšte, šikšnosparniai – kampuotajame. Taip jie vieni kitiems nekliudydavo.

Nors Kronego pilies bokšto laikrodis rodė netiksliai, visa kita buvo kuo puikiausiai sutvarkyta. Pelėdos ir šikšnosparniai, bokštų sakalai ir lakštingalos, net grafo sliekai turėjo gimtą saugią vietą. Jiems nereikėjo rūpintis savo gyvenimu.

Tiktai *mano* gyvenimas buvo ištisa painiava, ir aš vos nepravirkau. Pernelyg daug nesėkmių užgriuvo mane pastaruoju metu, ir dabar nebežinojau, kas bus toliau. Žinoma, dėl visų nelaimių buvo kaltas vyriškis, ir dar toks, už kurio tik per plauką neištekėjau. Bet, ačiū Dievui, išvengiau šitos nelaimės!

Atsilošiau ir įsižiūrėjau į spindintį žvaigždėtą dangų. Kokia nuostabi naktis! Pernelyg graži ašaroms. Be to, viskas galėjo baigtis kur kas blogiau. Visame pasaulyje gal yra du šimtai penkiasdešimt pilių, apie kurias verta kalbėti, o kad viena iš pačių gražiausių priklausė kaip tik mano dėdei, buvo tikra laimė.

Grafas Eduardas Zilvesteris buvo mano motinos brolis. Kai parašiau jam apie savo negandas, jis staiga atsiuntė į Londoną telegramą:

KRONEGAS TAU ATVIRAS. TAVO KAMBARIAI PARUOŠTI. LOVA PERKLOTA. PAPŪGA MOKOMA KALBOS. SVEIKINDAMASI JI SUGEBĖS PASAKYTI „ANETE".

Ši telegrama mane išgelbėjo. Nežinia, kaip viskas būtų baigęsi, jeigu nebūčiau jos gavusi.

Ką gi, papūga nepasakė „Anete". Baltas kakadu, vardu Bonis, buvo mylimiausias dėdės Eduardo gyvūnas, iš viso niekuomet neištaręs nė žodžio. Kai jis mane pamatė pirmąkart prieš dvi dienas, papūtė morkinį kuodą, iš siaubo sukrykštė ir gelbėdamasis užskrido ant užuolaidų karnizo. Nuo tenai įsižeidęs varstė mane akimis.

– Kaip tu čia dabar elgiesi? – sugriaudėjo grafas. – Ar tučtuojau nenusileisi pasisveikinti su Anete? Ką tai reiškia? Nusileisk, ir kuo greičiau!

Bet papūga nė nemanė paklusti. Ten aukštai ji jautėsi saugi, o kai grafas nepaliovė bartis, pasielgė savaip. Užmerkė savo juodas kaip sagutės akutes ir tarytum išnyko. Tegu tie apačioje daro ką nori.

Ak, Kronegas! Kiek daug laimingų dienų praleidau jame vaikystėje. Ir kiek daug metų ilgėjausi šios gražios senos riterių pilies ir nuostabaus vaizdo nuo jos mūrų virš slėnio iki pat Vengrijos sienos. Padėjau ranką ant šilto akmens, ir mane užliejo palengvėjimo banga. Kad ir ką būdavau iškrėtusi, už šių didingų sienų, sumūrytų amžiams, pasijusdavau saugi. Šimtmečių šimtmečius jos sergėjo mano motinos protėvius ir kaimų gyventojus, kurie rasdavo čia priebėgą per priešo antpuolius. Iš išorės pilis atrodė veikiau karingai, gal net bauginamai. Bet vos pereidavai pakeliamąjį tiltą, vos įžengdavai pro išorinius ir vidinius vartus, vos atsidurdavai saulėtame didžiuliame pilies kieme su kaštonais viduryje, kampuotuoju bokštu iš dešinės ir apvaliuoju iš kairės, išgaruodavo visos baimės. Kvėpuodavai laisviau, padvelkdavo rožės, regis, bokšto sakalai imdavo sukti ratus tiesiai dangop. Staiga suvokdavai, kad niekam čia negali nutikti kas nors bloga.

Penkerius metus pragyvenau Anglijoje, ir dabar man buvo gėda dėl to, ko tenai prikrėčiau. Vis dėlto prieš dvi dienas buvau nuoširdžiai sutikta nedidelėje Kronau miestelio geležinkelio stotyje, lyg būčiau grįžusi iš trumpos viešnagės gretimame kaime. Tenai stovėjo senasis Daimlerio automobilis, šalia jo – Hansas, mūsų visų galų meistras, kuris jau dvidešimt metų tarnavo pilyje, be to, buvo baigęs staliaus mokslus. Hansas padėjo man susikrauti bagažą, dėdė Eduardas droviai pabučiavo į abu žandus, o tada nutrinksėjome per gimtuosius miškus, kurių taip ilgėjausi Anglijoje.

– Tapai tikra dama, iš pirmo žvilgsnio matyti, – pasakė grafas, kai laiminga glosčiau pirštais tokią pažįstamą kiaulių odos sėdynę. – Hansai, ar ir jums atrodo, kad pas mus grįžo pasaulietė dama? Leisk į tave pasižiūrėti, vaike! Lygiai tokia, kaip ir spėjau. Dar panašesnė į savo močiutės seserį Emẽ. Ir toliau taip! Iš Emẽ gali imti pavyzdį. Net sulaukusi devyniasdešimt penkerių ji tebebuvo visų draugijų siela. Pernai žiemą restauravau ir pakabinau tavo svetainėje didelį jos portretą. Bet atsisuk į mane dar kartą, vaike. Atrodai išbalusi. Ir liesa.

Jis kalbėjo tiesą. Per tuos penkerius metus, kai mudu nesimatėme, aš suplonėjau, užtat grafas sustorėjo. Pagaliau aš suaugau, o jis dabar atrodė jaunesnis. Apskritai atrodė puikiai: sveikas, skaistus, trykštąs žvalumu.

Aha, pamaniau, nauja ekonomė. Vargu ar klydau.

Mat dėdė Eduardas turėjo ypatybę, kurią mūsų šeima vadino „potraukiu žemyn". Jis įsimylėdavo vien tarnautojas, todėl niekuomet ir nevedė. Jo luomo ponios, kurios su didžiausiu malonumu būtų paėmusios jį ir pilį, buvo jam „per atžagarios". O kitokios jam buvo nepakankamai išsilavinusios, kad taptų šeimos narėmis.

Buvo ir dar vienas dalykas, labai slopinąs jo vedybų troškimą. Grafą Eduardą Zilvesterį ne itin kamavo kūniški geiduliai. Kad įsimylėtų, jam pakakdavo nekalto flirto: slapčiomis išgerti kavos virtuvėje, pamalti liežuviu, įteikti rožę iš pilies sodo, pliaukštelėti per užpakalį. Nežinia kodėl, bet aistringai apsikabinusio grafo Eduardo neįmanoma įsivaizduoti. Aišku, tokio dalyko neįsivaizdavo ir jis pats, nes mėgstamiausias grafo posakis skambėjo taip:

– Lytinė meilė protingiems žmonėms nedera dėl paprasčiausios priežasties – tada į apačią suplūsta visas kraujas, o protingiems žmonėms kraujas reikalingas smegenims.

Kad ir kokie platoniški buvo tie santykiai, mano dėdė degė nauja liepsna, ir, regis, tai buvo jam į sveikatą.

– Kuo ji vardu? – paklausiau nei iš šio, nei iš to, mėgindama sutramdyti juoką.

– Apie ką tu, vaike? – Regis, jis nuoširdžiai nustebo.

– Apie naująją ekonomę. Prisipažink! Tu atleidai šykštuolę Aną.

Dėdė skambiai nusikvatojo:

– Bravo! Kaip tu atspėjai?

– Puikiai atrodai. Ar prisimeni? Kai aš išvažiavau, *tu* buvai pernelyg liesas.

– Tikrai. Vos nepamiršau. Juk Ana buvo neįtikimai šykšti. Bet aš jos neatleidau, išėjo pati. Ar žinai, kas nutiko? Ji susižvejojo vyrą. Gerą partiją. Ar prisimeni našlį, „Įžeisto kurtinio" viešbučio šeimininką? Ištekėjo už jo, o mane pakvietė į vestuves. Prieš vestuves dar atnaujino virtuvę ir viešbučio salę. Už tuos pinigus, kuriuos susitaupė pas *mane!* Atskleisti tau paslaptį? – Prisikišo artyn ir sušnibždėjo: – Jeigu nebūtų ištekėjusi, niekuomet nebūtume jos atsikratę. Klaikiai jos bijojau.

Susižvelgėme ir pratrūkome juoktis. Mudu visada mylėjome vienas kitą.

– O kuo vardu naujoji? – paklausiau, kai vėl pajėgiau kalbėti.

– Lotė. Puiki darbininkė. Nuostabi virėja, o ir šiaip turi galybę pranašumų. Visiems patinka, tarnaitė klauso kiekvieno jos žodžio. Mes ją visi įsimylėję. Tiesa, Hansai?

Hansas neatsakė. Kaip tik važiavo duobėtu lauko keliu, tad iš paskutiniųjų stengėsi išvengti duobių. Bet grafas užsimanė išgirsti pagyrų apie savo Lotę ir neatstojo:

– Ką jūs manote apie naująją mūsų virėją, Hansai?

– Maloni moteris, – atsakė tas geraširdiškai.

– O pyragas vakar popiet prie arbatos? Koks jis?

– Labai skanus, pone grafe. Gaila, kad panelės Anetės nebuvo.

– Ir aš taip manau. Būtum pasigardžiavusi, vaike! Bet nebijok, nebadausi.

Paėmė mano ranką, probėgšmais patekšnojo ir vėl padėjo ant sėdynės.

– Taip, – pasakė, atsigavęs po tokio didžiulio jausmų proveržio, ir sušnibždėjo taip tyliai, kad Hansas negalėjo girdėti, – vadinasi, tu vėl šalyje. Ir viskas susiklostė lygiai taip, kaip aš tau pranašavau. Tiesa?

Linktelėjau galvą.

– Jaunuolis buvo netikša.

– Taip, – atsakiau vos girdimai.

– Bet tu manim nepatikėjai.

– Taip.

Grafas pakraipė galvą.

– Man tik įdomu, iš ko paveldėjai tą potraukį ristis žemyn. Juk iš pirmo žvilgsnio mačiau, kad jam kažkas negerai. Kokia nauda iš tų visų turtingų giminių? Jam stigo *auklėjimo*. Kaip tu galėjai rimtai įsižiūrėti neišauklėtą vyriškį?

– Buvau įsimylėjusi, – atsakiau kaip kvailė, – žalias jo akis.

Grafas neteko žado:

– Atsiprašau? Ką pasakei? Buvai įsimylėjusi žalias jo akis?

– Be to, jis turėjo ir dar keletą gerų savybių.

– Netikiu.

– Pavyzdžiui, jis buvo tikrai geras meilužis.

– Tyliau, – pasibaisėjęs sukuždėjo grafas. – Nebūtina visiems girdėti. Vadinasi, tu su juo *prasidėjai?*

– Dėde Eduardai, aš gyvenau su juo penkerius metus.

– Kasnakt?

Linktelėjau galvą.

Grafas pradėjo rausti.

– Kaip galima neišauklėtą vyriškį įsileisti į *miegamąjį?* – sugriaudėjo jis nepaisydamas, girdi Hansas ar ne. – Šitaip auklėtai! Juk tu esi kilusi iš vienos geriausių šeimų, mes visuomet kliovėmės protu, ne kūnu. Žinai, ko iš tavęs tikėjausi? Padoresnio elgesio!

Atsidusau.

– Ko čia dabar dūsauji? Pasižiūrėk į mane! Nė vieno vienintelio karto nesu pasidavęs pagundai, o juk esu už tave daug vyresnis.

– Matyt, esu kitokia, dėde Eduardai.

– Nesąmonė.

– Nežinau, ar galėčiau viena ištisus metus gyventi be vyro.

– Ir nereikės. Tik tiek laiko, kol tau jį rasiu.

– Tu per ilgai ieškai. Man buvo jau dvidešimt vieneri, o tau nė vienas neįtiko.

– Tau irgi ne. Kad ir ką būčiau siūlęs, vis išpeikdavai.

– Bet tu man pristatei tik *vieną vienintelį* vyriškį!

– Na, ir? Vieno juk gana. Negali ištekėti už *dviejų*.

Nieko nebesakiau. Buvom gana daug ginčiję si šiuo klausimu. Bet grafas tai jau įsismagino.

– Toji kvaila seksualinė revoliucija visiems išdžiovino *smegenis*, – šėlo jis, – meilė, meilė, meilė – kuo čia dėta santuoka? Ar tos žalios akys apšvietė tavo laimę? Nuvarė į bankrotą. O juk protas kiekvienam byloja, kad tas išsidirbinėjimas lovoje *negali* duoti naudos. Įsidėmėk visam laikui: gyvenimas yra lengvesnis be tų kiaulysčių. Galva būna aiški, akys žvitrios, mažiau rūpesčių ir, be to, dar lieka pinigai. Imk pavyzdį iš manęs! Aš tapau, restauruoju, renku meno kūrinius. Mano šlovė be priekaištų, turtas nė pirštu nepaliestas. O tu? Ką tu turi! Pametei galvą ir, kaip girdžiu, netekai didžiumos turto, kurį tau paliko dėdė Nestoras.

Tylėjau.

– Pasakyk, kaip tu tą sugebėjai!

Atsidusau.

– Ilga istorija, – išvengiau atsakymo galvodama, ką šią akimirką veikia Danielis.

– Bet mudu turėsime apie tai pasikalbėti.

– Žinoma. Jeigu nori, galime ir dabar.

Grafas susijaudino.

– Na, niekas nedega. – Patekšnojo man per skruostą: – Juk prieš valandėlę atvykai į šalį. Ne, ne. Laiko dar bus. Poryt tai sutvarkysime. Poryt, per pusryčius. O žinai, ką tu veiksi iki to laiko? Miegosi ir kaip reikiant valgysi. Pažadi? – Jis skubiai mane pabučiavo. – Atsiprašau, – pasakė jis, – nesuvaldžiau savo būdo. Ar mane tebemyli?

Dvi dienos lėkte pralėkė. Rytoj laukia tas pokalbis.

Tebesėdėjau ant sienos ir žvelgiau į naktį. Vis dėlto pamačiau krintančią žvaigždę. Šiokia tokia paguoda.

Atsidusau. Jau keleri metai baiminausi šio pokalbio. Dabar jis manęs laukė. Aišku, būtų galima pagražinti padėtį ir sugalvoti vieną kitą pasiteisinimą. Bet galų gale iš to nebūtų jokios naudos, nes niekuomet neprisimindavau, ką būdavau prikūrusi. Todėl prieš keletą metų lioviausi melavusi ir ryžausi sakyti vien tiesą. Jos niekuomet nepamirši.

Taip bus ir rytoj. Žodis žodin išklosiu apie savo gėdingą elgesį - visa kita paliksiu Dievulio valiai.

2

Pabusti Kronego pilyje visuomet buvo itin malonu. Mano miegamasis buvo pirmame aukšte, ir trys dideli langai išėjo į erdvų pilies kiemą su kaštonais. Pirmieji saulės spinduliai tik ir laukė, kada kris į mano lovą nužalsvinti lapų. Bet aš nemėgdavau anksti keltis, todėl retai kada juos įsileisdavau. Tad ir šįryt buvau užsitraukusi užuolaidas ir gulėjau lovoje su baldakimu kaip Dievo užantyje, nors trupučiuką ir baimindamasi. Bokšto laikrodis išmušė dešimt, taigi dabar devinta valanda. Kai prieš penkerius metus išvažiavau, laikrodis skubėjo tik pusvalandžiu.

Ir dar kai kas pasikeitė, kol manęs nebuvo. Daug metų mano dėdė kratėsi telefono Kronego pilyje. Kiek prisimenu, jis nuožmiai grūmėsi su technika ir smerkė visas naujoves. Kiek galėjau prisiminti, pilis buvo visiškai atskirta nuo pasaulio. Jei kas norėdavo su mumis susisiekti, turėdavo kliautis laiškais ir telegramomis, ypač žiemą varančiomis į neviltį vargšus Kronau miestelio laiškanešius.

Dabar viskas buvo kitaip. Anksčiau iš viso nebuvo telefono, o dabar aparatai stovėjo kiekviename miegamajame, net virtuvėje, dirbtuvėje, bibliotekoje, didžiojoje svetainėje, Riterių salėje ir grafo kabinete. Prie pat mano lovos puikavosi žalias aparatas, tad juo ir pasinaudojau, užsakydama iš virtuvės pusryčius.

Kokia prabanga, pamaniau padėjusi ragelį, gryna prabanga. Geriausia, kad už tai nereikia mokėti nė skatiko.

Mokėti, mokėti, mokėti – pastaruosius penkerius metus Londone man šis žodis apšleikšto iki gyvo kaulo. Vis reikėjo už ką nors mokėti: už nuomą, elektrą, didžiules sąskaitas už telefoną. Už automobilių nuomą ir viešbučių kambarius. Už lėktuvo bilietus ir brangias vakarienes. Už Ivo Sent Lorano eilutes ir Kartjė marškinių rankogalių sąsagas. Už auksinius žiebtuvėlius, šilkinius marškinius – ir, žinoma, nepamiršti skolų. Leidausi nupešama kaip Kalėdų žąsis, nes troškau, kad vyriškis, su kuriuo gyvenau, būtų puikiai nusiteikęs. Jis mėgo prabangą, be to, jam jos reikėjo, kad įgytų klientų pasitikėjimą.

Danielis buvo patarėjas finansų klausimais – bent tada, kai nebeturėdavo pinigų. O kai jų turėdavo, lošdavo biržoje. Kai viską prašvilpdavo, teikdavosi investuoti kitų pinigus, kad jie „duotų pelną". Jis palaikė kuo glaudžiausius ryšius su firma, kuri už didžiulius honorarus žadėjo beprotiškai garantuotas investicijas, ir dėjosi biržos, prekiaujančios žaliavomis, žinovu.

Jie siūlė pirkti visokiausias žaliavas: varį, alavą, akmens anglį, pomidorus; aišku, tonų tonomis. Entuziastingai patarinėjo savo klientams investuoti pinigus į naftos gręžinius, kuriais vertėsi pati firma. Viskas ėjosi kaip per sviestą, kol paaiškėjo, kad tariama naftos verslovė Atlanto vandenyno saloje – viso labo vienintelis vyriškis, kuris ištisus metus smaginasi saulėje Virdžinijos salose.

Ačiū Dievui, Danieliui nė karto nepavyko tarpininkauti nors vienam klientui, antraip būčiau turėjusi lankyti jį kalėjime. Bet jis pats manė kitaip ir nusivylė, kad verslas nesiseka.

– Niekaip nesuprantu, – kraipė jis galvą, – kodėl žmonės nesusigundo?

O aš tai supratau tą pačią akimirką, kai asmeniškai susipažinau su vienu iš jo „partnerių". To vyriškio veidas buvo kaip tikro nusikaltėlio. Tas, kas bent trupučiuką pažįsta žmones, investuodavo pinigus kitur.

Tačiau apie visus tuos dalykus aš sužinojau tik per paskutinį mūsų bendro gyvenimo pusmetį. Anksčiau Danielis man buvo Dievas, tad net nebūčiau pamaniusi, kad jo verslas nešvarus. Man jis buvo aukštuomenės žmogus: gimęs Naujojoje Zelandijoje, auklėtas brangiausiose Europos mokyklose, viešintis pas giminaičius ir pažįstamus, sklandžiai kalbantis angliškai, prancūziškai ir vokiškai.

Susipažinau su juo Kronege. Danielio giminės Europoje pasirūpino, kad jis patektų į reikiamus sluoksnius ir praleistų atostogas kaip dera, neišleisdamas nė pfenigo. Kadangi mano dėdė su jo dėde lošė bridžą, jis buvo pakviestas į mūsų vasaros pokylį ir paprašytas pasilikti dar ir kitą savaitgalį. Šito pakako, kad aš beatodairiškai jį įsimylėčiau.

Danielis ir atrodė taip, kad galėjai netekti galvos. Geltonplaukis ir grakštus. Tokios žalios akys, kokių niekuomet nebuvau mačiusi. Nė kiek nepanašios į katės akis. Jų spalva kaitaliojosi nuo turkio iki samanų žalumo, ir tos akys galėjo hipnotizuoti, bent mane. Kai jis perverdavo tuo ypatingu žvilgsniu, man nudiegdavo po krūtine, imdavo virpėti keliai ir išgaruodavo paskutiniai proto trupinėliai. Žinoma, jis elgėsi nepriekaištingai, apsirengęs taip pat visuomet būdavo puikiai. Net pilyje nė karto nesu jo mačiusi dulkėtais batais. Apskritai jis buvo pats elegantiškiausias iš visų kada nors mano sutiktų vyriškių.

Ir nebuvo sportiškas. Labiausiai mėgo tysoti gulimojoje kėdėje saulėje ir skaityti biržos naujienas. Jo silpnybė buvo egzotiški kokteiliai, ir kai jam per mūsų vasaros pokylį buvo patiekta taurė „Pimm's" be šviežios mėtos, pirmąkart pamačiau, kaip jis nesusivaldė. Šiandien toks įniršis būtų mane įspėjęs. O tada toks pasaulio pažinimas ir kokteilių išmanymas man padarė didžiulį įspūdį.

Ak, Danielis. Jis buvo pirmasis mano meilužis, švelnus, jautrus ir linksmas – jei to norėdavo. Bet jis galėjo ištisas dienas piktas trintis namie, nesiteikdamas pažvelgti į mane bent akies krašteliu, o elegantišką butą Londone paversti kiaulide. Tada jis reikalaudavo, kad patarnaučiau jam kaip kunigaikščiui, ir sulig menkiausia nepatinkančia smulkmena laidydavo kandžias pastabas apie mano tėvą ir motiną. Vis dėlto jis buvo gudrutis. Niekuomet neperlenkdavo lazdos. Pačią paskutinę akimirką, kai būdavau beapsipilanti ašaromis, suimdavo man veidą išpuoselėtomis rankomis, nusišypsodavo žaliomis akimis ir pasakydavo:

– Taip, dabar viskas bus gerai. Apsivilk gražiausia suknele, važiuosime išgerti arbatos į „Rico" viešbutį.

Ir pasaulis vėl nušvisdavo.

Danielis buvo pirmoji didelė mano aistra. Man nepasisekė tik todėl, kad viešėdamas pilyje jis sužinojo apie dėdės Nestoro testamentą, tiksliau – mano senelio brolio Nestoro testamentą. Žinoma, aš jam papasakojau, nes spėjau, kad jis pats turtingas. Šiaip ar taip, elgėsi kaip aptekęs pinigais, be to, buvo šeimos draugas. Jokios priežasties juo nepasitikėti.

– Krūva pinigų, – pasakė jis. – Ką su jais veiksi?

– Dėdė Eduardas investuos. Atpirksime žemę, kuri priklausė piliai. Jau seniai troškome. Tada galėsime patys išsilaikyti.

– Žemę? – Danielis, regis, nusivylė. – Juk negyvas kapitalas. Žinai, kas tai yra? Gryniausia provincialų mąstysena. Pinigus reikia įdarbinti. Būti veržliam ir pirkti tai, kas brangsta. Pirkti ir parduoti, tik šitaip praturtėsi. Turėtum ką nors daryti su savo pinigais. Ar niekada negalvojai?

– Ne, – atsakiau.

Ir tai buvo tiesa. Man nieko netrūko, visada gaudavau ko užsimaniusi. Tiesa, pinigais nesišvaistėme, bet šiaip nelabai jais domėjomės. Kronege niekas nekalbėdavo apie finansinius reikalus. Užtat Danielis galėdavo dienų dienas kalbėti apie pinigus. Įdomesnės pokalbio temos jis nerasdavo. Žinoma, turėjau susiprotėti, juolab kad apie pinigus jis šnekėdavo tiktai su manimi ir nė karto neliesdavo šios temos su grafu. Iš pradžių ir aš rimtai svarsčiau šią aplinkybę, bet paskui priėjau prie išvados, kad gal Naujojoje Zelandijoje apie pinigus kalbama atviriau negu Europoje. Ir jeigu jam verslas sekasi kaip sviestu patepus, kodėl kartkartėmis trupučiuką nepasigirti? Galų gale tokia jo specialybė.

– Juk tu, Danieli, bankininkas, ar ne? – paklausiau.

– Aš finansininkas, – nuskambėjo atsakymas. – Esu savarankiškas, stoviu ant žemės tvirtai kojomis. Nesu gimęs tarnauti.

Tai man darė įspūdį.

– Anete, *darling*, – kuždėjo jis per pirmą meilės prisipažinimą po kaštonais dideliame pilies kieme, – galėčiau padvigubinti tavo pinigus. Tėvas man patikėjo savo turtą, ir nuo tada visa Naujoji Zelandija mane pažįsta. Man tereikia įsitvirtinti Europoje. Ar padėsi? Važiuok su manimi į Londoną, mieliausioji! Aš taip puikiai investuosiu tavo pinigus, kad vien iš procentų galėsime atpirkti dvaro žemę. Priversime tavo turtą mums dirbti ir nuostabiai gyvensime Anglijoje. Suteik man galimybę, *darling!* Juk pasitiki manimi?

Aš juo ne tik pasitikėjau, aš jį mylėjau.

Ir lemtis pasuko sava vaga.

Tarnaitė su pusryčių padėklu nutraukė mano mintis. Dieve, tas pokalbis! Dėdė Eduardas! Reikėjo rengtis. Širdis ėmė pašėliškai daužytis.

– Ponas grafas liepė ramiai pradėti pusryčius. Ateis po pusvalandžio. Dabar jis dirbtuvėje. Bonis šiąnakt sukapojo karnizą, todėl dabar meistraujamas naujas. Prašom paskambinti, jeigu ko prireiktų.

Pusvalandis. Gerai, man lieka laiko. Tarnaitė išėjo, ir aš šokau iš lovos. Tiesa, aš bijojau, bet kaip visuomet rytą buvau puikiai nusiteikusi ir gyvybinga.

Atlapojau visus langus. Lauke buvo puiki diena. Kvepėjo ką tik nupjauta žolė, o didelis pilies kiemas atrodė pasakiškai. Erškėtrožės šalia vartų į mažąjį kiemą buvo apsipylusios rožiniais ir baltais žiedais, o po mano langu kvepėjo lelijos. Nors jau buvo liepos pradžia, dar pats lelijų žydėjimas. Grafas pats jas prižiūrėjo. Buvo geras sodininkas. Nuo tada, kai pirmąkart atvykau į pilį, nuo tada, kai apsigyvenau šiuose kambariuose, jis kasmet pats pasodindavo po mano langais lelijų.

Gražu Kronege. Erdvaus kiemo viduryje augo penketas didžiulių kaštonų, kurie buvo pasodinti imperatorienės Elžbietos karūnavimo Vengrijos karaliene garbei. Kaštonai buvo taip susiglaudę, kad jų šakos lietėsi, sudarydamos pavėsingą stoginę, po kuria tvyrojo maloni vėsuma net ir karščiausią vasaros dieną.

Ten stovėjo didelis apskritas stalas, dailus medinis suolas ir keli balti pinti krėslai. Gražiu oru visuomet būdavo valgoma prie to stalo. Ir šiandien būčiau labiausiai norėjusi pusryčiauti po medžiais ir pyrago trupiniais lesinti zyles. Bet grafas pageidavo likti su manimi vienas, todėl ir laukiau jo čia.

Tarnaitė padėjo pusryčių padėklą svetainėje. Kronege man priklausė miegamasis, svetainė, drabužinė ir atskira vonia – neblogai jaunai moteriai be skatiko. Be to, šie kambariai buvo patys gražiausi pilyje, nes anksčiau buvo įrengti mano motinai.

Mano motina! Negaliu dabar apie ją galvoti! Basa nubėgau minkštais kilimais į vonią ir atsistojau priešais veidrodį iki pat grindų. Norėjau galvoti ką kita, ir tai padėjo. Jeigu man nepasisekė su pinigais ir meile, bent dėl išvaizdos neturėjau rūpesčių. Niekuomet netroškau būti kitokia, negu buvau. Man patiko mano ilgos juodos garbanos ir mėlynos it žibuoklės akys, pelnančios vien pagyras. Sako, kad giminėje tokių akių nėra buvę. Didžiavausi jomis ir žinojau: jeigu raudonai pasidažysiu lūpas, vyrai gatvėje ims švilpti man įkandin.

Bet Kronege negalėjo būti nė kalbos apie lūpų dažus ir panašias išmones. Net ir plaukus turėsiu susisukti į kuodą. Dėdė Eduardas nekentė kosmetikos, o ilgos palaidos garbanos jam atrodė vulgariai.

– Pernelyg gundo, – kartodavo jis. – Ką tu sumanei? Nori suvilioti Hansą?

Ir jeigu susirengdavau į Kronau paštą, dėdė patikrindavo kiekvieną segtuką, kad įsitikintų, jog pakeliui neišsileis nė viena garbana.

Apsirengusi atsisėdau svetainėje ir ėmiau pusryčiauti. Buvo šviežio pieno ir sviesto iš dvaro, naminio abrikosų marmelado, o kiaušinis virtas lygiai tris minutes, kaip labiausiai mėgstu. Kava stipri ir gardžiai kvepianti. Juo labiau ja skonėjausi dabar, mat Londone visur, žinoma, tik ne „Rico“ viešbutyje, tegaudavau vandeningos amerikietiškos kavos.

Net šykštuolė Ana virdavo gerą kavą. Bet Lotė pralenkė ją ir šiuo požiūriu. Smulki apskritutė Lotė tikrai buvo laimingas radinys. Ji nepabijojo vos atvykusi į pilį visuose didesniuose apylinkės miestuose paieškoti savo mėgstamos kavos rūšies. Kai iš to nebuvo jokios naudos, o keli žygiai į sostinę irgi baigėsi nesėkmingai, padedama buvusio savo šeimininko ji rado būdą, kaip parsisiųsdinti iš Prancūzijos „vienintelės rūšies pupelių, kurios tikrai yra pupelės".

– Tiktai kvailiai dievina braziliškas, – patikėjo ji man pirmąją dieną, – bet aš išmėginau visas rūšis. Ir žinau tai, ką žinau. Geriausia kava būna iš Haičio.

Pilies šeimininkas pritarė šiai nuomonei. Tiesa, jau kuris laikas jis nebegėrė tikros pupelių kavos, bet jo Lotė, matyt, nemelavo. Kada ne kada jis susigundydavo šlakeliu, nors dažniausiai gerdavo kavos pakaitalą, kurį Lotė paprastai pildavo demonstratyviai suraukusi nosį.

Ilgokai nesupratome tokio dėdės pomėgio. Mat grafas džiaugėsi kuo geriausia sveikata ir iš viso buvo itin tvirtas žmogus. Niekam iš mūsų niekuomet taip ir nepavyko apkrėsti jo kad ir nepavojingiausia bacila. Net tada, kai visi pilyje kosėdami ir čiaudėdami sirgo gripu, dėdė per patį viduržiemį linksmai klampojo po kiemą – įniko restauruoti saulės laikrodį. Tačiau Lotei pasisekė atskleisti šio kavos pakaitalo paslaptį.

– Pone grafe, – paklausė ji per vieną švelnumo valandėlę, – ar jūs turite kokią slaptą ligą?

Akimirką jis dvejojo, o paskui trūkte pratrūko:

– Mieloji, aš turiu ne slaptą, o siaubingą ligą. Greičiausiai jūs jau pastebėjote, kad nuolatos prasiveržia mano nesuvaldomas būdas. Ir ko tik aš neišbandžiau, kol šykštuolė Ana, jūsų pirmtakė, sugalvojo, jog kavos pakaitalas yra geras vaistas. Man jau šiek tiek pagerėjo, tad dabar taip ir gydysiuosi, kol pasidarysiu romus kaip avinėlis.

Bet kol kas apie avinėlio romumą negalėjo būti nė kalbos. Tą pastebėjau pačią pirmąją dieną automobilyje. Pilies šeimininko pykčio protrūkiai buvo tokie pat, kokius prisiminiau, tad ir šįryt ant pusryčių padėklo stovėjo du kavinukai: didelis mėlynas man ir mažas sidabrinis, pripiltas specialaus gėrimo, – grafui.

Dėdė Eduardas buvo jau atėjęs ir paprašė, kad įpilčiau pilną puodelį, o paskui lėtai ir mėgaudamasis išmaišė tam kavos pakaitale devynis šaukštelius cukraus. Močiutė man pasakojo, kad būdamas vaikas į savo šokoladą jis dėdavosi tiek cukraus, kad šaukštelis stovėdavo.

– Ir kaip galima teigti, kad cukrus nesveika, – piktindavosi jis išėjus kalbai. – Mano senelio sesuo paskutinius penkerius savo gyvenimo metus mito vien saldainiais ir šampanu, o sulaukė bemaž šimto.

Bet tuoj pat pakeisdavo temą.

Vadinasi, jis jau čia, tas bauginantis rytas. Mudu sėdėjome vienas prieš kitą. Dėdė Eduardas dėvėjo sportinę liemenę ir patvaraus audinio kelnes, nes paskui ketino lipti į apvalųjį bokštą kartu su Hansu apžiūrėti vėjarodžio. Šis, kad ir kaip keista, nuo pat mano atvykimo rodė tik į rytus, nors pūtė ne vakarų krypčių vėjas. Aš buvau apsirengusi pavyzdingai: šviesus drobinis sijonas, balta drobinė palaidinė, žemakulniai raudoni bateliai, o vienintelis papuošalas – sunkūs raudoni koralų karoliai. Kosmetikos nė ženklo. Plaukus buvau kukliai susirišusi ant pakaušio.

Dėdė Eduardas palankiai mane nužvelgė. Paskui padėjo sidabrinį šaukštelį ant lėkštutės.

– Taip, – tarė patenkintas, – šiandien šnektelėsime trumpai, nes reikia lipti į bokštą patikrinti vėjarodžio, ir Hansas jau laukia. Taigi pasikalbėkime apie reikalą. Kiek tu netekai?

– Labai daug, – atsakiau atvirai, – bet tikslios sumos nežinau.

Šį sakinį baigiau giliu atodūsiu.

Dėdė Eduardas iškart susijaudino:

– Nenoriu tavęs kankinti, vaike. Tenoriu sužinoti padėtį. Be to, niekuomet sau nedovanosiu, kad būtent čia susipažinai su tuo veltėdžiu. Tačiau dėdė Nestoras apsiverstų karste, jeigu sužinotų, kas nutiko jo turtui. Be to, – jis patylėjo ir tiriamai pažvelgė man į akis, – be to, tu žinojai, kam tie pinigai buvo skirti. Jau kelis dešimtmečius laukiau, kada galėsiu atpirkti pilies žemę. Turiu ir nuomininką. Jis paliktų viską kaip ligi šiol, nieko nekeistų. Kaip tik tokio žmogaus man ir reikia. Bet tu dar nežinai, kas nutiko. Įsivaizduok, savininkas *iš tikrųjų* nori parduoti žemę, ir kuo greičiau. Ketina išvažiuoti pas brolį į Kanadą. Jis atėjo ir paklausė, ar vis dar noriu pirkti. Ką pasakysi?

Ką aš galėjau pasakyti. Mat prieš penkerius metus dvaro savininkas dar prisiekinėjo niekuomet neparduosiąs žemės. Kaskart, išėjus iš kalbos, jis tik numodavo ranka ir nusijuokdavo, ir sąžinės priekaištai Londone man apmalšdavo.

– Na, tai kaip? – nutraukė mano mintis dėdė. – Ar mums užteks pinigų sumokėti?

Reikėjo atskleisti skaudžią tiesą.

– Manau, vargu. Tiesiog viskas nesisekė.

Pilies šeimininko veidas aiškiai apniuko.

– Kas viskas?

– Tiesiog viskas. Danielis man žadėjo pinigus taip investuoti, kad galėtume nupirkti žemę vien iš pelno.

– Taip? Jis žadėjo? O kokios, prašyčiau pasakyti, tavo didvyris ėmėsi veiklos?

– Jis ieškojo pelningų sandorių.

Dėdė Eduardas grėsmingai išsiviepė:

– Tikrai, genialus protas.

Nusprendžiau nė žodžiu neminėti aukso kasyklos akcijų, kurių pripirko Danielis be mano žinios. Draugų firmos, kuri Australijos dykumoje ieškojo aukso. Iš pat pradžių tam nepritariau, nes žinojau apie naftos gręžinius Virdžinijos salose, ir to man pakako.

– Na, – tariau skubiai, – iš pradžių neketinau liesti dėdulės Nestoro turto. Bet paskui Danieliui pasitaikė nepaprasta proga, toks sandoris, kai per naktį uždirbi milijonus, tada ir pardaviau akcijas.

– Jaunų kvailumas neribotas. – Dėdė Eduardas graudžiai žiūrėjo į grindis. – Jeigu rimtai – man trūksta žodžių. Argi tu nežinai, kad toks pelnas įmanomas tik filme arba nusikaltėlių pasaulyje? Ar tau nebebuvo likę nė kruopelės sveiko proto? Nesuprantu, kodėl tikėjai tokiomis nesąmonėmis.

– Bet Danielis apie juos kalbėjo, – teisinausi, – jo pažįstami taip pat. Tikrai, pažinojome keletą žmonių, kurie per naktį didžiulius pinigus...

– Prašyčiau nutilti! – suriko grafas ir sukando dantis vos tvardydamasis. – Negaliu tverti! Šitokios nesąmonės, ir čia mano kūnas ir kraujas. – Jis čiupo sidabrinį kavinuką, įsipylė ir skubiai patraukė gurkšnį. – Štai tau ir devintinės. Trumpai drūtai, patikėjai tam veltkleidžiui visą savo turtą. O kadangi tave pažįstu, vadinasi, jam ir perrašei.

– Aišku, ne! – paprieštaravau. – Danielis niekuomet nebūtų to reikalavęs.

Nors būtų priėmęs, bet dėdei Eduardui nebūtina to žinoti.

– Na, – kalbėjau aš toliau, – jis iš tiesų stengėsi. Visuomet pirko brangius daiktus. Varį, anglis ar sidabrą, bet jam nesisekė. Vos ką įsigydavo, tas tuoj atpigdavo.

– Tai *jis* tau taip sakė?

– Ne, pati sužinojau. Kartą išvažiavome atostogų į Prancūzijos Alpes, ir Danielis prisiekė, kad grįžę būsime milijonieriai. Buvo pripirkęs alavo, didžiulį kiekį. Konteineriai stovėjo Anglijoje, skirstymo stotyje. Paskui grįžome, ir jis daugiau apie tai nė žodeliu neužsiminė. Žinai, kas nutiko? Alavo kainos nukrito, ir mes per tris savaites nuskurdome šešiasdešimčia tūkstančių markių.

– Tai nusikaltimas! Ir ką tu darei?

– Nieko.

– Nieko?

Gūžtelėjau pečiais ir spoksojau į savo kavos puoduką.

– Anete, pažvelk man į akis! Tas niekšas buvo tave apžavėjęs, tiesa?

– Ne! – pasakiau tvirtai.

– Nemeluok! – sugriaudėjo grafas. – Aš juk ne pirštu žindomas! Jis buvo tave apžavėjęs, atėmęs protą. Visuomet bijojau to pražūtingo lytinio potraukio. Visos blogybės per tuos prakeiktus kūno geidulius.

Mudu tylėjome. Galvojau apie Danielį ir tą paskutinį kartą, kai jį mačiau Londono oro uoste. Jis skrido į Šveicariją, lydimas stambaus argentiniečio žemvaldžio, trokštančio atsikratyti pinigų. „Grįšiu vėlių vėliausiai po penkių dienų", - šūktelėjo jis man, eidamas pro pasų kontrolę. Nusišypsojau ir pamojavau. Bet jau žinojau, kad ten manęs neberas. Buto buvau atsisakiusi. Dar tris dienas praleidau Londone. Kroviausi daiktus, tvarkiau vieną kitą reikalą, pirkausi lėktuvo ir traukinio bilietus.

Ketvirtą dieną, kaip tik man beišeinant, gavome didžiulę sąskaitą iš Ciuricho, iš „Dolder Grand Hotel". Adresuotą man. Padėjau ją kartu su neapmokėta telefono sąskaita prieškambaryje po veidrodžiu. Nebesijaučiau atsakinga už Danielio skolas. Nepalikau jokio atsisveikinimo laiško, parašiau vienintelę eilutę:

PALIEKU TAVE. ŽINAI KODĖL.

Iš neapmokėtų sąskaitų jis supras, jog šįkart aš rimtai pasiryžau.

– Už paskutinius pinigus nusipirkau ipotekos lakštų ir koralų, – pasakiau balsiai.

Grafas kilstelėjo vešlius antakius:

– Koralų?

– O kodėl ne?

– Kaip tu sugalvojai? Tai juk nesąmonė! Tau reikėjo pirkti geležies. Ketaus.

– Prašau? Ketaus? Kaip tau atėjo į galvą ketus? Tu rimtai?

– Žinoma, – nusijuokė grafas, – ketus labai populiarėja. – Paskui jis prisikišo prie manęs ir kaip sąmokslininkas tarė: – Nė vienas žmogus to nežino. Bet aš sakau tau, kad reikia investuoti kapitalą į ateities meno dirbinius iš ketaus.

– Tikrai?

– Be jokios abejonės! Tiesa, žmonės šito dar nenutuokia, bet juk visada taip būna. Žmonėms pirmiausia reikia pakišti po nosimi gražius daiktus. Bet kol kas, vaike, juos pirkti. Dabar dar įmanoma gauti. Pavyzdžiui, galėjai Londone nusipirkti kelis biustus arba raitelio statulą. Ar nugriautiną koncertinę estradą.

– Nė sapnuote nebūčiau susapnavusi, – pasakiau priblokšta, – man niekuomet nebūtų net dingtelėjusi tokia mintis.

– Aišku, ne, – sušuko grafas linksmai. – Šis sumanymas kol kas paslaptis. Kaip tik todėl ir įdomus. Mielas vaike, aš pradėjau kolekcionuoti. Kai tau paaiškinsiu – bet per daug šnekos, pasilikime ateičiai. Be to, aš aptikau tokių dalykų, kad tu net nepatikėsi. Manau, atkapsčiau senovinę paslaptį.

Staiga dėdė nutilo ir pasižiūrėjo į laikrodį.

– Kokią paslaptį? – šūktelėjau susijaudinusi. – Kaip šaunu!

Grafas nusijuokė:

– Tramdyk smalsumą! Aš tyliu kaip žemė. Verčiau papasakok man apie koralus. Tu nusipirkai koralų. Kam?

Šįkart *aš* paslaptingai pritildžiau balsą:

– Mat netrukus jie kainuos tiek pat kiek auksas. Jūros siaubiamos, koralai neauga, o paklausa nuolat didėja.

– Už kokią sumą jų prisipirkai?

Pasakiau.

– Vis šis tas, – sutiko grafas. – Reikia būti dėkingam už kiekvieną išgelbėtą pfenigą. Parodyk. Šitie tavo karoliai iš koralų? Tikrai dailūs. Bet anksčiau juos dovanodavo vaikams. Tai buvo vaikų papuošalas. Niekas nežiūrėjo į tokius niekučius rimtai.

Nerūpestingai pasakiau, kiek sumokėjau už šiuos karolius.

– Neįtikima, – nusistebėjo grafas, – niekuomet nebūčiau pamanęs. Kaip keičiasi laikai. Gal tu ir ne visai prašovei.

– Galų gale norėjau turėti ką nors, kas man patinka, – paaiškinau. – Nesisekė su variu, alavu ir anglimis. O koralus aš mėgstu. Man jie labai gražūs. Ir jeigu jų kaina, nors ir neįtikima, nukris, vis dar bus galima iš jų pagaminti nuostabių papuošalų.

– Tu teisi! – sušuko grafas. – Tikrai geras pirkinys. Apskritai virš mūsų kybo gailestingas likimas. – Jis atsistojo. – Eime, – pasakė, – eime, vaike! Apsivilk švarkeliu ir palydėk mus į apvalųjį bokštą.

3

Apvalusis bokštas – seniausia Kronego pilies dalis. Tokia sena, kad jo pamatai mena dar romėnus, kurie čia buvo pastatę tvirtovę. Ir kitos apylinkės pilys kildinamos iš romėnų laikų. Pastatytos kaip gynybinė siena nuo priešų iš rytų: hunų, madjarų ir turkų.

Kokio senumo bokštas, buvo matyti ir iš jo dantytų atbrailų. Elegantiško baroko metais, kai tokios puošmenos išėjo iš mados, bokštas buvo apdengtas šviesiu smailu raudonų čerpių stogu. O pačiame viršuje pagražintas vėjarodžiu: prašmatniu geležiniu įtaisu su didinga data - 1611.

Nors išoriškai ir pasikeitęs, viduje bokštas buvo tikras viduramžių statinys. Šaltas ir niaurus, akmeninių laiptų pakopos skirtingos ir gan aukštos. Jokių turėklų. Siena, į kurią turėjai ramstytis, kad saugiai užkoptumei, iš šiurkštaus šalto akmens. Viskas apvaliajame bokšte buvo iš akmens, net pertvaros, skiriančios tris mažas sargines. Užtat kampuotasis bokštas buvo iš tiesų puošnus. Jis buvo ir jaunesnis, mūrytas jau iš plytų.

- Kažkas nutiko vėjarodžiui, - šniokštė grafas, prietemoje lipdamas man iš paskos ir nežinia kodėl tempdamas medinį plaktuką. - Jis neįtikimai ramus. Paprastai pabudindavo mane kas rytą, kai vėjas keisdavo kryptį. Ir jau trys dienos, kai apskritai nieko nebegirdžiu. Tokia kraupi tyla, aš net nervinuosi.

Vėjarodžio gyvenimas buvo ypatingas. Kiek prisimenu, vos kryptelėjęs jis taip siaubingai sužviegdavo, kad visas nutirpdavai iš baimės. Jis ypač įsismarkaudavo audringomis naktimis. Mes, Kronego pilies įnamiai, buvome pripratę, bet svečiams tas žviegimas gadindavo nervus. Atvirai prisipažinsiu, man toji nauja ramybė nekliudė. Buvau pasikeitusi per tuos penkerius nebuvimo metus. Ir tylios naktys man malonios. Net prie bokšto laikrodžio vėl turėjau priprasti.

– Gal jis surūdijo, – sušvokštė Hansas, sekdamas iš paskos šeimininkui. – Tada reikės kviesti stogdengį. Vienas nesusidorosiu. O gal pamėginti?

– Dieve gink! – pasibaisėjo dėdė Eduardas ir sustojo. – Ar norite nusisukti sprandą? Man tik knieti sužinoti, kas nutiko, ir viskas. Gal nieko neįmanoma padaryti be sraigtasparnio ar pastolių, o man šiuo metu tai pernelyg didelės išlaidos. Ir trūksta tam būtinos ramybės!

Iš apačios vėjarodis atrodė mažas, nors iš tikrųjų buvo keturių metrų aukščio ir svėrė keletą centnerių. Prireikus stogdengys, prisirišęs ir ėmęsis reikiamų saugumo priemonių, būtų galėjęs pakaukšėti į jį plaktuku ar išpilti ant ašies keletą litrų alyvos, bet apie vėjarodžio nuėmimą negalėjo būti nė kalbos. Net du vyrai nebūtų pajėgę.

Kai pagaliau uždusę užlipome ir iš šaltos prietemos išlindome į saulę, vėjarodį pamiršome. Vaizdas apstulbino. Mums po kojomis driekėsi slėnis, galėjai matyti kiekvieną namą, ypač per slėnį vingiuojančius kelius. Pastatyti čia sargybos bokštą buvo gudri taktinė mintis. Joks priešas negalėjo prisiartinti nepastebėtas.

Hansas vikriai užsikabarojo ant gegnių apžiūrėti vėjarodžio įtvirtinimų.

– Atsargiai, – įspėjo jį grafas, – čia gyvena pelėdos.

Paskui mudu nuleidome akis į pažįstamus pilies stogus.

– Spėju, kad ilgėjaisi namų.

– Labai, – atsakiau. – Juk tokio grožio pasaulyje niekur nėra.

Grafas patenkintas linktelėjo galvą.

– Niekur nėra tokio grožio, ir niekur tau nebus taip gera, vaike. Nedaug yra žmonių šiame pasaulyje, kurie nuoširdžiai trokšta tau gero.

– Žiū, kas tenai! – staiga sušuko jis ir parodė į kairę. Virš pilies koplyčios stogo, visai pro pat mus, praskrido dailus gandras. Ištiesęs ilgą raudoną snapą į priekį, o kojas gulsčiai į užpakalį. Paukštis buvo panašus į ilgą tiesų brūkšnį, aukštyn ir žemyn kilnojosi tik dideli juodos ir baltos spalvos sparnai. Žiūrint į gandrą nuotaika kaipmat pasitaisė.

Kiek prisimenu, ant žemvaldžio namų stogo visuomet buvo gandrų lizdas. Kiekvieną pavasarį aš ir grafas lažindavomės, kiek šįkart gandrai išaugins jauniklių. Labai domėjomės gandrų šeimos gyvenimu, nes jaunikliai, mokydamiesi skraidyti, visuomet pasirinkdavo tikslu pilies stogą. Jie išdidžiai tupėdavo viršuje pirmąkart sėkmingai įveikę pilies griovį ir pakeliamąjį tiltą, o mes niekaip negalėdavome jais atsigrožėti. Šįmet lizde stovėjo du jaunikliai. Geras ženklas.

– Du jaunikliai, – nudžiugo grafas, – ar matei? Gandrai neša laimę.

Hansas nusileido nuo gegnių.

– Nieko neradau, tik rūdžių, – pasakė jis. – Įtvirtinimai dar geri. Jums leidus, aš vėl pėdinsiu į dirbtuvę. Ar po pietų pakviesti stogdengį?

– Dar pasitarsime, – tarė grafas. – Labai ačiū!

Hansas dingo ant laiptų, vėl pasirodė apačioje, perkirto kiemelį su apskritu akmeniniu šuliniu ir užsidarė dirbtuvėje. Dėdė Eduardas padėjo medinį plaktuką ant grindų ir atsisėdo ant sienos, elgėsi neįprastai.

– Prieik, – paliepė jis, – dar turime kai ką išsiaiškinti.

Apvaliojo bokšto stogas buvo taip sumaniai uždengtas ant senovinių keturkampių atbrailų, kad buvusios šaudymo angos pasidarė kaip langai, ant kurių galėjai patogiai atsisėsti. Tiesa, reikėjo, kad nesvaigtų galva, bet visi Kronego įnamiai buvo drąsūs. Tūptelėjau šalia grafo ir nugara atsišliejau į sieną. Saulės plieskiami akmenys skleidė šilumą, o oras buvo maloniai vėsus, nes bokštuose visuomet pūtė vėjelis.

– Vėjas pasisuko, – nei iš šio, nei iš to pasakė dėdė Eduardas. – Dabar jau tikras vakaris. Kaip manai, ar vėjarodis tą išpranašavo? Jeigu būtum prietaringas, galėtumei sakyti, kad sulauksime svečių iš vakarų.

– Nuo kada *tu* pasidarei prietaringas? – paklausiau nustebusi.

– Išsiugdai nuojautą, – atsakė grafas ir paslaptingai nusišypsojo, bet neaiškino išsamiau. Paskui paėmė medinį plaktuką ir susimąstęs pasvarstė jį rankoje.

– Taip, – tarė jis, – o dabar prisipažink. Kodėl ištisus trejus metus nedavei jokios žinios?

– Aš tavęs bijojau.

Grafas taip įtūžo, kai išvažiavau, kad buvau tikra, jog niekuomet nebenorės manęs matyti.

– Taikai į tai, kad anuomet nesusivaldžiau? Menkas pasiteisinimas. Tu juk prie to pratusi. Ir vien dėl to nemalonaus atsisveikinimo trejus metus nerašei?

– Mane graužė ir sąžinė.

– *Tą* suprantu. Bet juk turėjai iškart parašyti, kai perpratai tą berną. Gal būtum išsaugojusi turtą. Be to, esu artimiausias tavo giminaitis. Būčiau priėmęs išskėstomis rankomis.

– Bet juk grįžau pas tave, dėde Eduardai.

– Tiesa. Tik per vėlai.

– Aš nesilaukiu, jei kalbi apie tai.

– Kalbu ne apie tai. Kalbu apskritai.

– Kaip apskritai?

– Penkeri metai – ilgas laiko tarpsnis. Per penkerius metus viskas gali pasikeisti. Aš daug galvojau ir priėmiau keletą sprendimų. Juk žinai, kad paprastai greit apsisprendžiu.

– Žinau. Ir ką tu nusprendei?

Dėdė Eduardas užsimetė koją ant kojos.

– Tu dar sužinosi. Kai reikės. Šiaip ar taip, aš labai nusivyliau, kad anksčiau nepasprukai nuo savo didvyrio.

– Pirmaisiais metais mėginau lygiai penkiolika kartų pamesti Danielį, – tariau pabrėždama. – Kas mėnesį po kartą, o gruodį – net triskart.

– Vis šis tas, – abejingai numykė grafas.

– Net neįsivaizduoji, kaip buvo sunku, – pasakiau. – Tikrai norėjau grįžti namo.

Grafas numojo ranka.

– Didžiausia bėda pasaulyje, kad žodžiai ir darbai skiriasi, – pacitavo. – Sena išmintis, kuri visada galios. Deja, ji tinka ir vienintelei mano seserėčiai.

– Dėde Eduardai, – pasakiau ir atsitiesiau kaip žvakė, – ar galiu tau kai ką pasakyti? Danielis grasino, kad *nusižudys*, jei jį paliksiu. Ar norėtumei žudikės šeimoje?

Grafui tie žodžiai nepadarė įspūdžio.

– Jis sakė, kad nusižudys?
– Žinoma.
– Ir tu patikėjai?
– O kodėl turėjau netikėti?
– Šitokiais vyrais apskritai nevalia tikėti, – sušuko grafas. – Argi nė kiek nepažįsti žmonių? Drįstu tvirtinti, kad šitas žaliaakis nenaudėlis nė neketino žudytis, kad jis ir dabar nenusižudė – gyvut gyvutėlis sukiojasi šiame pasaulyje ir oi dar pagadins mums nervų. Ar supranti mane?

Jis taip trenkė mediniu plaktuku į akmenį, kad net nudundėjo.

– Žinoma, suprantu, – tariau jį ramindama. – Tu visiškai teisus, bet man prireikė penkerių metų, kol išsiaiškinau.
– Ilgokai.
– Deja. Bet dabar jau žinau.
– Kokia suktybė, – niršo grafas, – seniausias triukas nuo Adomo laikų. Pagrasink nusižudyti, ir visos moterys ištyžta.
– Nę viskas jau taip paprasta, – įsižeidžiau. – Ar mus laikai kvailėmis?
– Bet juk padėjo. O gal ginčysies? Jūsų, moterų, pasaulėjautoje įsivėlusi klaida. Perdėta užuojauta. Nuoširdžios žalios akys, meilus šuns žvilgsnis, perregimas ašarų šydas – ir pinigai plūsta ne ten, kur dera. Tik jau nepertrauk manęs, žinau, ką kalbu. Mat kartą tai jau patyriau, čia, apvaliajame bokšte, prieš pat tau gimstant.

Iš susijaudinimo man ėmė daužytis širdis.
– Kalbi apie mano motiną?

– Atspėjai.

– Dėde Eduardai, – ėmiau maldauti, – ar mudu negalime kaip du protingi žmonės pasikalbėti apie ją? Buvau išvažiavusi penkerius metus ir per tiek laiko suaugau.

Grafas pasižiūrėjo į mane ir nieko neatsakė.

– Tas amžinas slapukavimas, – atsidusau. – Ir aš niekada netikėjau istorija apie Pietų Afriką.

Kiek galėjau prisiminti, Kronege buvo tabu dvi temos: mano tėvas ir mano motina. Tiesa, žinojau, kad pirmuosius ketverius savo gyvenimo metus aš praleidau su jais, bet nieko neprisimenu. Kai vėliau apsigyvenau pilyje, dėdė iš paskutiniųjų stengėsi, kad juodu pamirščiau. Į mano klausimus visuomet būdavo atsakoma: tavo motina yra Pietų Afrikoje ir pasiaukojamai slaugo sergančią giminaitę.

– Prašau, dėde Eduardai! Ar negali pasakyti man tiesos?

– Gerai! – staiga sušuko grafas ir, didžiausiai mano nuostabai, pridūrė: – Galiu ir pasakysiu. Aš suklydau. Nieko tau nepasakojau, nes norėjau apsaugoti nuo tavo motinos likimo. Dabar matau, kad kvailai elgiausi. Priešingai, man reikėjo papasakoti tau kiekvieną smulkmeną. Tada būtum žinojusi, kaip nereikia elgtis, ir gal nebūtum pakliuvusi į nagus pirmam pasitaikiusiam apgavikui.

Susidomėjusi atsilošiau.

– Na, tai kur ji yra? – paklausiau smalsiai.

Dėdė Eduardas nutaisė rimtą veidą. Paskui paėmė mano ranką ir balsu lyg iš kapo duobės ištarė:

– Tavo motina, vaike, gyvena prabangiame viešbutyje prie pietų jūrų. Pramogauja kiek leidžia jėgos. Smaginasi su vyrais.

Nepajėgiau susitvardyti ir pradėjau kvatotis.

Grafas paleido mano ranką ir nepatenkintas pasižiūrėjo:

– Ko čia juoktis? Gal nesupratai, ką pasakiau?

– Prašau atleisti, bet tai tikrai juokinga. Mat iš tavo balso pamaniau, kad sėdi kalėjime. O čia juk labai gražiai skamba – prabangus viešbutis pietuose ir krūvos garbintojų.

– Gražiai? Kalbant apie *mano seserį* ir *tavo motiną*? – pasipiktino grafas. – Ne! Yra skirtumas. Mums būtina ginti giminės papročius. Bet štai ką dar norėjau tau pasakyti: pirmiausia ji išteka iš užuojautos už priklydusio vargetos. Pati būdama bemaž vaikas. Kurgi ne – būtinai užsispyrė tekėti. Vos ištekėjusi išsiskiria, nors tu jau buvai gimusi. O paskui ką veikia? Atvažiuoja čionai ir apsigyvena. Vienintelis protingas poelgis jos gyvenime. – Dėdė reikšmingai patylėjo. – Bet ar ji pasiliko? Atsidėjo savo vaikui? Žinoma, ne. Pilies ir brolio jai neužteko. Nebuvo telefono, per mažai permainų, jokių meilės istorijų. Supranti, nuolatinis gerbėjų stygius. Tad ji pakėlė sparnus, tiek ir tematai, išgirstu apie ją tik tada, kai pritrūksta pinigų.

– Ar niekada neklausia apie mane?

– Žinoma, klausia. Kiekviename laiške. Bet atsakymo negauna.

– O kodėl ne?

– Bausmė yra būtina, – tarė grafas ir patenkintas nusišypsojo.

– Bet bausmė nieko nekeičia.

– Taip manai? Nesutinku.

– Ar ji tikrai tokia graži, kaip visi sako?

– Deja, – sumurmėjo nuoširdžiai apgailestaudamas grafas. – Ji taip pat gerai sudėta kaip Emė ir puikiai išsilaikiusi. Iš teisybės, vis gražėja. Tad amžius jai ne priežastis keisti gyvenseną. Gal pasakyti tau tai, ko bemaž nedrįstu ištarti? Praradau bet kokią viltį, kad ji taps padoria moterimi.

– Svarbiausia, kad ji laiminga.

Grafas abejodamas nužvelgė mane.

– Tai *ne* svarbiausia. Svarbiausia, kad ji nedarytų mums gėdos. Tikroji laimė, vaike, ne siautulingi kūno malonumai, o santuoka. Ar aišku?

Sukikenau:

– Visiškai. Todėl *tu* niekuomet ir nevedei.

– Ne apie *mane* dabar kalbame, be to, vyrams daug kas yra kitaip.

– Dabar nebe.

– Taip manai? Gal tu ir teisi. Bet kam čia ginčijamės. Tu turi kur kas geresnių savybių už savo motiną. Paveldėjai ne tik Emė išvaizdą, bet ir jos būdą.

Pastarąjį sakinį buvau girdėjusi tūkstančius kartų. Aš nieko neturinti savo motinos, atsigimusi į tetą Emė. Emė – didysis pavyzdys. Visi ja didžiavosi, nes ji be paliovos tuokėsi ir vedybomis atnešdavo giminei vis daugiau pinigų.

Ir ji visuomet rūpinosi Kronego reikmėmis. Paskutinis jos sužadėtinis buvo jaunystės meilė iš gretimos pilies. Prie altoriaus ji žengė būdama lygiai aštuoniasdešimt dvejų metų. Emė padovanojo sutuoktiniui dvylika jaudinamų mėnesių, pergyveno jį trylika metų ir paveldėjo jo didelę pilį miškuose, šiaurėje susieinančią su mūsų slėniu, taip pat keletą ypatingų papuošalų, kuriuos turėjau gauti per savo jungtuves.

– Ar aš apskritai nepanaši į savo motiną?

– Nė kruopelės, – tikino dėdė Eduardas.

– Bet juk turi būti koks nors panašumas tarp motinos ir dukters.

– Ne.

– Tu tikras?

– Visiškai.

Grafas atlošė galvą ir dėjosi atidžiai klausąs bokšto sakalų, kurie linksmai ir uoliai raižė orą visai mums virš galvų.

– Na, gerai, – staiga pasakė jis, – turi žinoti. Bet paskui liausiesi mane kankinti, supratai? – Jis patylėjo. – Tu paveldėjai jos akis.

Bokšto laikrodis išmušė vienuolika, nutraukdamas mūsų mintis.

– Dešimt, – su palengvėjimu sušuko grafas ir atsistojo. – Taip, dabar pasišnekėsime apie malonesnius dalykus. Pirmą valandą pietausime. Bus šio to gardaus. Lotė šiai karštai vasaros dienai sudarė ypatingą valgiaraštį. Iš lengvų ir sveikų patiekalų. Pagal tunisiškus receptus.

– Lotė buvo Tunise?

– Savaime suprantama, – išdidžiai sušuko grafas, – ji buvo Tunise, Maroke ir Alžyre. Daug metų dirbo virėja prancūzo banko direktoriaus šeimoje, su kuria išmaišė visą pasaulį. Būdama tokia sumani ji visur rinko valgių receptus, ir mes dabar jais naudojamės.

Pasakysiu atvirai, vaike, ji geriausia virėja visoje apylinkėje. Neįkainojama. Gaila, jos šlovė jau pasiekė kaimynus, ir klastūnas Leopoldas fon Lokenšteinas energingai kurpia planus, kaip ją persivilioti. Įsivaizduok, man nežinant siuntinėja jai fazanus, kurapkas ir dar dievaižin ką, kad tik pas jį pereitų. Žinoma, prispyriau pasiaiškinti, bet jis viską neigia, kaip visuomet begėdiškai. Ką manai?

– Tikrai jos negaus, – nuraminau.

– Ir aš taip spėju. Jai niekur pasaulyje nebus taip gera kaip Kronege. – Jis patenkintas apsidairė: – Taip, rojaus kampelis žemėje. Ir drauge mudu susidorosime, argi ne? Netrukus bus pamirštas ir tavo paklydimas, nors tas nenaudėlis dar ilgai neduos tau ramybės. Juo dėtas irgi taip elgčiausi. Šiaip ar taip, jis našta ant kupros. Sakyk, vaike, kas iš tikrųjų žino apie Londono dramą?

– Niekas. Tik tu ir aš, ir Danielis.

– Gerai. Tada lengviau. Aš pagalvosiu! Taip ir liks, ką aš pasakiau tarnams. Buvai užsienyje mokytis kalbų. Kai susitiksi kaimynus, pasakosi tą patį.

– Kaip nori, dėde Eduardai. Bet kuriam galui man tos svetimos kalbos?

– Kad padėtumei valdyti pilį.

– Bet tam gana ir vokiečių. Dar niekuomet nesame susirašinėję svetima kalba.

– Esame. Pamiršti mano rinkinius. Jeigu kas nors paklaustų, tu užsienyje buvai, kad padėtum man geriau sutvarkyti rinkinius. Tu studijuoji užsienietiškus katalogus ir susirašinėji su Niujorko, Londono ir Paryžiaus aukcionais. Be to, Anglijoje studijavai meno istoriją. Ar atsiminsi?

– Žinoma. Vieni niekai.

– Pala! – staiga sušuko grafas ir sustingo lyg perkūno trenktas. – Ką tik dingtelėjo geniali mintis. Koks puikus sumanymas! Tu *iš tikrųjų* padėsi man tvarkyti rinkinius. Man juk reikia padėjėjos. Tikrai skaitysi katalogus ir rašysi laiškus – juk šitiek išmokai angliškai, ar ne? Tai va. Būsi mano dešinė ranka, lydėsi į artimiausią meno dirbinių aukcioną, o aš tave pamokysiu, kaip galima palankia kaina ką nors įsigyti. Be to, įkalsiu tau meno istorijos pagrindus. Ir tai pradėsime tučtuojau. Noriu sužinoti, ką tu moki.

Grafas įsikarščiavo, ir aš žinojau, kas bus toliau. Puikiai nusiteikęs jis bedė į dešinę:

– Kada pastatytas kampuotasis bokštas?

– Praėjus keliems šimtmečiams po apvaliojo.

– Bet kada? Koks stiliaus pavadinimas?

– Gotika, – spėjau.

– Netiesa! – įsismarkavęs sugriaudėjo grafas. – Visiška nesąmonė! Kronege nėra gotikinio bokšto. Buvo kitados, bet jis sugriautas. Kampuotasis pastatytas vėliau. Kaip vadinasi stilius, kuris pakeitė gotiką?

– Renesansas?

– Teisingai. O koks pagrindinis renesansinio ir štai tokio senovinio bokšto kaip apvalusis skirtumas? Kuo renesanso stilius naujas? Ką turi kampuotasis bokštas ir ko neturi apvalusis?

– Laikrodį, – abejodama pasakiau.

– Pamiršk laikrodį, – įsakmiu balsu griaudėte sugriaudėjo grafas, – pamiršk laikrodį, kuris jame įtaisytas gerokai vėliau. Pasitelk protą! Kuo skiriasi abudu bokštai?

Ir jis pabaladojo akmeninę sieną, į kurią buvau atsišliejusi nugara.

– Statybinėmis medžiagomis? – paklausiau droviai, nes nebuvau tikra, ar jis tą norėjo išgirsti.

– Puiku! – suriko grafas taip garsiai, kad pakilo aukštyn išgąsdinti žvirbliai. – Statybinėmis medžiagomis. Apvalusis bokštas dar iš akmens, o kampuotasis jau iš plytų. Renesanso laikais vėl pradėta mūryti iš plytų. Sakau „vėl", nes jau romėnai naudojo šią taurią medžiagą statyboms, ir jų pastatai tvėrė amžių amžius. Romėniškos plytos buvo puikios, mažos, plokščios ir kietos, bet daugiau papasakosiu kitąkart. Jau matau, – pareiškė itin linksmai, – ko tau trūksta. Ničnieko nenutuoki iš meno istorijos. Painioji stilius ir suverti į krūvą šimtmečius. Nuo šiandien prasidės mokslai. Sutinki?

– Taip, dėde Eduardai, – pasakiau, – žinoma, sutinku. Bet tu kasvakar mokai mane pažinti žvaigždes.

– Tai tik pramoga, – tarė grafas, sviedė aukštyn savo medinį plaktuką ir mikliai jį pagavo. – Atsipalaidavimas po įtemptos dienos. Šito neįmanoma vadinti mokslu! O gal leidi suprasti, kad esi varginama protiškai?

– Ne, ne, – skubiai paprieštaravau, – priešingai.

– Ir aš taip manau. – Grafas meiliai pasižiūrėjo į mane. – Mes pernelyg apleidome tavo protą. Ir matyti, kur tai nuvedė. Šiandien įstojai į mano mokyklą, o kai ją baigsi, joks vyriškis pasaulyje tavęs nebepranoks. Matysi visus tuos vyrus kiaurai, ir tik pats geriausias sulauks mūsų malonės. Kaip manai?

Nutylėjau, bet dėdė Eduardas ir nelaukė atsakymo. Laimingas stovėjo šalia, saulė švitino stambią jo nosį, o vėjas taršė tankius žilus plaukus. Grafui tik penkiasdešimt aštuoneri, bet kiek prisimenu, jo plaukai visuomet buvo žili. Jau keturiasdešimties buvo žilstelėjęs, nors jo veidas nuo to pasidarė tik jaunesnis. Jis ir dabar atrodė jaunas su juodais vešliais antakiais ir tamsiomis akimis, kurios iš džiaugsmo, kad laukia tiek turiningų mokymosi valandų, spindėjo labiau negu paprastai.

– Tau reikėjo tapti profesorium, – pajuokavau, – būtum buvęs aukščiausios klasės mokytojas.

– Palauk, – pamerkė jis man.

Didžiavausi elegantišku savo dėde. Jis buvo aukštas ir tiesus, puikiai pasiūtas švarkas slėpė pilnumą, dėl kurio buvo kaltas Lotės virėjystės menas. Net ir šiurkštaus audinio kelnės nebjaurojo taurios jo išvaizdos. Viską gadino tik medinis plaktukas.

Medinis plaktukas! Kam dėdei jo reikėjo? Tas plaktukas iškart patraukė mano akį, nes niekuomet nebuvau mačiusi tokio didelio. Jis panėšėjo į paprastą virtuvės įrankį, su kokiu paprastai daužoma mėsa, tik dvigubai didesnis.

– Dėde Eduardai, – paklausiau smalsiai, – o ką tu laikai rankoje?

Jis pasižiūrėjo į mane, paskui į savo ranką.

– Juk matai, – atsakė patylėjęs. – Čia medinis plaktukas. Paprasčiausias medinis plaktukas.

– O kam tau jo reikia? Ar netyčia pasiėmei?

– Kvailas klausimas! Manai išprotėjau? Žinoma, aš ne šiaip sau tampausi kokį daiktą. Visuomet žinau kodėl, bet tai anaiptol nereiškia, kad kaskart tau atvirai pasakysiu.

Ir jis linksmai nusijuokė.

– Pasakyk, dėde Eduardai, maldauju, pasakyk!

– Ne, smalsianose. – Jis prisikišo artyn ir žaismingai įgnybo man į skruostą. – Žinai, – sušnibždėjo jis paslaptingai, – mudu dabar sudarysime sutartį. Plaktukas yra mano reikalas, ir turėsi su tuo susitaikyti. Nieko neklausinėsi ir nelaidysi jokių užuominų, juo labiau girdint tarnams. Užtat aš iškilmingai pasižadu nebekankinti tavęs klausimais apie pinigus. Sutinki?

– Mielai, – atsakiau apstulbusi, – jei nori.

– Noriu.

– Gerai, tada sutarta.

– Taip, – pasakė jis, kai tvirtindami pasižadėjimą mudu paspaudėme rankas, – dabar palik mane vieną. Turiu čia šiokio tokio darbo. O kas gi tenai atvažiuoja?

Jis pasilenkė per keturkampę atbrailą.

Aš iškart atsistojau šalia. Didžiulis juodas limuzinas lėtai pakilo pilies kalnu ir sustojo prie vartų. Išlipo vyriškis. Nešdamas kažką sunkaus jis perėjo pakeliamąjį tiltą ir paskambino. Nebuvo įmanoma įžiūrėti, ką jis taip sunkiai bogino, nes iš viršaus viskas atrodė labai smulku.

– Aš jau numanau, kas tenai, – sušuko grafas su grėsminga gaidele balse, o paskui paliepė užgindamas bet kokius prieštaravimus: – Dabar sudie, vaike, kol kas! Pasimatysime per pietus.

Nesitverdama smalsumu lipau žemyn, kaip paprastai skaičiuodama pakopas. Kai nulipau, automobilio nebebuvo.

4

Lygiai be ketvirčio pirmą aš sėdėjau po kaštonais. Apskritą stalą dengė balta damasto staltiesė, ir ilgi kutai, nutįsę bemaž iki žemės, man priminė vaikystę. Maža per pietus visuomet pindavau juos į ilgas kasas, ir juo daugiau jų supindavau nepastebėta suaugusiųjų, juo palankesnis būdavo ženklas. Penkios kasos: gal ant pilies kalno rasiu žemuogių. Dešimt kasų: gal man leis lydėti tarnaitę, kai ta eis parnešti pieno.

Pieną nešdavo iš dvaro, o tenai aš visuomet norėdavau eiti. Mane viliojo gandrų lizdas, be to, žinojau visus karvių, arklių, šunų ir vištų vardus. Ūkis buvo puikiai tvarkomas; pagal senovinį sveiką būdą, be cheminių trąšų ir nuodų nuo kenkėjų. Tvartai buvo erdvūs ir vėdinami, visą vasarą gyvuliai ganėsi ganyklose. Net ir kiaulės kriuksėjo lauke, o vištos laimingos kapstėsi niekieno nevaržomos.

Ūkyje buvo ir vienas ypatingas gyvūnas: paršavedė Šarlotė, kuri iš pasitenkinimo apsvaigdavo, kai jai pakasydavai vieną kaklo vietelę. Aš žinojau, kur ta vieta. Ūkininkas man ją parodė. Vos įeidavau į kiaulidę, Šarlotė imdavo džiugiai kriuksėti. O paskui, kiek įkabindavo trumpos kojytės, ji skubėdavo prie lentinių durelių ir atkišdavo man kaklą. Imdavau ją kasyti, Šarlotė palaimingai užsimerkdavo ir kaipmat sustingdavo iš malonumo. Greitai nuvirsdavo ant šono ir ištiesdavo visas keturias kojas. Atsipeikėdavo maždaug po minutės, ir tada žaidimas vėl prasidėdavo. Nieko nuostabaus, kad kaskart iš kiaulidės mane reikėdavo ištempti jėga. Aš nebenorėdavau namo, norėdavau likti su Šarlote. Ir paguosdavo mane tik grafas. Jis pažadėdavo marcipaną, ir kai saldumynas atsidurdavo burnoje, ašaros išsekdavo.

Ak, tas ūkis. Galėsiu kaltinti tik savo kvailumą, jeigu jis mums neatiteks. Neįmanoma net pagalvoti, kad tenai atsikraustys koks svetimas žmogus ir viską sugriaus. Kad ir kaip keista, dėdė Eduardas gana ramiai išklausė mano išpažintį. Net pažadėjo daugiau nebekalbėti apie mano finansinę padėtį. Gal buvo koks kitas pinigų šaltinis? Šiaip ar taip, dėdė neatrodė nurašęs dvarą į nuostolius.

Palaimingai pasirąžiau. Tas bauginęs pokalbis visai nebuvo toks baisus. Tiesa, aš prisipažinau anaiptol ne viską, bet susakiau svarbiausius dalykus. Be to, netrukus atvažiuos močiutė – tada viskas bus paprasčiau.

Močiutė buvo grafo motina. Ji gyveno pietų Prancūzijoje ir kiekvieną vasarą atvažiuodavo į Kronegą švęsti gimtadienio. Buvo gimusi liepos 31-ąją. Tad turėjo atvykti vėlių vėliausiai po dviejų savaičių. Man kaipmat pakilo ūpas prisiminus močiutę. Ji visuomet mane palaikė ir vaikystėje leido viską, ką draudė dėdė Eduardas. Tie du mėnesiai, kai ji viešėdavo Kronego pilyje, būdavo patys geriausi per visus metus. Ir dabar ji man pagelbės. Mat pažinojo grafą kaip nuluptą, kai ji bus čia, grafas niekur nedings su savo slapukavimais. Ji kaipmat išpeš, kam reikalingas medinis plaktukas ir kokius paslaptingus „sprendimus“ priėmė grafas, kai manęs nebuvo. O svarbiausia – ji man papasakos apie motiną, dabar, kai jau apie ją buvo užsiminta.

Pakėliau akis ir įsistebeilijau į žalią lapiją virš galvos. Puikiai jaučiausi. Diena buvo karšta, ir oras raibuliavo sidabro spalva, to nė kartelio nebuvau mačiusi Anglijoje per visus penkerius metus. Žinoma, ir Londone būdavo gražių vasaros dienų, bet anaiptol ne tokių. Net jeigu ištisą savaitę nelydavo, žemė būdavo drėgna. Kaskart, kai pagulėdavau ant žolės, man imdavo skaudėti sąnarius.

Niekas negali atstoti įprasto tėviškės klimato. Nusiaviau batus ir pirštais švelniai paliečiau šiltą sausą žemę. Kieme tvyrojo maloni tyla. Paukščiai giesmininkai bemaž nejudėjo, net bitės dūzgė tyliau negu rytą. Saulė kybojo tiesiai virš manęs, skleisdama karštį ir mieguistumą. Prošal sverdinėdamas praplasnojo drugelis.

Vėl apsiaviau batus, kad dėdė Eduardas nepamatytų kojų nagų, kuriuos, nepaisydama draudimo, buvau nusilakavusi raudonai. Tada atidžiai patyrinėjau stalą.

Regis, valgiai bus įdomūs. Buvo dvi didelės medinės salotinės, šalia jų – krištolinis marinato buteliukas. Du balti dubenys prikrėsti tyrės, šviesiai ir tamsiai žalios. Kas čia? Tikiuosi, ne žirniai. Pirma, aš nelabai mėgstu žirnius, antra – tai pernelyg sunkus valgis karštą vasaros dieną. Žirnių tyrė tinkamesnė žiemą.

– Kas tai, Lote? – paklausiau smalsiai, nes išgirdau už nugaros žingsnius. Bet po kaštonais atėjo ne virėja, o grafas. Buvo persirengęs šviesiu elegantišku drobiniu švarku ir kiek suirzęs. Ant dešinio peties tupėjo Bonis.

Jau buvau susidraugavusi su Boniu. Vakar per pietus jis paėmė iš manęs dvi saulėgrąžos sėklas, o vakare net leidosi pakasomas po sparnu. Tam jis tyčia nusileido nuo karnizo, akivaizdžiai priblokšdamas grafą.

– Tu jam patinki, – pareiškė dėdė Eduardas, – tai geras ženklas. Šis paukštis neklysdamas įvertina žmones.

Šiandien paukštis atrodė ypač gyvybingas. Juodos it sagutės akys žvilgėjo, jis meiliai gnaibė grafui ausies spenelį. Bet tas patupdė Bonį ant jo lipynės – didelės šakos, pritvirtintos prie stoginės koto šalia valgomojo stalo. Kažkas atsitiko. Paukštis buvo užsitraukęs nemalonę. Už ką?

– Šitas bjaurybė vis dėlto tikrai apkapojo mano senelio brolį, – irzliai paaiškino grafas. – Tu juk žinai, tas didelis paveikslas už mano rašomojo stalo kabinete. Užsakiau jam naujus rėmus, jie tik vakar buvo baigti. Nulipau iš bokšto, viskas buvo gerai. O paskui palikau paukštį vienai, gal dviem akimirkoms, ir jis iškapojo didžiulę skylę brangiuose rėmuose. Net nežinau, ar bus galima ją užtaisyti.

Bonis papūtė kuodą ir švelniai sukrykštė.

– Taip, taip, išdykėli. Kokia dabar iš to nauda.

Grafas pagrasino pirštu ir atsisėdo šalia manęs ant balto pinto krėslo. Paskui įpylė raudonojo vyno.

– Ši papūga ne tik neklysdama įvertina žmones, – pasakiau, – regis, ji įvertina ir brangią medieną. Tauriam paukščiui juk reikia tauraus medžio.

– Taip, – sutiko grafas ir paragavo vyną, – tai vienintelis jo trūkumas. Pirmaisiais metais jis pridarė tiek žalos, kad vos jo neatidaviau. Neliko sveikų nė vieno veidrodžio rėmų. Jis iškapojo iš mano rašomojo stalo juodmedžio plokštę ir sutrupino ją į smulkius gabalėlius. Tiesa, jis nekaltas, tokia jau gamtos užgaida, jam *būtina* kapoti medį, kad nesusirgtų. Bet aš nežinau, kas būtų atsitikę, jeigu Hansas nebūtų sugalvojęs įrengti jam šitokių medinių lipynių. Nuo to laiko paukštis bent baldams duoda ramybę.

– Kiek jau laiko jį turi?

– Dvejus metus.

– Gal iš pat pradžių turėjai uždaryti į narvą.

Grafas nepalankiai nužvelgė mane.

– Į narvą? Juk nebūčiau pirkęs paukščio, jei būčiau žinojęs, kad jam reikės kankintis už grotų? Ar tu norėtum visą gyvenimą pratupėti narve?

– Krršt! – sukrykštė Bonis ir pašiaušė kuodą.

– Matai, – atlyžo dėdė Eduardas, – jis supranta kiekvieną žodį. Kada nors supras, kad nevalia nieko gadinti, ar ne, paukšteli? Jis tikrai neapsakomai protingas. Nenorėčiau, kad susidarytum klaidingą įspūdį, Anete. Vis dėlto jau du mėnesius jis nieko neiškrėtė.

Dėdės balsas sušvelnėjo. Jis meiliai žiūrėjo į kakadu, kuris taip išsipūtė, kad net padvigubėjo, ir kantriai laukė pietų. Kaip visuomet grafo pyktis greit išgaravo. Jis niekada ilgai nepykdavo ant savo numylėtinio.

– Hansas turės vėl užsiimti rėmais, – pasakė jis visiškai nurimęs. – Gal juos dar įmanoma pataisyti.

Ir pradėjo kasyti paukščiui po sparnais.

Su malonumu stebėjau. Bonis tikrai buvo prašmatnus padaras. Baltomis kaip sniegas plunksnomis, oranžiniu kuodu, kurį vos susijaudinęs papūsdavo, oranžinėmis žandenomis. Uodegos ir sparnų apačia – citrinų geltonumo. Dėdė Eduardas kartą pajuokavo: „Turiu baltą kakadu, įdarytą geltonai su oranžiniais priedais". Šis apibūdinimas taip ir prilipo Boniui. Tiesa, dažniausiai jis būdavo geras paukštelis, bet jei ką nors iškrėsdavo ir pilies šeimininkas supykdavo, virsdavo „oranžiniu priedu".

Kaip jau sakiau, Bonis buvo gražus orus paukštis, ypač jei sėdėdavai priešais. Vakare virtuvėje jis būdavo kitoks. Mat miegodavo ant užuolaidos karnizo, ir jeigu iš apačios žvelgdavai į purias baltas plunksnines jo kelnes, atrodydavo, jog tenai užskridusi nupenėta balta sriubinė višta. Dėdė Eduardas irgi buvo pastebėjęs tą panašumą. Tiesa, jis niekuomet nebūtų pripažinęs, kad jo numylėtinis - žinoma, jei nekalbėsime apie plunksnas, - bent trupučiuką panašus į naminių valgomųjų žemakilmių paukščių rūšį, bet valgiaraštį vis dėlto pakeitė. Nuo tada, kai Bonis apsigyveno Kronege, vištienos pilies valgiaraštyje neliko.

Apskritai valgymo įpročiai pilyje buvo pasikeitę. Grafas vis dažniau atsisakydavo mėsos. Jis be galo mylėjo gyvūnus, ir jam atrodė žiauru žudyti gyvus padarus, kad paskui juos suvalgytum. Kai tik įsigijo Bonį, jis sunkiai, žingsnis po žingsnio mažino mėsos patiekalų. Kol kas jų visai atsisakyti dar nepavyko, bet dėdė užsidegęs pasakojo apie tuos taurius daržovių ir vaisių patiekalus, kuriuos patiekdavo Lotė.

Valgis ir šiandien buvo nuostabus. Sūrio suflė, tiesiog tirpte sutirpusi burnoje. Prie jos gavome mišrainių ir baltos duonos. Paslaptingi žalieji valgiai pasirodė esą žaliųjų pupelių tyrės, pagardintos citrinų sultimis, druska, smulkintomis virtomis salotomis ir svogūnų laiškais. Niekuomet nebuvau nieko panašaus valgiusi. Pietūs baigėsi sūriu, cukruotais melionais ir cheresu.

Pietavome su didžiausiu apetitu, ir Bonis buvo patenkintas savo pietumis. Blizgindamas akutes jis gnaibė rudą sorų šluotelę, o baigė pietus trupučiu petražolės. Kakadu sotinosi labai grakščiai. Lesė ne iš puodo, soras ir žalėsius mikliai laikė koja, kuri buvo tokia pat judri kaip žmogaus ranka. Retkarčiais, kai jam būdavo labai gardu, jis dailiai išskėsdavo nagus, kassyk mus prajuokindamas. Mat tie išskėsti nagai atrodė kaip pasipūtusių žmonių atkištas mažasis pirštelis geriant arbatą.

– Ak, vėl buvo taip gardu, Lote, – pagyrė grafas ir sulankstė servetėlę. – Ir kaip aš šitiek laiko gyvenau be jūsų?

Lotė pamaloninta nusišypsojo. Ji visuomet pietaudavo su mumis, kai neturėdavome svečių.

– Taip, Lote, – pasakė dėdė Eduardas ir pasižiūrėjo virėjai tiesiai į akis, – ką be jūsų daryčiau? Laimė, kad pas mus apsigyvenote.

Lotė paraudo ir kukliai nunarino galvą.

– Beje, – kalbėjo toliau grafas, – ar ne fon Lokenšteino automobilis buvo atvažiavęs šiandien prieš pietus?

– Taip, taip, – skubiai pratarė Lotė, – jau ketinau

jums pasakyti, kad jis čia buvo, bet prieš pietus niekur jūsų neradau. Ponas Leopoldas perdavė dvidešimt šviežių upėtakių.

Grafas suraukė kaktą, paskui įsistebeilijo į staltiesę. Jo kaklas iš lėto pradėjo raudonuoti. Aiškus ženklas.

- Dvidešimt upėtakių? - paklausė grėsmingai tyliu balsu.

- Ir linkėjimus.

- Taip, ar tas asilas mano, jog mums reikia *išmaldos?* - sušuko jis tokiu balsu, kad išsigandusi papūga išmetė petražolės stiebelį. - Kas čia per nesąmonė? Jis mus įžeidinėja?

- Tik prašyčiau nesiųsti jų atgal, - neapdairiai įsikišau aš, - antraip jis labai užsigaus. Vis dėlto kaimynas.

- Kas čia per kaimynas? - šėlo grafas išraudonijusiu veidu. - Kas čia per kaimynas? Tegu jis nešdinasi velniop čionai nelandžiojęs. Nusispjaut man į tokį kaimyną. Visai neduoda ramybės. Taip, jis braunasi į mano namus! Aš jį apskųsiu!

Bonis ėmė veriamai spiegti. Barniai jį visuomet sujaudindavo. Laikė juos asmeniniu iššūkiu ir turėjo įrodyti, jog gali balsu perrėkti visus susirinkusius. Jis išskleidė uodegą kaip vėduoklę, pašiaušė kuodą ir klykė taip kraupiai, kad mums užgulė ausis. Ir kaipmat tapo padėties šeimininku. Iš tiesų žmonių balsai niekaip negalėjo prilygti jo klyksmui.

- Užčiaupk snapą! - subliovė grafas. - Kas tau darbo? Verčiau mokykis kalbėti, tu kvailas gaidy!

Bonis trumpam sulaikė kvapą, ketindamas vėl suklykti, bet Lotė pakėlė petražolę, ir paukštis apsigalvojo.

– Dėde Eduardai, – pasakiau aš per tą trumpą atokvėpį, – meldžiu jo neskųsti. Juk upėtakiai yra tik malonus dėmesio parodymas. Ir tu kiekvieną rudenį siunti Leopoldui savo jauno vyno, kad paragautų.

– Iš tiesų labai gražios žuvys, – drįso įsiterpti Lotė. – Jeigu leisite, šįvakar galime...

– Ne, negalime, – visas raudonas iš pykčio sustaugė grafas. – Nė žodžio apie tai, daugiau nieko nebenoriu girdėti. Argi nesuprantate, kas čia vyksta? Ar visiškai nepažįstate žmonių? Toks kvailas nesuvokimas nuvarys mane į kapus. Dar žodis apie žuvis, ir aš sprogsiu iš pasiutimo!

Jis pašoko ir sviedė ant stalo medžiaginę servetėlę. Ji praskriejo vos per plauką Lotei nuo nosies ir užkliudžiusi marinatą tėškėsi į salotinę. Buteliukas su marinatu parvirto, ir ant duonos pintinėlės pasiliejo riebalų srovė. Aš žaibiškai atsitraukiau su savo krėslu, nes aliejus jau varvėjo per stalo kraštą. Grafas kaltai pasižiūrėjo į tai, ką iškrėtė, bet jo dėmesį atitraukė Bonis. Kakadu pakreipė galvą, atidžiai nužvelgė akimis servetėlę salotose, o paskui balsiai ir aiškiai ištarė:

– Papas!

Dėdė Eduardas apstulbęs vėl klestelėjo į krėslą. Jam atėmė žadą – numylėtinis pasakė pirmąjį žodį. Visas išraudonijęs dėdė spoksojo į Bonį nežinodamas, ar jį girti, ar peikti. Ranka persibraukė plaukus, o jo veide aiškiausiai atsispindėjo sumišimas: „papas" nedera kilmingo grafo kakadu žodynui!

– Jis kalba, jis kalba, – džiūgavo Lotė, – ir kaip aiškiai. Ar girdėjote? Jis ištarė „papas". Netrukus jis bers ištisus sakinius. Bus linksma.

– Ar jūs jį to išmokėte? – Grafas sutrikęs žiūrėjo į savo virėją, kuri susižavėjusi žvelgė į paukštį. – Tai *labai* savotiškas žodis. Iš manęs niekuomet nėra jo girdėjęs.

– Iš manęs taip pat, – pareiškė Lotė. – Aš jam tik lėtai ir aiškiai kartodavau jo vardą. Bo-nis, Bo-nis. Ir rytais per pusryčius. Jis labai įdėmiai klausydavosi.

– Akivaizdu, kad įdėmiai, – pasakė grafas. – Pernelyg pabrėždavote pirmąjį skiemenį. Ir štai rezultatas. Tikiuosi, kaip nors sugebėsime išmušti jam tai iš galvos.

– Kodėl? – įsižeidė Lotė. – Juk tai gera pradžia. Jau verčiau „papas" negu nieko.

– Ir aš taip manau, – pritariau jai kikendama.

Bonio nė kiek nesutrikdė ginčai apie kalbinius jo sugebėjimus. Jis ir toliau atidžiai stebėjo salotinę ir jos turinį, nes ne kasdien matydavo tokį vaizdą. Jo kaklas vis labiau tįso, o juodos akytės plėtėsi. Staiga jis šauniai sukrykštė ir nuo šakos stryktelėjo ant stalo. Mikliai nusileido tarp dviejų vyno taurių, ryžtingai žengė prie salotinės ir čiupo servetėlę už kampo. Didžiausiomis pastangomis ją ištraukė, nuvilko per stalą, niekur neužkliūdamas tarp taurių ir lėkščių, ir numetė ant žemės. Paskui pakreipė galvą ir patenkintas pasižiūrėjo žemyn.

Mes susižvalgėme ir lyg susitarę pratrūkome kvatotis. Grafas ėmė gaudyti orą, o paskui paleido tokią juoko papliūpą, kad net stalas sudrebėjo.

– Tikrai, nors sprok iš juoko! – sudejavo jis, jam per skruostus riedėjo ašaros. – Boni, tu genijus. Ką pasakysite? Visiškai negabi kalboms papūga, užtat puiki namų šeimininkė.

Nusišluosčiau akis:

– Šiaip ar taip, tvarka jam svarbiausia.

– Būtent. Boni, mes tavim didžiuojamės. Eikš, mielasis! Eik šen!

Jis pasilenkė ir pradėjo kasyti kakadu galvą. Bonis kaipmat pamiršo servetėlę, atkišo oranžinį kuodą ir palaimingai užsimerkė. Galvos kasymas jam buvo didžiausias malonumas.

– Taip, – patenkintas tarė grafas, – o dabar jums paaiškinsiu, kodėl taip susijaudinau. Leopoldas yra klastingas sukčius. Žuvis mums siunčia ne iš kaimyniškos meilės, o todėl, kad nusižiūrėjęs jus, mieloji Lote. Nieko labiau netrokšta, tik kad jūs paliktumėte mane ir persikraustytumėte pas jį. Bet, – jis patekšnojo Lotei per ranką, – jūs pasigailėtumėte. Lokenšteino pilyje neturėtumėte nė akimirkos atilsio. Kiekvienam šeimos nariui reikia gaminti atskirai. Vienas nevalgo daržovių, kitas – bulvių, o pilies šeimininkui niekas neįtinka. Patikėkite manimi, tenai tarnai keičiasi tris kartus per metus. Na, o apie namų ponią bus geriausia patylėti. Pirma, ji neurotikė, antra, labai nemalonios išvaizdos. Perkarusi it žalga ir plokščia tarsi lyginimo lenta; neatskirsi, kur priekis, kur užpakalis – visiškai vienodi. Patikėkite manimi, jokia padori moteris taip negali atrodyti!

Ir jis meilingai apmetė akimis savo virėjos apvalumus.

Lotė paraudo.

– Aš visai nenoriu išeiti, – tarė patylėjusi. – Tik norėjau paklausti, ką man daryti su žuvimis.

– Atiduoti! – paliepė dėdė Eduardas. – Nenoriu jų nė kąsnio. Atiduokite kaimo paštininkei, keletą tegu gauna ir Hansas. Jis tikrai apsidžiaugs. Aišku?

– Ne, – tarė Lotė ir nurijo seilę. – Neaišku, bet, žinoma, įvykdysiu jūsų įsakymą.

Dėdė Eduardas vėl patupdė Bonį ant lipynės.

– Paaiškinsiu, jeigu neaišku, – pasakė užsimesdamas koją ant kojos. – Kad ateity nebebūtų nesusipratimų. Ką gi, Lote, kad teisingai mane suprastumėte – mudu su Leopoldu seni priešai. Anksčiau Lokenšteinas ir Kronegas priklausė vienai giminei. *Abi* pilys priklausė *mano* giminei. Jūs nežinojote? Taip? Kad ir kaip ten būtų, tiesa tokia. Ir pilys viena nuo kitos tik per dvylika kilometrų, yra net požeminis urvas, kuris jas jungia.

Lotė išpūtė akis:

– Ir dabar tebėra?

– Žinoma. Senas kelias pabėgti. Bet nebijokite, juo į jūsų miegamąjį nepateksi. Kai atidavėme Lokenšteiną, mano prosenelis liepė jį mūsų pusėje užmūryti.

– Kodėl turėjote atiduoti tokią gražią pilį? – paklausė Lotė. – Pralošėte?

– Spekuliacijos, – niūriai atsakė dėdė Eduardas. – Nevykusios spekuliacijos. Mano prosenelis buvo puikus meno istorijos žinovas, tačiau verslininkas niekam tikęs. Taip pasitaiko geriausiose šeimose. Bet viskas būtų baigęsi gerai, jeigu Lokenšteinai būtų elgęsi padoriai. Suprantate? Bet jie nebuvo padorūs – pasinaudojo mūsų velniškai prasta padėtimi. Kada nors vėliau jums papasakosiu. Šiaip ar taip, tokia buvo priešiškumo pradžia. O toliau prisidėjo mano neapsakomo grožio teta Emė. Šitaip mes atsilyginome. Mat Emė ištekėjo už turtingo Leopoldo dėdulės; tada jai buvo daugiau negu aštuoniasdešimt metų. Lokenšteinų šutvę tarsi smūgis ištiko, nes tas padovanojo jai visą pilį, apaugusią šimtamečiais ąžuolais, liepomis ir maumedžiais. Didžiausią turtą. Ir Leopoldas per metų metus išūžė man ausis. Norėjo susigrąžinti pilį. Kai jis pagaliau suprato, kad nieko neišdegs, ištaisė mums staigmeną, kuri jam puikiai pasisekė.

Jis žvilgtelėjo į mane. Iškaitau kaip žarija, nes per daug gerai žinojau, kokia tai staigmena.

– O ką jis padarė? – smalsiai paklausė Lotė.

– Tikrą šunybę. Bet dabar negaliu paaiškinti, pernelyg nuklysiu į lankas. Apskritai tik todėl užsiminiau, kad jūs geriau suprastumėte, kokie Lokenšteino ir Kronego santykiai. Iš pažiūros mes geri kaimynai. O iš tikrųjų Leopoldas mane siutina kaip įmanydamas. Todėl man alergija nuo to, kad dabar jis dar gretinasi ir prie jūsų.

– Net nežinau, ar jis gretinasi, – susimąsčiusi pasakė Lotė. – Šįryt jis neišlipo iš automobilio pasilabinti su manimi. Vairuotojas atidavė žuvis, o ponas baronas tik pamojavo iš automobilio.

– *Labai* įdomu, – susijaudino dėdė Eduardas. – Negirdėtas daiktas. Lote, jūs tikra, kad Leopoldas pats buvo automobilyje?

Virėja uoliai linkčiojo galvą:

– Visiškai tikra. Jokios abejonės. Gerai jį mačiau.

Dėdė Eduardas atsistojo.

– Ką nors sumanė, – svarstė jis. – Ir netgi žinau ką. Kokia kiaulystė! Tas sukčius tiesiog pavojingas visuomenei. Ir tą mes kaipmat išsiaiškinsime, antraip neturėsiu nė vienos ramios akimirkos. Vadinasi, jis šnipinėja mūsų kaimynystėje. Labai įdomu!

– Ką tai reiškia? – vienbalsiai sušukome mudvi su Lote. Bet grafas nesiteikė atsakyti. Žvelgė pro mus į kaštonus ir kažką nesuprantamai pats sau murmėjo. Paskui kilstelėjo galvą.

– Lote, tegu neša kavą. Tarnaitė tegu pakeičia staltiesę. Man ką tik pirmąkart gyvenime nušvito protas. Dovanokite, turiu tučtuojau paskambinti.

Nulydėjome jį akimis, kai iš kaštonų šešėlio nėrė į saulę ir nuskubėjo prie akmeninių vartų, vedančių į mažąjį pilies kiemą. Buvo taip susimąstęs, kad net nepastebėjo Hanso, kuris kaip tik grįžo po pietų pertraukos. Neatsakė į jo pasveikinimą ir praėjo lyg pro nematomą. Hansas vėl pasisveikino, paskui gūžtelėjo pečiais ir užsidarė dirbtuvėje.

– Ak, tie vyrai, – atsiduso Lotė, kai grafas nebegalėjo išgirsti. – Tokie puikūs pietūs, tokia graži vasaros diena ir toks jaudinimasis dėl niekniekių.

Aš nebuvau tuo tikra. Pažinojau Leopoldą nuo mažens ir nepasitikėjau juo nė per nago juodymą. Tiesa, jis man nebuvo padaręs nieko, bet dėdė Eduardas vis liepdavo jo saugotis, ir to pakako.

– Mano dėdė neabejoja, kad Leopoldas pavojingas.

– Na jau. Tai tik pavydas. Dauguma vyrų yra gaidžiai peštukai, ir grafai bei baronai ne išimtis. Koks jau jis klastūnas? Toks malonus elegantiškas ponas. Tikras džentelmenas. Norėjo mus pradžiuginti, tik tiek. Ir štai turime dvidešimt nuostabių žuvų ir nežinome, ką su jomis veikti.

– Gal užšaldyti?

– Aš ir pati taip maniau.

– Bet kad niekas nepastebėtų.

Lotė linktelėjo galvą, pakėlė nuo žemės servetėlę, paėmė salotines ir vyno butelį ir taip ryžtingai patraukė į virtuvę, kad net žvyras jai po padais gurgždėjo. Likau su Boniu, kuris atsidėjo palaimingam virškinimui. Buvo užsimerkęs ir taip papūtęs plunksnas, kad atrodė visas tarp jų prasmegęs. Kaip didžiulis pūkų gumulas tupėjo jis ant šakos, kada ne kada pramerkdamas juodą akį įsitikinti, ar niekas nesikėsina į jo gyvastį.

Sėdėjau tyliai, kad jo neišgąsdinčiau. Bonis buvo ypač bailus paukštis. Menkiausias krustelėjimas galėjo jį taip įbauginti, kad iškart sprukdavo. Dažniausiai aukštyn tarp kaštonų, kur ištisas valandas žaisdavo slėpynių ir nesileisdavo nuviliojamas žemyn. Tada dėdę Eduardą kaskart apimdavo šėlas, o šiandien nebenorėjau dar vieno priepuolio.

Švytėdama iš virtuvės atėjo Lotė.

– Šaldyklėje vietos per akis, – sušnibždėjo ji ir padėjo ant stalo didelį raižytą sidabro padėklą. Pamačiau, kad Lotė paėmusi mano mėgstamiausius puodelius, mažyčius šešiakampius, geltonus kaip saulė, iš perregimo porceliano. Jai iš paskos tarnaitė atnešė abu kavinukus.

– Girdėjau, kad Bonis pasakė „papas“, – sukikeno ji, kraustydama ir vėl padengdama stalą. – Pasakyk „papas“, mielasis! Pasakyk „papas“!

Tą akimirką sugrįžo grafas, ir tarnaitei kaipmat žodžiai įstrigo gerklėje. Dėdė Eduardas buvo persirengęs, nešėsi medinį plaktuką, o jo veidas buvo toks niūrus, kad net man ir Lotei užkando žadą.

- Kavos! - paliepė jis nesisėsdamas. - Ne, ne raminamosios, o tikros. Aš *noriu* jaudintis.

- Tikros? - atsargiai perklausė Lotė.

- Taip. Juk ką tik pasakiau.

Lotė nesitvėrė iš laimės:

- Kaip aš džiaugiuosi. Šiandien išviriau ypač geros. Kaip jums patinka kvapas?

Ir pripylė jam sklidiną puodelį.

Dėdė Eduardas visai nieko nepasakė. Prisikrovė tiek cukraus į kavą, kad ta išsiliejo per kraštus, išgėrė stovėdamas ir pareikalavo dar vieno puodelio.

- Taip, - pasakė tada, - kaip tik šito man ir reikėjo. Dabar esu tinkamai nusiteikęs. Galiu su bet kuo susiremti. Ką gi, klausykitės! Aš kai kam paskambinau, ir pasitvirtino baisiausi mano spėliojimai. Taurusis ponas baronas sumaišė man visas kortas. Artimiausias dienas būsiu *labai* užsiėmęs.

- Ar mes galime tau padėti? - paklausiau.

- Galite. Jeigu nedavinėsite kvailų klausimų. Labiausiai padėsite veiksmingai tylėdamos. Ar supratote?

- O meno istorijos pamokų nebus? - paklausiau viltingai.

- Žinoma, bus. Ką tu sau manai? Kad pamiršiu visas savo pareigas? Lygiai trečią užsuksiu tavęs, ir mudu pradėsime nuo geležies rinkinio. Iki to laiko paprašysiu prižiūrėti Bonį. Dabar man jo nereikia. - Jis žengė į saulę, tvirtai suspaudęs rankoje plaktuką. - Taip, - narsiai tarė pats sau, - dabar spręsis, mirti ar gyventi. Dabar griebsime jautį už ragų. Drąsa kalnus nuverčia.

Ir nužingsniavo nuleidęs galvą, nė karto neatsisukdamas.

Tiesiu taikymu į apvalųjį bokštą.

5

Grafas dingo mums iš akių, tad nebenorėjome ilgai užsisėdėti. Kai valandėlę paspėliojome apie keistą pilies šeimininko elgesį ir išgėrėme kavą, Lotė nuėjo šiek tiek pailsėti. Hansas nunešė Bonį su visa šaka į mano svetainę, o tada nenoriai grįžo į dirbtuvę. Tenai karštis įveikė jo uolumą: iki mūsų atsklisdavo itin reti plaktuko dūžiai, tarp jų tvyrodavo minutės ilgumo tyla. Ir iš apvaliojo bokšto nieko nebuvo girdėti. Ką tenai viršuje veikė dėdė Eduardas? Ir kaip apvalusis bokštas buvo susijęs su Leopoldu fon Lokenšteinu? Gal užlipti ir pašniukštinėti? Tiek to, pernelyg varginamas užsiėmimas. Viskam savas laikas. Vėlių vėliausiai sužinosiu tada, kai atvažiuos močiutė.

Nusižiovavau. Pirmąkart buvau viena su Boniu. Kakadu gražiai tupėjo ant savo medžio, regis, norėdamas tik vieno dalyko: ilgo ir kieto popietės miego. Buvo prisitraukęs vieną koją, užmerkęs akis. Valandėlę jį stebėjau, o paskui pirštų galais nutipenau į miegamąjį ketindama pasekti jo pavyzdžiu.

Atsidususi nusirengiau. Tada palindau po šaltu dušu ir apsisiaučiau lengvu šilkiniu chalatu. Taip, dabar pasijutau kur kas geriau. Patogiai išsitiesiau ant lovos su baldakimu ir užsimerkiau. Bet vos pagulėjau dvi minutes, išgirdau grėsmingą triukšmą, kuris kaipmat išvertė mane iš lovos. Kas tai? Įsitempusi klausiau. Viešpatie! Svetainėje aižėjo mediena!

Pribėgau prie durų ir jas atlapojau. Koks siaubas! Bonis tupėjo ant didelio veidrodžio virš židinio. Iš paauksuotų rėmų buvo išplėšęs skiedrą ir dabar pasimėgaudamas skaldė ją degtuko storumo atplaišėlėmis.

– Ak tu, paukštpalaiki, – surikau niršiai, – tučtuojau liaukis!

Bet Bonis nė kiek nesutriko. Maloniai žiūrėjo į mane iš viršaus, lyg sakydamas: „Tikrai aukščiausios rūšies mediena, kuo nuoširdžiausiai siūlau paragauti". Paskui paukštis kiek pasislinko dešinėn, taikydamasis į grafo karūną su devyniais danteliais. Bet nesuskubo. Puoliau prie židinio, ir kakadu išgąstingai nuplasnojo ant savo šakos. Tenai išklausė rūstų mano pamokslą, bet vos pamėginau nusisukti, vėl pasirengė skristi prie veidrodžio. Akivaizdu, buvo pasiryžęs toliau piktadariauti.

Grafas man minėjo, kad niekas kitas labiau nevilioja kakadu kaip prakapotas medis. Ką tik prakirsta vieta jį gundo kapoti toliau, kaip žmogų prakąstas torto gabalėlis. Aš negalėjau išleisti paukščio iš akių, jeigu norėjau išvengti didesnės žalos.

– Puikus gyvenimėlis, – nusprendžiau balsiai.

Nenorėjau taip stypsoti iki trečios valandos. Per pietus buvau išgėrusi vyno, o nuo vyno aš apsunkstu.

Norėjau tik vieno dalyko: šmurkštelėti po vėsiu lovos su baldakimu apklotu ir miegoti iki trečios valandos.

Man pagelbėjo atsitiktinumas. Ant stalelio šalia sofos pastebėjau skardinėlę medienos beico. Greičiausiai rytą tarnaitė blizgino baldus ir ją pamiršo. Man tučtuojau toptelėjo nuostabi mintis. Raudonas beicas, kaip tik šito ir reikėjo. Patepsiu juo prakirstą vietą, ir Boniui išgaruos noras toliau kapoti rėmą.

Kakadu pakreipė galvą. Susidomėjęs stebėjo, kaip aptepiau veidrodžio rėmus bene dviejų milimetrų storumo beico sluoksniu. Kai pabaigiau, jis pašiaušė kuodą, bet iš vietos nepajudėjo.

– Taip, – tariau patenkinta ir nuėjau mazgotis rankų, – skanaus, paukščiuk!

Tada atsiguliau ir puikiai numigau. Ramia sąžine. Dėl visa pikta duris į svetainę palikau atviras. Mane būtų pažadinęs kad ir menkiausias krepštelėjimas. Bet nieko negirdėjau, tik lyg suplasnojo sparnai, bet gal tą plasnojimą susapnavau.

Atsikėlusi nesuvokiau, kelinta valanda. Kieme nieko nemačiau, bet apskritasis stalas buvo padengtas arbatai, o kampuotojo bokšto šešėlis nutįsęs iki pat kaštonų. Žvilgtelėjusi į bokšto laikrodį išsigandau. Be ketvirčio penkios! Grafas žadėjo ateiti pas mane trečią. Kodėl jo iki šiol nėra?

Ėmiau paskubom rengtis. Paskui nubėgau į svetainę, bet vos įlėkiau pro duris, man pakirto kojas. Reginys, kurį išvydau, atėmė žadą.

Bonis tupėjo ant židinio atbrailos tarp gausybės raudonų beico taškelių, sunkiai nukrapštytų snapu nuo veidrodžio. Kitados baltutėlis paukštis dabar ištisai buvo rožinis kaip flamingas. Jo snapas ir liežuvis švytėjo liepsnos raudoniu.

Dar niekuomet gyvenime nebuvau šitaip išsigandusi. Dievulėliau! Bonis nugaiš! Kuo greičiau veterinarą! Puoliau prie telefono. Niekas neatsiliepė grafo kabinete, niekas neatsiliepė virtuvėje ir dirbtuvėje. Nuskuodžiau į kiemą ir vos nesusidūriau su tarnaite.

– Kur grafas? – surikau nesivaldydama.

– Dvare, – atsakė ta nustebusi.

– O Lotė?

– Išvažiavo į parduotuvę.

– O Hansas?

– Pilies koplyčioje, prie statulų. Šventajai Cecilijai iškrito iš rankų arfa, tad turi ją sulipdyti. Jau norėtumėt arbatos?

Atsisakiau. Dar niekuomet tokiu greičiu nebuvau skuodusi į koplyčią. Nuo bėgimo smilkiniuose tvinksėjo kraujas, skaudėjo kvėpuojant. Bet Hanso niekur nemačiau. Radau jį po kokio ketvirčio valandos. Jis buvo Riterių salėje, pasilypėjęs ant aukštų kopėčių daužė medines kesonines lubas. Jos buvo ką tik restauruotos ir naujai pritvirtintos, todėl Hansas kaip tik tikrino, ar viskas gerai.

– Kas nutiko? – sušuko jis, pamatęs mane.

– Mums kuo greičiau reikia veterinaro. Bonis gali nugaišti! Ar pažįstate kokį nors netoliese?

– Aišku, – tarė Hansas ir išklausė mano pasakojimą. Tada nulipo nuo kopėčių. – Tuoj paskambinsiu, bet pirma norėčiau apžiūrėti paukštį pats.

Mintyse jau mačiau Bonį negyvą tysantį ant parketo. Drebėdama atidariau svetainės duris, bet kai įėjome, apstulbau. Gyvut gyvutėlis Bonis tupėjo ant savo šakos ir labai energingai valėsi plunksnas. Sparnai vėl baltavo kaip anksčiau, žvilgėjo juodas snapas, tik kojos ir liežuvis dar atrodė rožinės spalvos.

– Prieš ketvirtį valandos jis dar buvo rožinis kaip flamingas, – pralemenau.

– Tikiu. – Hansas mostelėjo į netvarką ant židinio. – Duokite man skardinėlę! Noriu pasiskaityti nuorodas.

Paskui jis paskambino veterinarui.

– Ką gi, jam nieko nenutiks, – pasakė Hansas, padėjęs ragelį. – Jis tikrai mažai teprarijo, o šis tepalas nėra toks nuodingas, kaip manoma. Nusinešiu paukštį į dirbtuvę. Ten gali kapoti medieną kiek tinkamas. Visuomet leidžiu jam paragauti skiedrų. Jis labai mėgsta, o paskui ištisą dieną elgiasi gražiai.

– Papas! – pasakė Bonis ir taip nusipurtė, kad net plunksnos pažiro.

– O kaip veidrodis? – paklausiau baimingai.

Hansas įvertino žalą:

– Aš susidorosiu. Nebijokite. Jei turėsiu laiko, sutaisysiu jau po pietų. Tada galėsite nieko nesakyti grafui. – Jis reikšmingai pasižiūrėjo į mane: – Jam dabar ir be šito rūpesčių iki kaklo.

– Ką turite galvoje, Hansai?

– Paklauskite jį. Tikrai jums pasakys.

Hansas pasitupdė Bonį ant peties, pasiėmė jo medį ir paliko mane vieną. Susmukau ant sofos.

Graži pradžia pilyje, galvojau, šitaip nepadarysiu dėdei gero įspūdžio. Būčiau galėjusi likti ir Anglijoje. Pirmiausia, iššvaistau palikimą, taigi iškyla pavojus netekti dvaro žemių, o kad dar kartą patvirtinčiau, kokia esu nevykėlė, ko nenunuodiju dėdės numylėto paukščio. Ar galima būti *dar* kvailesnei?

Pasižiūrėjau į apkapotą veidrodį, ir mane persmelkė baimė. Ką žino Hansas, ir ko nežinau aš? Ar grafas papasakojo jam apie Leopoldą? Ką jam išporino apie mane? Ir ar visai man atleido?

Susinervinusi įnikau kramtyti nagus. Tikrai, dėdė Eduardas ištesėjo savo pažadą ir atvirai man nebepriekaištavo. Vis dėlto vieną kitą užuominą sviesdavo. Kad ir šiandien per pietus apie Leopoldą ir staigmeną. „Ištaisė mums staigmeną, kuri jam puikiai pasisekė". Lotė nenutuokė, ką dėdė turėjo galvoje. Bet man grafas smogė į paširdžius.

Toji staigmena buvo niekas kitas, o Danielis. Mus su juo supažindino Leopoldas. Danielis viešėjo pas Lokenšteinus, nes Leopoldas studijavo drauge su Danielio dėde. Nežinia, ką tas dėdė lošdamas bridžą su grafu kalbėjo, kaip ta kalba pasisuko, bet paskui Danielis buvo pakviestas į mūsų vasaros pokylį.

Atsistojau, nuėjau į vonią ir atsinešiau dėžutę popierinių nosinaičių. Įnikau kruopščiai valyti nuo marmurinės židinio atbrailos ir veidrodžio raudoną beicą. Kad ir kuo būtų buvę galima apkaltinti Leopoldą, dėl visos tos istorijos su Danieliu ne *jis* kaltas. Tikrai, jis atsivedė Danielį į pokylį – bet kaip savo dukters gerbėją. O man ketino pripiršti savo sūnų Valterį, kad galų gale baigtųsi tos šeimų pjautynės.

Puikiai prisiminiau tą vakarą. Valteris elgėsi su manim meiliai, bet aš siutau, kad kurpiami planai man už nugaros, todėl pasistengiau neatsakyti jam nė žodžio.

Leopoldas ir dėdė Eduardas pasipiktino mano elgesiu. Juodu nežinojo, kad kiaurai permačiau jų klastą ir tvirtai pasiryžau mylėti tik tą, ką pati panorėsiu.

Labai anksti nusprendžiau netekėti iš išskaičiavimo. Nenorėjau, kad manimi naudotųsi. Troškau mylėti. O prieš baigdama mokyklą nusistačiau taisykles. Jokio vyro iš kaimynų ar giminaičių. Jokio iš dėdės Eduardo pažįstamų, juo labiau tituluoto.

Priežastis buvo paprasta. Nenorėjau nuolat sukti galvos ir teisinti savo motinos, kai kalba užeidavo apie mano nekilmingą tėvą. Nenorėjau ištisą gyvenimą atmintinai kalti svetimų genealoginių medžių ir žavėtis didvyriais protėviais, kurie kadaise, prieš amžinybę, buvo laimėję šlovingus mūšius. Manęs nedomino nei fechtavimasis, nei bridžas. Ypač kračiausi vyrų, kurie medžiodavo.

Tiesa, Valteris *nemedžiodavo*, bet dėl to nebuvo geresnis. Jeigu visai atvirai: man nebūtų buvę kebeknės ir dėl genealoginio medžio. Lokenšteinus titulavo tik aštuonioliktame amžiuje – Leopoldas Pirmasis, o keletą kartų buvo galima nesunkiai įsidėmėti. Iš teisybės, Valteriui beveik negalėjai nieko prikišti. Jis buvo aukštas ir išvaizdus, malonus ir mylėjo gyvūnus. Dar ir protingas. Vis dėlto! Aš *turėjau* už jo ištekėti, ir kaip tik todėl jis man nepatiko.

Atsistojau ketindama atsinešti tetos Emė tualetinį lagaminėlį. Jis buvo iš ploniausios odos, išmuštas raudonu aksomu, jame buvo šukos, šepečiai ir veidrodis su Emė monograma ant sidabrinės jo nugaros. Pasiėmiau dailią dildę dramblio kaulo rankenėle ir ėmiau tvarkytis nagus. Šį lagaminėlį man padovanojo penkioliktojo gimtadienio proga. Nebuvau išsivežusi jo į Londoną.

Vis dar tebegalvojau apie Valterį. Penkerius metus nieko apie jį negirdėjau. Kuo jis tapo? Dėdė Eduardas apie jį nepasakojo, o klausti irgi nenorėjau. Ar jis pasikeitė kaip ir aš? Tiek to! Padėjau dildę. Greičių greičiausiai jis seniai vedęs.

Bokšto laikrodis išmušė penkias. Kur pragaišo dėdė Eduardas? Priėjau prie lango ir pažvelgiau į didįjį pilies kiemą. Nė gyvos dvasios, kiek mato akys. Gaila tokios gražios popietės. Pasvarsčiau. Žemai paupy, prie nedidelės neveikiančios elektrinės, kurią mano prosenelis buvo pastatęs piliai, buvo puiki maudykla. Nors upė - viso labo užtvenktas upeliukas, vanduo labai švarus, o gluosniai auga prie pat vandens. Kvepia medingais dobilais ir vešlia žole. Tenai nesirodydavo joks žmogus - niekas tau netrukdydavo.

Mane traukė nusimaudyti. Žygiui žemyn nuo pilies kalno ir vėl aukštyn reikėtų daug jėgų, bet Anglijoje aš nė kartelio nesimaudžiau. Jeigu pasiskubinsiu, grįšiu kaip tik arbatai penktą valandą.

Tą akimirką, kai ketinau pasitraukti nuo lango, pasirodė dėdė Eduardas. Visiškai uždusęs jis patraukė tiesiai mano durų link. Nubėgau jo pasitikti.

- Aš tavęs jau laukiu. Juk ketinai pas mane ateiti trečią.

- Atleisk, kad pavėlavau, vaike, man sukliudė Leopoldas.

- Tu buvai dvare?

- Taigi.

– Dėde Eduardai, – ėmiau maldauti, – pasakyk man, kas nutiko. Jeigu nepapasakosi, nebegalėsiu užmigti. Kaip Leopoldas susijęs su dvaru?

– Labai paprastai. Jis sužinojo, kad dvaras parduodamas. Ir jis žino, kad jo man būtinai reikia, tad dabar man kenkia. Na, mėgina pakenkti. Jis jau keliskart lankėsi pas savininką, o šiandien po pietų net pasiūlymą jam tėškė. Toliau – dar gražiau. Ar žinai, ką jis nori padaryti su dvaru? Išnuomoti žmogėnui, kuris ketina įrengti tenai didžiulį kiaulių ūkį. Galybės kiaulių. Ar žinai, ką tai reiškia? Nei pieno, nei sviesto, nei kiaušinių, vien penimos kiaulės, beveik neturinčios kur judėti ir dar dvokiančios per mylią. Ir visa tai mūsų panosėje.

Pasijutau klaikiai nusikaltusi. Kokia siaubinga padėtis! Ir visa tai per mano kvailumą. Jeigu tebeturėčiau savo palikimą, tik pasišaipytume iš Leopoldo, pasiūlytume daugiau pinigų ir pasirašytume sutartį. Bet dabar?

– Taip, taip, vaike, – nutraukė grafas mano mintis, – padėtis tokia. Negalima žmonėmis pasitikėti. Dvaro savininkas prisiekė man niekam neprasitarti, kad parduoda ūkį. O dabar paaiškėjo, kad jau žino visi kaimynai. Ir jam vis viena, kas nupirks. Jam reikia tik pinigų, ir dar šį mėnesį. Brolis Kanadoje rado fermą. Jam jos reikia, dvarininkas jau net dalį pinigų sumokėjo. Ir visi pirkėjai jam tinka.

– Jis priėmė Lokenšteino pasiūlymą?

– O ne! – didžiausiai mano nuostabai, sušuko dėdė Eduardas. – To jis nepadarė.

– Nepriėmė?

– Taip, vaike.

– Nesuprantu. Juk ką tik pasakei, kad jam reikia pinigų.

Dėdė Eduardas linksmai nusijuokė:

– Ano pasiūlymo jis nepriėmė todėl, kad maniškis buvo geresnis.

Įsistebeilijau į jį.

– Tu pasiūlei daugiau? Bet juk visai neturi pinigų!

– Dar neturiu, – atsakė grafas, ir tamsios jo akys sublizgėjo. – Bet dosnus likimas man pakuždėjo, kad sutartu laiku pinigais aš būsiu aptekęs.

– Nieko nesuprantu.

Grafas paslaptingai nusišypsojo:

– Suprasi, viskam savas metas.

– Ir daugiau man nieko nepasakysi?

– Ne, vaike. O dabar eime, lipsime apžiūrėti geležies rinkinio.

Jis nusisuko ir taip veržliai nužingsniavo, kad vos spėjau jam įkandin.

– Tik vienintelis klausimas, dėde Eduardai. Iki kurios dienos turi sumokėti?

– Iki liepos 31-osios.

– Tai juk tavo mamos gimtadienis.

– Geras ženklas. Kaip manai? Dabar pamiršk dvarą. Ši tema tabu, kol *aš* jos nepaminėsiu.

Tylomis perėjome didįjį kiemą. Mums virš galvų sudūzgė bitė, bet paskui nutūpė ant erškėtrožės.

– O kur Bonis? – staiga paklausė grafas.

– Pas Hansą dirbtuvėje.

– Ar buvo geras?

– Kaip pažiūrėsi.

Man palengvėjo, kad daugiau klausimų nepasipylė. Grafas būtų pernelyg anksti sužinojęs, kas nutiko.

Kol sukau galvą, iš kur dėdė Eduardas per tris savaites gaus pinigų pirkti dvarui, užlipome į viršų. Geležies rinkinys buvo vadinamajame Kaizerio kambaryje, didelėje saulėtoje pagrindinio pastato patalpoje trečiame aukšte, jame, sakoma, kartą nakvojęs kaizeris Maksimilianas II.

Ši patalpa skleidė savotišką aurą. Buvo svetainės ir muziejaus mišinys. Palei sienas stovėjo dailios įstiklintos spintos, o jose – keisčiausi meno kūriniai, kokių niekuomet nebuvau mačiusi. Visi iš juodos žvilgios geležies, bet atrodė žaismingi ir besvoriai. Žvakidės, plunksninės, druskinės, įmantriai išraityti popierių spaustukai, nuostabios grandinėlės, apyrankės ir žiedai. Ant sienų kabojo raižytos raktinės ir krucifiksai. Kampuose atremtos viryklių kaitvietės su įmantriais reljefais. Apskritą bydermejerio stiliaus stalelį puošė jaunos imperatorienės Elžbietos biustas, saulės spinduliai krito jai ant plaukų, ir juodos garbanos švytėjo.

Dėdė Eduardas įžengė į salę, ir jo veidas nušvito:

– Eikš, vaike! Ar esi mačiusi ką nors panašaus? – Jis atidarė vieną spintų ir pamojo man: – Pažvelk į šį prašmatnų bulių! Jis iš Munkašo liejyklos, vienos garsiausių senojoje Vengrijoje. O šis plunksnakotis – iš Čekijos. Ar matai virykles? Jos itin vertingos, nes geležinės viryklės vėl madingos. Visų šių daiktų, kuriuos matai, vertė pakilusi. Pradėjau rinkti juos prieš penkerius metus, kai tu mus palikai. Kai kas tikrai pabrango dešimteriopai. Imperatorienės biustui įsigyti šiandien reikėtų nemenko turto.

– Dėde Eduardai, – tariau, nes man sukirbėjo įtarimas, – juk tu neketini parduoti šio rinkinio?

– Dieve gink, kas tau šovė į galvą! – Jis uždarė spintą. – Negali būti nė kalbos. Net jei norėčiau, nieko tai neduotų. Pirma, man reikėtų daug mėnesių rasti pirkėjui, antra, rinkinio vertės neįmanoma lyginti su ūkio verte. Šiam rinkiniui reikia pralaukti dar dvi kartas, tik tada bus įvertintas ir jį bus lengva parduoti.

Kol grafas balta nosine įnikęs meiliai blizgino imperatorienei galvą, aš stebėdamasi vaikščiojau nuo spintos prie spintos. Sustojau prieš pačią gražiausią, nes joje buvo daiktai, kurie itin traukė mano akis. Spinta buvo išklota žaliu šilku, ant jo gulėjo tobulo grožio papuošalai. Žiedai, grandinėlės, segės. Meniškai išpuoštas diržas ir diadema, kuo kruopščiausiai nudailinta, nors ir geležinė.

– Dėde Eduardai, – šūktelėjau, – koks čia papuošalas?

Grafas nuleido nosinę ir priėjo.

– Vengrijos karalaitės nuotakos papuošalas; tiksli kopija, iki menkiausios smulkmenos. Turiu mažne visą kraitį, be diademos, kelių grandinėlių ir garsiosios segės, segimos tik per didžiausias iškilmes.

– O kur originalai?

Grafas keistai vyptelėjo.

– Jeigu žinočiau, man palengvėtų. Visa tai – dalis Vengrijos karalių lobio, kuris tarsi kiaurai žemę prasmego.

– Kada tas lobis dingo?

Dėdė Eduardas atsiduso:

– Per 1848-ųjų revoliuciją. Vengrai jį paslėpė, kad nepakliūtų į nagus Habsburgams. Nuo tada jo visur ieškoma, bet nesėkmingai. Nerasta nė vienos brangenybės. Todėl tie papuošalai, kuriuos čia matai, turi didžiulę istorinę vertę, nors jie ir geležiniai. Jeigu rinkinyje nieko netrūktų, jis būtų dar vertingesnis.

– Kur tu juos pirkai?

– Juoksies, bet aš juos radau. Šią žiemą, mūsų palėpėje. Nežinau, kaip jie tenai pakliuvo.

Dar norėjau klausinėti, bet dėdė Eduardas mane nutraukė. Jis atidarė geležinę sieninę spintelę ir išėmė iš jos dvi knygeles.

– Štai! Tavo išsilavinimo spragoms. Pirmąją pats išleidau. Tai žinomiausių Europos geležies liejyklų aprašas. Antroji – istorijos vadovėlis su svarbiausiomis datomis. Abi šias knygeles primygtinai patariu pasiskaityti, dar geriau – išmokti atmintinai.

Jis užrakino spintas. Regis, parodomoji pamoka baigėsi.

– Ir tai viskas? – paklausiau nusivylusi.

– O ką dar norėtumei sužinoti?

– Papasakok man apie Vengrijos karalaitę.

Dėdė Eduardas žvilgtelėjo į laikrodį.

– Nėra kada. Man dar reikia į dirbtuvę. Hansas įrėmino keletą paveikslų, man įdomu, kaip pavyko. Eikš, vaike, mums metas!

Lipant laiptais grafas buvo itin tylus. Eidami per mažąjį kiemą sutikome Hansą. Rankoje jis laikė nedidelę medinę arfą. Grafas ją paėmė ir ilgai apžiūrinėjo.

– Labai gražu, – pagyrė. – Hansai, jūs menininkas. Šventoji Cecilija apsidžiaugs. – Jis pasisuko į mane: – Anete, kas buvo šventoji Cecilija?

– Muzikos globėja.

– Gerai. Hansai, aš eisiu su jumis į pilies koplyčią. Anete, tu palauksi manęs čia. Tuoj grįšiu.

Klusniai atsisėdau ant akmeninio šulinio rentinio. Bet vos abu vyrai išnyko iš akių, pašokau ir nuskubėjau į dirbtuvę. Žinojau, kad paskui dėdė Eduardas eis paimti Bonio, tad turėjau įsitikinti, ar beico nebėra nė žymės. Jeigu būtų priešingai, man neliktų nieko kita, kaip išpažinti šiandienos nesėkmę.

Dirbtuvėje buvo tamsu ir gana šilta. Kvepėjo klijais ir šviežia mediena. Išskleidęs sparnus kakadu tupėjo pačiame varstoto viduryje. Aplinkui riogsojo krūvos skiedrų, kurias jis meiliai apžiūrinėjo.

– Krrrkšt! – sukrykštė paukštis, išgirdęs mano žingsnius. Tada atkišo man galvutę, kad pakasyčiau. Suteikiau tą malonumą ir atidžiai jį apžiūrėjau. Man be galo palengvėjo, kai nepamačiau nė dėmelės raudono beico. Paukštis buvo tobulai baltas, liežuvis, snapas ir kojos juodi kaip visada. Niekaip nebūtum atspėjęs, kad Bonis iki panagių buvo išsiterliojęs raudonu beicu.

– Šaunus paukščiukas, – pagyriau jį, – kaip gražiai išsivalei.

Paskui paieškojau kuo patrauklesnės skiedros ir įkišau jam į snapą. Taip. Nusisukau eiti. Kuo greičiau laukan, kol grįš grafas! Bet kaip tik tada, kai jau buvau beišeinanti iš dirbtuvės, pastebėjau keistą daiktą. Kas čia atremta į varstotą? Didelis įrėmintas paveikslas? Iš smalsumo jį atsukau.

O, labai įdomu. Vos metusi akį supratau, kas jame pavaizduota. Spalvotos dėmės, linijos, skaičiai – istorinis Kronego planas. Kartą jau buvau mačiusi Kronego pilies raižinį, nors daug mažesnį ir be visų šių klaidinančių smulkmenų, pažymėtų plane.

Pamiršusi Hansą ir grafą pasilenkiau prie plano. Skirtingomis spalvomis buvo pažymėti pilies statybų etapai. Seniausi pastatai - apvalusis bokštas ir vidinis kiemas - mėlyni. Kai kurios gynybinės sienos ir didysis kiemas nuspalvinti geltonai. Kampuotasis bokštas rožinis, kaip ir ta dalis, kur buvo mano kambariai. Vėlesni priestatai ir atstatytas mūras - raudoni, žali ar rudi. O kas čia?

Paėmiau raižinį ir atsargiai užkėliau ant varstoto. Nieko panašaus nebuvau regėjusi. Buvau taip įsigilinusi į savo atradimą, kad net nepastebėjau, kad į dirbtuvę įėjo Hansas ir grafas.

– Koks darbštumas, – išgąsdino mane dėdės Eduardo balsas. – Matau, kad didysis planas jau gatavas. Gerai atrodo. Duok jį šen, Anete! Hansai, norėčiau, kad tuoj pat nuneštumėte jį aukštyn, gali kas nors sugadinti, jei ilgiau čia bus. Nuneškite į ponų kambarį ir atremkite į sieną dešinėje, šalia mano rašomojo stalo.

Hansas atsargiai abiem rankomis suėmė sunkius rėmus ir nupūškavo į viršų.

– Ar neprašiau tavęs palaukti kieme? – paklausė grafas, kai likome vieni. – Ko tau čia prireikė?

– Norėjau aplankyti Bonį, – pasakiau tiesą, – ir pastebėjau senąjį planą. Ar galiu paklausti? Ką reiškia tie keisti violetiniai taškai, kurių visur pridėliota?

– Kokie taškai? – griežtai paklausė grafas.

– Dideli violetiniai taškai. Labai krinta į akis. Jų ypač daug naujesniuose statiniuose.

Dėdė Eduardas numojo ranka:

– Ak, tie. Nieko ypatinga. Tai tik užmūrytos patalpos.

Man nebuvo naujiena, kad senoje riterių pilyje yra užmūrytų patalpų. Pilis juk ne visuomeninis pastatas. Tokia pilis kyla palengva – ištisi amžiai praeina. Ji platėja ir aukštėja pagal įnamių poreikius. Pristatomi flygeliai, nauji aukštai, įrengiami nauji laiptai, prireikia ir naujų koridorių. Kartais atsiranda patalpa be langų. Bet tai nesvarbu. Kadangi vietos netrūksta, tokia patalpa paprasčiausiai užmūrijama ir pamirštama. Taigi užmūrytos patalpos manęs nenustebino. Bet kam jas reikėjo pažymėti sename plane?

– Iš kur šis planas? – pasmalsavau.

– Jis mano prosenelio. Šią žiemą uoliai pasidarbavau, iškrausčiau senas knygų dėžes, kurios jam mirus buvo sukrautos ant aukšto. – Dėdė nutilo, mačiau, kad jis svarsto, pasakoti toliau ar ne. Galop įveikė sveikas poreikis išsipasakoti. – Ir paaiškėjo *labai* įdomių dalykų.

– Kokių dalykų? Ar jie susiję su ta sena paslaptimi, kurią stengiesi atskleisti?

– Iš kur tu žinai? – susijaudinęs paklausė grafas.

Atsisėdau ant varstoto šalia Bonio ir sūpavau kojas:

– Juk pats pasakojai. Ar neprisimeni? Šiandien per pusryčius. Kai kalbėjomės apie geležies rinkinį.

– Tiesa. Aš suklydau.

– Kodėl?

– Kadangi tai jau nebe paslaptis. Paslaptis tik tada lieka paslaptis, kai jos neišplepi jokiam žmogui. Jeigu prasitari bent *vienu* žodžiu, – kad ir kuo griežčiausiai prisaikdindamas prikąsti liežuvį, – tai jau ne paslaptis.

– Tada gali tuojau pat viską iškloti, – paraginau jį, – kokių įdomių dalykų tau paaiškėjo?

Grafas nusijuokė.

– Pavyzdžiui, radau Vengrijos karalaitės papuošalus. Paskui dokumentus, kurių jau seniai ieškojau. Jeigu tiesa tai, kas juose parašyta, galime save pasveikinti.

– Maldauju, nebekankink manęs, dėde Eduardai! Kas tenai rašoma?

– Pasakysiu tik tada, kai būsiu įsitikinęs. Ir nė akimirka anksčiau. Liaukis mane kankinusi! Nieko šitaip nesužinosi.

Aš netvėriau kailyje.

– Ar jau buvai bent viename užmūrytame kambaryje?

Grafas akylai pasižiūrėjo į mane.

– Aišku, ne. Kuriam galui? Nieko juose nėra.

– Kas taip sako? Gal tenai užmūryti neįkainojami lobiai. Aš pabandyčiau.

– Mano mielas vaike, – įtaigiai pareiškė dėdė Eduardas, – tave klaidina pernelyg laki vaizduotė. O kur praktiškumas? Juk žinai, kad pastarieji didesni statybos darbai pilyje vyko baroko metais, tada sienos tikrai buvo sienos, ne popierinės, kokios renčiamos šiandien. Ar žinai, kaip reikėtų laužtis per tokią sieną? Dauguma – pusantro metro storio. Taigi! Norint jas išgriauti, reikėtų darbininkų ir mašinų. Vadinasi, pilyje įsiviešpatautų bildesys, dulkės, šiukšlės ir svetimi žmonės. Apie tai negali būti nė kalbos. Pernelyg daug vargo ir išlaidų.

- Bet...

- Jokių „bet". Per brangu. Ir vien tam, kad patenkintum tavo romantišką gyslelę!

Bokšto laikrodis išmušė šešias.

- Kaip, jau penkios? - sušuko grafas. - Neįtikima! Prapliurpėme ištisą valandą. Dabar noriu puodelio arbatos. Žinai ką? Pakeisime planus ir šiandien gersime arbatą ne po kaštonais, o viršuje, Riterių salėje. Medinės lubos nuostabios, turime jomis pasigrožėti. Pasakyk tarnaitei, vaike, pasigražink, ir abi su Lote užlipkite į viršų! - Truputį patylėjęs paslaptingai pridūrė: - Pranešiu jums dar vieną svarbią žinią.

6

Arbatos gėrimas didelėje Riterių salėje buvo iškilmingas aktas. Ši salė buvo naudojama per pačias didžiausias šventes, ir tai buvo iškart matyti. Šeši aukšti langai žvelgė į pietus, ir popietės saulė, prasibrovusi pro įvairiaspalvius vitražinius langus, atsispindėjo ant meniškai iškloto parketo. Tarnaitė buvo padengusi mums garbingą poliruoto ąžuolinio stalo dalį, ir mes sėdėjome ant aukštų nepatogių kėdžių tarp protėvių portretų ir riterių šarvų, gėrėdamiesi lubomis.

– Puikus darbas, – žavėjosi grafas. – Vertas kiekvieno už jį išleisto skatiko. Kaip jums patinka raižiniai? Štai tai aš vadinu menu.

Jis patenkintas apsižvalgė.

Nusišypsojau jam. Buvau apsivilkusi savo gražiausia vasarine suknele, o Lotė, nusirišusi prijuostę ir palikusi ją virtuvėje, sėdėjo priešais mane su puošniais tautiniais drabužiais. Atrodėme dailūs ir sveiki, nė kiek nemenkinome taurios salės orumo.

Dėdė Eduardas net teikėsi pameilikauti.

– Graži suknelė, – tarė palankiai. – Gerai rengiesi, vaike. Kur ją pirkai?

– Londone. Prabangiausioje Meiferio parduotuvėje.

Suknelė buvo raudono šilko. Prigludusi prie liemens, o sijonas iš keturių eilių permatomų raukinių. Tiesa, kai užlipau į viršų, mažai trūko, kad dėdė Eduardas nepaleistų gerklės, nes nebuvau susisegusi plaukų. Laimė, Lotė sušuko: „Kokios gražios jūsų garbanos, panele Anete! Turėtumėt visada būti palaidais plaukais“. Taip ji išgelbėjo padėtį, ir grafas užsičiaupęs visą dėmesį nukreipė į pyragą, iškeptą Lotės.

– Ką gi, paklausykite, – prabilo jis, sušveitęs tris gabalus. – Yra naujienų. Ką tik sužinojau, kad mano motina paankstino savo kelionę. Laukiu jos jau šį savaitgalį, iki to laiko viskas turi būti parengta jai priimti. Lote, reikia sutvarkyti žydruosius kambarius virš Anetės apartamentų, tegu jau šiandien tarnaitė juos išvėdina. Paimkite šilkinius patalus ir angliškus rankšluosčius, mano motina tikra lepūnėlė. Anete, tu pasirūpinsi gėlėmis. Reikia dviejų gražių puokščių.

Žinai, kokias gėles mėgsta mama. Gal paaukosi jai keletą savo lelijų? Būtų nuostabi puokštė jos svetainei.

Uoliai linkčiojau:

– Žinoma, ji gaus lelijų. O miegamajam aš suskinsiu margaspalvę puokštę iš rožių ir pelėžirnių, kaip visuomet. Ar dar prisimeni?

Dėdė Eduardas išdidžiai nusišypsojo. Jis visuomet žavėjosi mano puokštėmis ir net nutapė mane kaip gėlininkę: su šiaudine skrybėlaite, pintine gėlių ir sodo žirklėmis. Tas paveikslas dabar kabojo apačioje, pusryčių kambaryje.

– Ar džiaugiesi, kad sulauksi močiutės?

– Labai, – nusišypsojau aš.

– Ką gi, – paslaptingai pasakė dėdė Eduardas ir atstūmė lėkštę su pyragu, – tada galime iškart pereiti prie antro programos punkto. Paklausykite, Lote, liepos 31 dieną mano motinai sukanka aštuoniasdešimt metų. Ką jūs pasakysite?

– Pasakysiu, kad tai didžiulė šventė, – susijaudinusi sušuko Lotė. – Ne kiekvienas sulaukia aštuoniasdešimties. Kaip ketinate švęsti?

– Iškilmingai! – paskelbė dėdė Eduardas. – Tą šventę prisimins metraštininkai. Juk iš tiesų turime atšvęsti dvi progas: Anetės sugrįžimą ir jubiliejų. Po penkerių metų aš vėl ruošiu vasaros pokylį. Taip noriu. Kaip manote? Vienuoliktą trumpos Mišios pilies koplyčioje, per jas bus suteiktas palaiminimas mamai. Paskui ypatingos vaišės artimiesiems ir dvasininkui. Tada poilsis, o ketvirtą valandą suvažiuos pirmieji svečiai su vaikais. Tada vaikams vaišės, o kai jie prisikimš, gimtadienio tortas ir šampanas suaugusiesiems.

Nebijok, Lote, tortą užsakysime mieste, nenoriu jūsų varginti.

– Kaip? – pasipiktino Lotė. – Mieste? Manote, kad nesugebėsiu iškepti gimtadienio torto?

Ir ji įsižeidusi dėbtelėjo į grafą. Šis tučtuojau ją nuramino:

– Lote, nieko bloga apie jus nepamaniau. Bet argi tortą iškepti nėra pernelyg sunkus darbas?

– Ne, – griežtai atkirto virėja, – tikrai ne. Jeigu leisite, tortą kepsiu *aš*. Tada bent žinai, kad jis iš gerų produktų. Be to, jį gražiai papuošiu, sugebu tai. O ką patieksime svečiams vakare?

Nebegalėjau susitvardyti:

– Lote, po arbatos būna pats gražumas. Kai sutemsta, ant sienos ir abiejuose kiemuose uždegami įvairiaspalviai žibintai. Nuostabus reginys. Kaip pasakų pilyje. O toliau galima daryti įvairiai. Jeigu dėdė Eduardas nori paišlaidauti, Riterių salėje patiekiami gardūs užkandžiai ar vakarienė, groja muzikantai, geriamas šampanas, žinoma, ir šokama.

Viltingai pažvelgiau į grafą.

– Tu jau pasakei, – sušuko jis pakiliai. – Vakarienė ir toks pokylis, kad kaimynai pažaliuos iš pavydo. Jokio taupymo. Turiu vienintelę motiną, ir jos garbei šventė bus dieviška.

Aš ir Lotė nesusivaldžiusios paplojome, ir grafas žaismingai nusilenkė lyg po iškilmingo pasirodymo.

– O kiek bus žmonių? – pasidomėjo Lotė.

– Penkiasdešimt ar šešiasdešimt. Pala! Iš Hoenfrydo ir Hernšteino, Rotenhauzo ir Kroicenhofo, iš Lokenšteino ir Frydensburgo – visi jie veisiasi kaip triušiai. Taip, bemaž esu tikras: turime tikėtis šešiasdešimties.

Nepatikėjau savo ausimis.

– Dėde Eduardai, ar aš gerai nugirdau? Paminėjai Lokenšteinus?

– Žinoma. Jie bus pakviesti. Pats laikas tau vėl atnaujinti ryšius su senais draugais. Leopoldui 31-ąją skubiai prireiks pasistiprinti. Visiems mes vis dar vaizduojame, kad esame geri kaimynai.

– Labai miela, kad pakviesite poną baroną, – pasakė Lotė. – Jūs geraširdis žmogus, pone grafe.

– Ne toks geraširdis, kaip jūs manote, – nusijuokė dėdė Eduardas, – bet kai pilis bus pilna svečių, jis apskritai nieko nereikš. Be to, man labiau rūpi jo sūnus. Anete! Per pastaruosius penkerius metus Valteris baigė studijas ir metus praktikavosi užsienyje. Ką pasakysi?

Gūžtelėjau pečiais:

– Ar jis jau vedęs?

– Žinoma, ne. Juk laukia tavęs.

Paraudau.

– Nesulauks.

– Mielas mano vaike, – pasakė grafas, – dabar ne metas apie tai kalbėti. Aptariame šventę, ir norėčiau sužinoti, ar jūs, brangi Lote, pasirengsite per tris savaites. Kaip manote? Ar trijų savaičių jums užteks?

– Visiškai, – išdidžiai pareiškė virėja. – Tunise kartą gaminau šimtui svečių, o turėjau tik *keturias* dienas. Kada aptarsime valgius? Turiu kelis labai gerus receptus, kurių čia tikrai niekas nežino.

Dėdė Eduardas pagalvojo.

– Kitą savaitę, – nusprendė. – Susėsime ir visą priešpietį skirsime karo tarybai. Bet kad mano motina nepastebėtų. Norėčiau ją priblokšti. Nė žodžio apie gimtadienio šventę. Taip, o dėl pagalbininkų, žinoma, Lote, jų gausite. Viena tarnaitė – menka paguoda. Padavėjų irgi atvyks iš miesto, gėrimais pasirūpinsiu aš pats.

Patenkintas mus nužvelgė:

– Taigi posėdis baigtas. Klausimų bus? Ne? Tada atsisveikinsiu. – Jis atsistojo: – Lote, ačiū už puikią arbatą, vargu ar būna geresnės... – Bet per patį sakinio vidurį jis nutilo ir atidžiai įsiklausė.

Aš ir Lotė taip pat išgirdome. Pašokome kaip perlietos ir išgąstingai susižvalgėme. Ir vėl: duslus bildesys iš sienos.

– Sklinda iš krosnies, – sušuko grafas ir parodė į trijų metrų aukštumo baltą koklinę krosnį kampe.

– Ne, – pasakė Lotė, – iš sienos.

– Ramiai! – sukomandavo grafas ir pirštų galais prisėlino prie sienos. Ten pasilenkė ir sustingo.

Beveik nedrįsome kvėpuoti. Salėje įsiviešpatavo kapų tyla. Staiga grafas prisidėjo pirštą prie lūpų.

Ir vėl. Bildesys, paskui tyla.

– Tarytum kažkas trankytųsi į medį, – sušnibždėjau.

Dėdė Eduardas atsitiesė.

– Rodos, žinau, iš kur tas bildesys, – pasakė jis ir pamojo mums sekti iš paskos.

Pirštų galais nuėjome prie durų, paskui išsėlinome į koridorių, o juo nutipenome iki tos vietos, kur salėje buvo krosnis. Sienoje buvo raudonai dažytos durelės.

Už jų židinys su dūmtraukiu, mat krosnis įkaisdavo, kai koridoriuje būdavo kūrenamas židinys.

Dėdė Eduardas pakėlė ranką, ir mes apmirėme. Ir dabar – aiškut aiškiausiai – išgirdome duslų beldimą į raudonas medines dureles.

Nors buvo šviesi diena, aš išsigandau. Regis, ir Lotei buvo nejauku. Lyg sutarusios abi atsitraukėme per porą žingsnių atgal. Dėdė Eduardas tik truputį padelsė, paskui šoko priekin ir narsiai atplėšė dureles.

Juoda žiojinti tuštuma. Nusivylę susižvalgėme. Vis dėlto pačiame tamsiausiame kampe kažkas dūlavo. Kas ten?

– Viešpatie! – sušuko dėdė Eduardas. – Sakalas jauniklis! Įkrito į dūmtraukį. Anete, greitai bėk ir atnešk staltiesę. Taip paprastai negalėsiu paimti, jo pernelyg aštrūs nagai.

Žaibiškai sulaksčiau. Grafas apsivyniojo rankas staltiese, pasilenkė, įlindo į židinį ir vėl pasirodė su nuostabiu paukščiu. Sakalėlis buvo šviesiai rudas, juodų raštų, ugningomis juodomis akimis ir pražiojęs snapą ant mūsų šnypštė.

– Koks gražus! – sušuko Lotė, niekuomet iš taip arti nemačiusi sakalo. – Kokios gražios akys ir kokia graži galva!

– Jeigu atsitiktinai nebūtume jo išgirdę, būtų nusikankinęs ir nugaišęs, – susirūpinęs tarė grafas. – Kaminas aukštai visai susiaurėja, nebūtų išskridęs. Bet dabar man aišku, kodėl sakalė dvi dienas tupėjo ant kamino. Klykė ir klykė be pertrūkio. Ji žinojo, kad jauniklis apačioje.

Paukštis nurimo. Dar tirtėjo visu kūnu, bet liovėsi šnypštęs ir žvalgėsi aplinkui gražiomis akimis.

Kadangi ši pilies dalis jau daug metų nebekūrenama, sakalai įprato sukti lizdus ant kaminų. Jaunikliai pradėjo skraidyti prieš savaitę, bet tėvai juos dar maitino, o vakare visi klusniai grįždavo į lizdą. Mes juos stebėdavome, vakarais lipdami ant sienos grožėtis žvaigždėmis.

– Taip, – tarė dėdė Eduardas, atsargiai judėdamas. – Dabar sugrąžinsime tau laisvę. Motina tikrai iš viršaus viską girdėjo ir jau laukia tavęs.

Dėdė neklydo. Vos išėjome į lauką, išvydome virš galvų sukančią ratus sakalo patelę. Mes užlipome ant sienos, ir grafas patupdė jauniklį ant akmens.

Valandėlę jis tupėjo tenai net nekrustelėdamas. Paskui išskleidė sparnus ir vienu didingu plastelėjimu užskriejo ant aukštos liepos prie pilies kalno. Vos saugiai nutūpė ant šakos, iškart graudžiai sučiepsėjo, ir atskridusi motina pradėjo jį maitinti.

– Po dviejų bado dienų ypač skanu, – mėgino nuslėpti susijaudinimą grafas. – Kaip manote, Lote?

– Tuoj apsiverksiu, – atsakė ta ir sukūkčiojo. – Jau seniai nebuvau mačiusi tokio graudaus vaizdo.

Dėdė Eduardas paėmė virėjai už rankos, spūstelėjo ją, bet pašnairavęs į mane vėl paleido.

– Taip, – tarė patenkintas, – tai geras mūsų šiandienos darbas. Jeigu Riterių salėje nebūtume gėrę arbatos, vargšas padaras būtų pastipęs iš bado. Be to, šio to išmokome. Dabar žinosime, kas yra, jeigu sakalas dienų dienas tupi ant kamino ir klykauja. Iškart reikės apžiūrėti židinį. Dabar nuolat tikrinsiu židinius, kol jaunikliai mokysis skraidyti. Jeigu jūs neprieštaraujate, tuoj šito ir imsiuosi.

Jis atsisveikino su mumis ir pareiškė, kad šįkart nepageidauja būti trukdomas iki rytdienos.

- Tai jūs ir nevakarieniausite? - nusistebėjo Lotė.

- Taip, mieloji. Sudorojau tris gabalus pyrago, to pakaks.

- O kaip pamokos apie žvaigždes? - paklausiau aš.

- Jų nebus.

- Gaila, - nuoširdžiai nuliūdo Lotė.

- Man taip pat. Bet aš nebaigiau tvarkyti svarbaus reikalo, o atidėti negaliu. Palinkėkite man sėkmės, mielosios. Aš artėju prie didžiulio atradimo.

Tada jis nusisuko ir veržliai užlipo viršun. Lotė ir aš likome ant sienos. Stebėjome sakalus ir džiaugėmės jų laime. Abi neturėjome skubių darbų, o čia, viršuje, buvo pernelyg gražu. Vaizdas nuostabus. Priešais plytėjo visas pietinis slėnis, nuolaidžias kalvas, nusidriekusias iki Vengrijos sienos, gaubė žydras ūkas. Karštis atlėgo. Oras buvo švelnus, kvepėjo arbatinėmis rožėmis.

- Sakykite, panele Anete, - nutraukė tylą virėja, - jūs tikrai puikiai sutariate su savo močiute?

Klausimas mane nustebino. Lotė nebuvo iš tų žmonių, kurie kiša nosį į šeimos reikalus. Ji buvo gyvas diskretiškumas ir, aišku, nė trupučiuko nelinkusi pilies naujienų nešioti po apylinkes. Šiuo požiūriu ji irgi buvo tikra savo pirmtakės priešingybė. Šykštuolė Ana nenulaikydavo liežuvio už dantų.

- Sakau taip todėl, - kalbėjo toliau Lotė, - kad labai apsidžiaugėte, jog anksčiau atvažiuos, o ji juk jums atsiuntė telegramą.

Nesusigaudydama žiūrėjau į Lotę.

– Močiutė atsiuntė man telegramą? Nieko apie tai nežinau.

– Žinoma, – nekantriai pasakė Lotė. – Šįryt. Padėjau ją ant pusryčių padėklo. Tarnaitė tikrai jos nepametė.

– Bet aš negavau jokios telegramos, tikrai negavau.

– Kaip? – pasipiktinusi sušuko. – Negavote? Juk pati padėjau ją ant servetėlės. – Lotė pašoko: – Tuoj sužinosime. Palaukite, tučtuojau išsiaiškinsiu.

– Ar jūs tikra, kad telegramą man atsiuntė močiutė? – skubiai paklausiau.

Lotė pagalvojo.

– Ne, – atsakė, – žinoma, ne. Juk neskaičiau. Tik pamaniau... Bet nesirūpinkite. Jei tarnaitė bus pametusi telegramą, kaipmat išlėks.

Suglumusi likau sėdėti ant sienos. Mane nutvilkė neaiški nuojauta. Močiutė per visą savo gyvenimą nebuvo atsiuntusi nė vienos telegramos. Ir dabar šito tikrai nebūtų dariusi, juolab kad atvažiuoja po dviejų dienų.

Bet aš pažinojau žmonių, kurie mėgo jas siuntinėti. Man nudiegė po krūtine. Prisiminiau Danielį. Dėl menkiausios smulkmenos siųsdavo telegramą. Siųsdavo iš kiekvienos kelionės, ir palikdama butą Londone jų išmečiau visą maišą. Jeigu tiksliau – iš viso nesu gavusi jokių telegramų, išskyrus iš jo.

Nurijau seilę. Bet kur ta telegrama? Tarnaitė tikrai jos nepametė, o kadangi šįryt nepūtė nė mažiausias vėjelis, negalėjo jos niekur nunešti.

Vėjas negalėjo – bet dėdė Eduardas. Žinoma. Kaip iššyk nesupratau? Grafas šįryt sutiko tarnaitę eidamas pas mane. Perdavė, kad nelaukčiau jo ir pusryčiaučiau, o tada ir pastebėjo telegramą. Paėmė ją, perskaitė ir nuslėpė. Akivaizdu, sąžinė jo nekankino. Vis dar buvau jam vaikas, kurį turėjo apsaugoti nuo pasaulio, ypač nuo to vyro. Atsistojau ir pasilenkiau per sieną. Galvojau apie pastabas, kurias laidė dėdė Eduardas prieš pietus prie apskrito stalo. Jis net neabejojo, kad Danielis ničnieko sau nepasidarė, kaip neabejojo, jog jis taip greitai neatstos nuo manęs. Iš kur toks įsitikinimas? O paskui, kai apžiūrinėjome vėjarodį, prasitarė: „Jeigu būtum prietaringas, galėtum pasakyti, jog sulauksime svečio iš vakarų".

Vėl klestelėjau ant medinio suolo ir pasitaisiau suknelę. Nėra reikalo ilgiau savęs apgaudinėti. Telegrama Danielio, pranešė, kad atvažiuoja į pilį.

Tiesa smogė lyg perkūnas iš giedro dangaus. Net negirdėjau, kaip grįžo Lotė. Atsikvošėjau tik tada, kai ji atsistojusi šalia prašneko.

– Viskas aišku, – pasakė virėja. – Tarnaitė nekalta. Telegramą turi grafas. Paėmė iš jos.

– Lote, – tariau įsakmiai, – juk kaimo laiškininkė jūsų draugė? Ar ji šįryt dirbo?

– Manau, taip. Kodėl klausiate?

– Maldauju, padarykite man paslaugą! Turiu sužinoti, kas rašoma toje telegramoje. Jeigu jūsų draugė ją priėmė, tai turėtų bent apytikriai prisiminti jos turinį.

– Be abejo. Juk šioje skylėje telegramos retas dalykas.

– Ar galite jai paskambinti?

Lotė pagalvojo.

– Pernelyg rizikinga, – pasakė greitai, – nežinia, kas gali nugirsti. Bet žinote ką? Aš nuvažiuosiu. Vis tiek ketinau užsukti į paštą ir užsakyti kavos. Ir visuomet tai darau raštu. Tad nesirūpinkite! Po pusvalandžio grįšiu.

Virėja veltui burnos neaušino. Po pusvalandžio ji sugrįžo ir paaiškėjo, kad nutiko tai, ko ir bijojau. Telegrama buvo Danielio, o jos turinys pranoko baisiausius mano įtarimus. Tiesa, Lotė atskubėjo prie manęs visa švytėdama ir atkišo lapuką popieriaus reikšmingai šypsodama. Kai jį išlanksčiau, perskaičiau juodas raides baltame popieriuje:

GREIT ATVAŽIUOSIU TAŠKAS DŽIUGI STAIGMENA TAŠKAS AMŽINAI TAVE MYLĖSIU TAŠKAS DANIELIS

Pasibaisėjusi nuleidau telegramą. Tik šito ir trūko! – pamaniau. Dievulėliau, tik šito ir trūko! Jokių džiugių Danielio staigmenų, aš jų nepakenčiu.

Lotė užjausdama stebėjo mane ir net neabejojo, kad netekau žado iš laimės. Dar plačiau nusišypsojo ir tarė:

– Juk tokią telegramą ne kasdien gauni. Aš teisi?

– Taip, – pratariau su kartėliu.

– Ar kas nors negerai?

– Ne, ne. Aš tik priblokšta.

– Įsivaizduoju, – pasakė Lotė, nutaisiusi supratingiausią veidą. Aišku, ji numanė, kokį vaidmenį atliko Danielis mano gyvenime, ir jau regėjo mane kaip laimingą nuotaką prie altoriaus. – Po pusvalandžio vakarieniausime, – pasakė ji ir nusisuko eiti. – Liepsiu jus pakviesti.

Susmukau ant medinio suolo: GREIT ATVAŽIUOSIU TAŠKAS DŽIUGI STAIGMENA TAŠKAS AMŽINAI TAVE MYLĖSIU TAŠKAS DANIELIS

Likimas man tikrai negailestingas. Kad Danielis Londone rado tuščią butą ir buvo pritrenktas, užjaučiau jį. Bet nė trupučiuko nenorėjau jo guosti, juo labiau vėl matyti.

Danielis Kronege – net galvoje netelpa. Ir kaip tik dabar, kai dėdė Eduardas varžosi su Leopoldu, ir man niekuomet gyvenime taip nereikėjo pinigų, kuriuos išviliojo Danielis. Kaip tik dabar, kai ant kortos pastatytas ūkis, jis drįsta čionai atsidanginti.

Bet čia dar ne pati blogiausia naujiena. Jis parengęs „džiugią staigmeną" – mano kaktą išpylė šaltas prakaitas. Nuo tada, kai susipažinau su Danieliu, jo „džiugios staigmenos" apkartino man gyvenimą. Labai aiškiai girdėjau jo balsą: „Džiugi staigmena, *darling*, mes nusipirkome alavo. – Džiugi staigmena, aš dėl tavęs pradėjau aukso kasyklų verslą". Visi tie sumanymai sužlugo. O asmeninės „džiugios staigmenos" buvo nė kiek neprastesnės už verslo. Puikus pavyzdys viešnagė pavasarį viloje prie Ženevos.

Mus pakvietė Kristianas, Danielio verslo partneris ir bičiulis. Tą naujieną Danielis paskelbė visas švytėdamas:

– Džiugi staigmena, karalaite, Kristianas pakvietė mudu į savo vilą. Jis ir Lena mėnesiui išskrenda į Afriką. Galėsime gyventi toje viloje ir daryti viską, kas tik šaus į galvą. Kaip manai? Buriuoti, vaikštinėti, gurkšnoti kokteilius terasoje, iš kurios matyti ežeras, – kaip skamba? Sakyk „taip", aukseli. Aukštuomenė pavasarį visuomet atostogauja.

Man kaipmat sukirbėjo įtarimas. Tuo metu jau buvau bemaž bankrutavusi, ir Danielis žinojo, kad neišgalime brangiai atostogauti.

– Kiek jis nori už tą vilą?

– Ničnieko.

– Nieko?

– Taip.

– Netikiu. Kristianui visuomet mokėdavome, netgi tada, kai vos pajudindavo pirštą.

– Už vilą jis tikrai nieko neprašo.

– Ar tu visiškai tikras?

– Visiškai, – atsakė Danielis, ir mudu įnikome planuoti.

Nedaug trūko, kad būčiau pakeitusi blogą nuomonę apie Kristianą. Jis užsuko pas mus į Londoną savo mėlynu rolsroisu, pranešęs telefonu, kad kelionės išlaidos būtų mažesnės. Per dviejų dienų kelionę jis pats mokėjo už viešbutį, ir tik kartą pakviečiau jį vakarienės. Buvo toks mielas, kad nors prie žaizdos dėk, pasakojo, jog mano pinigų, kuriuos investavo, netrukus padaugės šimteriopai. „Rinka atsigauna, – šaukė jis, – o tada tu maudysiesi piniguose".

Kaip jau sakiau, kelionė buvo maloni, nors jaučiausi lyg nesavame kailyje. Jeigu Danielis ir Kristianas sueidavo draugėn, visuomet pasijusdavau išduota ir parduota. Net prieš vieną Danielį negalėdavau atsilaikyti, o Danielis drauge su Kristianu mane suraitydavo kaip šiltą vilną. Teliko viltis, kad juodu nerezga, kaip atimti iš manęs likusius pinigus.

Ženevoje buvome iškilmingai pasveikinti. Lena, Kristiano žmona panamietė, pasitiko mus apsitempusi ilga suknele ir išbučiavo mane į abu žandus. Danielį ji pabučiavo į lūpas, nors stovėjau šalia.

Paskui ji parodė mums svečių kambarį. Pastogėje ir labai mažą. Bet aš nesukau galvos. Juk tas kambarys skirtas mums tik vienai nakčiai. Kitą vakarą Lena ir Kristianas ketino išvažiuoti.

Rytą per pusryčius užgriuvo pirmoji staigmena. Staiga Lena man tarė:

– Aukseli, turime nusipirkti maisto savaitgaliui. Mes išskrisime tik pirmadienį, skrydis atidėtas.

Pasakė tokiu balsu, kad negalėjau prieštarauti. Susėdome į jos žalią sportinį automobiliuką ir išvažiavome.

Lena pirko: šveitiklius visam namui, brangų odinį diržą, sodo žirkles ir dešimt virtuvinių rankšluosčių. Kelionei išsirinko krūvas kosmetikos ir aliejų nuo saulės, brangų odekoloną Kristianui, sau – naujausius *Hermes* kvepalus. Paskui prisikrovėme maisto: žlėgtainių, žąsų kepenėlių su grybais, keturis butelius šampano, du kilogramus mangų ir visą omarą.

– Juk reikia atšvęsti jūsų atvykimą, – didžiadvasiškai pareiškė Lena. – Nežinia, kada vėl galėsime taip jaukiai pabūti drauge.

Kai atėjo metas mokėti, Lena nervingai įniko kuistis rankinėje.

– Aš tikrai palikau savo čekių knygelę namie, – sušuko ji. – Ar negalėtum kol kas man paskolinti, aukseli?

Galėjau. Turėjau rankinėje savo viso mėnesio biudžetą, ir Lena tai žinojo.

Pirmadienį skrydis vėl buvo atidėtas. Iki penktadienio ar šeštadienio. Šįkart Lena pasiuntė mane vieną į parduotuves. Su ilgu sąrašu, be pinigų, bet pažadėdama: „Savaitgalį atsiskaitysime“.

Trumpai drūtai: Lena ir Kristianas į Afriką neišskrido. Trynėsi Ženevoje mano išlaikomi. Per dvi savaites išleidau visus grynuosius ir turėjau panaudoti čekius, kurių dėl visa ko buvau pasiėmusi. Čekiai buvo padengti, nes Londono banko sąskaitoje dar buvo paskutiniai dėdės Nestoro palikimo trupiniai. Pinigų turėjo užtekti pusmečiui, gal dešimčiai mėnesių, jeigu būtume taupiai juos naudoję. O dabar, kai mano sąskaita mėgavomės šviežiomis austrėmis, ikrais ir šampanu, jau liepos pradžioje turėjau likti kaip vargo pelė.

– Danieli, – pasakiau nedrąsiai, – juk tu žinai, kad leidžiu paskutinius pinigus. Gal verčiau grįžkime į Londoną?

Žalios Danielio akys švytėjo patikimumu:

– Tu ir vėl be reikalo jaudiniesi, *darling*?

– Ne, – atsakiau, – jaudinuosi pagrįstai. Be to, nebegaliu žiūrėti Kristianui į akis. Kai prisimenu jo sandėrius, suktybes su naftos gręžiniais Atlanto vandenyne...

– Bet jis juk apgaudinėja kitus, – nutraukė mane Danielis ir ramindamas apglėbė per pečius. – Tai mūsų neliečia. Prisipažink, kad nori išvažiuoti todėl, jog pavyduliauji Lenai.

– Netiesa! – sušukau, nusviesdama jo ranką. – Aš tikrai rūpinuosi savo pinigais.

Danielis pažvelgė man į akis.

– Anete, pinigai, kuriuos tu patikėjai Kristianui, investuoti į patikimą statybų projektą. Kai namus pastatys, pažirs milijonai.

Šitokio atsakymo aš tikėjausi.

– *Jeigu* kada nors pastatys, – sušukau priekaištingai, – bet aš nebetikiu. Vakar grįždama su pirkiniais pravažiavau pro statybų aikštelę. Neiškasti net rūsiai. Ten nėra jokios mašinos. Niekas apskritai nedirba. Kaip tą man paaiškinsi? Kad ir kaip ten būtų, aš nebetikiu tuo sumanymu.

– O aš tikiu. Sklypas nupirktas, jo vertė nuolat kyla. Truputį palaukti nieko nereiškia. Kristianas jau nusamdė puikų architektą, o darbininkai, kurių jis nori, bus laisvi po mėnesio. Be to, turiu tau džiugią staigmeną, karalaite. Tavo aukso akcijos pakilo keturiais punktais.

– Kokios aukso akcijos? – apstulbau. – Nuo kada aš turiu aukso akcijų?

– Nuo balandžio. Ar neprisimeni, kad man pasirašei?

– Žinoma, prisimenu. Bet tau juk reikėjo to parašo, kad atidarytum sąskaitą mano vardu banke Niujorke.

Danielis smagiai nusikvatojo. Paskui švelniai mane pabučiavo ir meiliai pasižiūrėjo į akis.

– *Darling,* tą ketinau pasakyti tau tik per vakarienę, aukso akcijų vertė kyla ir kyla. Prašyčiau nesijaudinti dėl vieno kito butelio šampano ir ikrų. Į Londoną grįžę būsime milijonieriai.

Nesusizgribau atsakyti.

– Kur tas auksas? – galop paklausiau virpančiu balsu.

– Australijos dykumoje. Tu esi dalininkė firmos, kuri ieško aukso. Viskas teisėta. Akcijomis prekiaujama biržoje. Firmos pavadinimas „Aurelius“, ji finansuoja geologų ekspediciją šiaurinėse teritorijose.

– Vis dėlto norėčiau grįžti į Londoną.

– O aš ne. Man čia patinka. Juk dar turi pinigų, *darling*. Aš nereikalauju, kad prasiskolintum. Nors ir tai būtų vieni niekai, kai turi turtuolį dėdę ir pilį, kurią kada nors paveldėsi.

– Jau seniai šito nebesitikiu. Manai, kad dėdė atleis man už tą nesėkmę dėl dvaro?

– Žinoma, atleis, – sušuko Danielis ir meiliai mane apkabino. – Atleis, nes tu nupirksi jam tą dvarą. Vėliau, kai būsime Londone. Juk sakiau tau, kad akcijų vertė kyla, nepaliaujamai kyla. Netrukus ras aukso. Tik palūkėk, kol jį suras! Tada akcijų kursas pašoks iki dangaus. Mes viską parduosime, ir tu net nežinosi, ką daryti su tokia krūva pinigų. – Pabučiavo mane kaip tikras įsimylėjėlis. – Na, nebūk tokia smulkmeniška. Eime į terasą ir pasimėgauk taure šampano. Pažadu tau, kad šįvakar nė kartelio nesimeilinsiu Lenai. Patenkinta?

Mačiau, kad nieko neišeis. Danielis norėjo pasilikti, taigi išbuvome iki gegužės pabaigos. Visą mėnesį mudu miegojome nejaukiame svečių kambarėlyje ant aukšto ir iššvaistėme daugiau pinigų, negu būtume išleidę brangiausiame ir prašmatniausiame viešbutyje ant ežero kranto.

Koks tas senas posakis?

Davė Dievas dantis, duos ir duonos.

Ir Ženevoje įsitikinau, koks šis posakis teisingas. Atsitiktinai susipažinau su labai įdomia ponia, antikvare, kuri senamiestyje turėjo didelę parduotuvę.

Ji mane pakvietė apsilankyti kada tik užsimanysiu. Kadangi Lena dažniausiai iki pietų tysodavo lovoje, be to, niekuomet nerasdavau nei su ja, nei su Kristianu kalbos, priėmiau naujos pažįstamos kvietimą. Keturias priešpietes per savaitę praleidau pas ją, labiausiai mėgau būti jos dirbtuvėje už parduotuvės, kur naujoji mano draugė labai sumaniai restauravo senovinius baldus.

Iš pradžių ją tik stebėjau. Bet pamažėle ji man perleido smulkesnius darbelius, kurie teikė didžiulį malonumą. Po savaitės ji parodė, kaip atnaujinti kaimiškus baldus, ir patikėjo mano rankoms seną skrynią išblukusiais raštais, kurią tikrai labai gražiai sutvarkiau. Ir toliau kiek sugebėdama jai padėjau.

Laikas, kuris pirmąją savaitę bemaž sustojo, staiga švilpte prašvilpė. Mėnuo baigėsi, ir mudu grįžome į Londoną.

Anglijoje mūsų laukė bjauri staigmena. Firma „Aurelius" Australijos dykumoje nerado nė kruopelės aukso. Akcijų vertė krito ir krito, jos galų gale visai išnyko iš biržos.

Tą dieną, kai iš laikraščio dingo firmos pavadinimas, aš nuėjau į elegantiškiausią Meiferio parduotuvę ir nusipirkau pačią gražiausią vasarinę suknelę, kokią tik joje radau. Puikaus raudono šilko, įliemenuotą ir su sijonu iš keturių eilių permatomų raukinių. Tai ja vilkėdama dabar, praėjus mėnesiui, sėdėjau ant Kronego gynybinės sienos ir laikiau lapuką, kuriame Danielis pranešė atvykstąs pateikti daugiau „džiugių staigmenų".

Žiūrėjau į tą popiergalį ir jutau, kaip mane užlieja karšta pykčio banga. Ar jis niekuomet neduos man ramybės? Ar jis tikrai mano, jog priimsiu jį pilyje?

Po visų tų kiaulysčių? Ar Danielio iš viso negraužia sąžinė?

Dangus nušvito melsva ir rožine spalva. Nuostabus vakaras. Kregždės skraidė aukštai, o saulė kabojo įkypai už kampuotojo bokšto. Kronegas atrodė kaip pasakų pilis, bet aš nieko nemačiau.

Tarytum žvelgiau į žalias Danielio akis ir girdėjau cinišką jo balsą: „Tu ir vėl be reikalo jaudiniesi, *darling?*"

Sudraskiau popierėlį į smulkiausius skutelius ir išmečiau per sieną.

Ne! Aš jau nebe romantiška pilies panelė, kurią jis susimedžiojo prieš penkerius metus. Atlošiau galvą ir degančiais skruostais nulipau žemyn akmeniniais laiptais į didįjį pilies kiemą.

Tegu jis atvyksta, tasai išdavikas!

Surengsiu jam nepamirštamą priėmimą.

7

Kitos dienos skriste praskriejo. Danielis taip ir neatvažiavo, bet aš nesistebėjau. Laiką jis suprato savaip, „greit" galėjo būti dvi valandos ar trys savaitės. Vis dėlto jaudinausi ir kaskart sudrebėdavau, kai suskambėdavo varpelis prie didžiųjų pilies vartų.

Dėdę Eduardą irgi retai temačiau. Didžiumą dienos jis tūnojo pilyje, kur jo neįmanoma buvo rasti. Tiesa, paklaustas atsakydavo, kad buvo dirbtuvėje, bet aš tenai jo ieškojau keliskart ir nemačiau net pėdsako.

Įdomu, bet dingo ir istorinis planas su pažymėtais užmūrytais kambariais. Nors pati girdėjau, kaip Hansui buvo paliepta pakabinti jį ponų kambaryje šalia rašomojo stalo, ta siena buvo tuščia.

Kad ir kaip ten būtų, šeštadienį atvažiavo močiutė, ir mano mintys nukrypo kitur. Kaip visuomet ji pergalingai įsikraustė su šešiais kiaulių odos lagaminais, keturiomis skrybėlių dėžutėmis ir dailiomis dovanomis tarnams. Ji atrodė nuostabiai ir šypsojo visu veidu, kai pribėgau pasitikti.

– Anetėle! – sušuko ji ir taip prispaudė mane prie krūtinės, kad netekau kvapo. – Vaikeli, aš tikrai labai tavęs pasiilgau.

Paskui išbučiavo man skruostus, ir mudvi drauge užlipome į viršų.

Hansas sunešė lagaminus, o tarnaitė juos iškraustė. Ji kruopščiai pripildė drabužinės spintas močiutės skrybėlaičių, batų, šilkinių baltinių ir elegantiškų apdarų. Paskui lygintinus drabužius nusinešė į apačią.

Dėdė Eduardas tuo metu vedžiojo motiną po jos kambarius ir rodė jai paveikslus, kuriuos buvo restauravęs žiemą. Močiutė deramai viskuo žavėjosi, kol galop mudvi likome vienos jos žydrojoje svetainėje. Kvepėjo gėlės, kurių buvau jai pamerkusi, o ant kiniško staliuko priešais sofą stovėjo kibirėlis su šampanu.

– Nuosavas importas, – pajuokavo močiutė ir ištraukė butelį iš ledų. – Atkeliavo su mano bagažu tiesiai iš Prancūzijos.

Ji būtinai norėjo įpilti pati.

– Koks keistas butelis! – sušukau ir paėmiau jį iš močiutės. – Pagal formą jame galėtų būti konjakas.

– Tai ypatingas gėrimas, vaikeli, kilęs iš *Clicquot-Ponsardin* namų. Geriausias šampanas, dvidešimties metų senumo. Išgerk! Tokio niekuomet nesi ragavusi. – Ji kilstelėjo savo taurę: – Už tavo ateitį, Anete. Kad ji būtų geresnė už praeitį – ir daug linksmesnė!

Močiutė sakė tiesą. Šampanas buvo stulbinamas. Palyginti su juo, visi panašios rūšies ragauti gėrimai pasirodė man kaip limonadas.

– Tu atrodai nuostabiai, – ištariau padėjusi taurę, – geriau negu prieš penkerius metus – šito nepasakytum apie mane.

– Tik jau neperdėk! – Močiutė rimtai mane apžiūrėjo: – Esi daili kaip visuomet, be to, veide atsirado įdomių kančios pėdsakų. Kiek per liesa, bet tą nesunku ištaisyti.

Močiutė buvo smulki ir grakšti; jos skruosteliai raudoni, garbanos dailiai susuktos ir geltonos kaip auksas, tokios pat spalvos kaip anksčiau, kiek galėjau prisiminti. Į ją buvo smagu žiūrėti, nes kaipmat išnykdavo senatvės baimė, žinoma, ji turėjo ir kitų savybių, dėl kurių ją mylėjo visa giminė.

Niekuomet nebuvau mačiusi jos sergančios ar surūgusios. Buvo judri, neieškojo žodžio kišenėje, skleidė nenumaldomą linksmumą ir gyvenimo meilę. Vienintelė jos silpnybė buvo pernelyg didelės skrybėlės, papuoštos vešliomis gėlėmis.

Močiutė turėjo skrybėlių visokiausių formų ir spalvų. Juo labiau seno, juo ryškiau švietė jos galvos apdangalai. Kol buvo ištekėjusi, ji dar tvardėsi, bet tapusi našle, gėlėmis puoštas skrybėlaites nešiojo ir žiemą. Dėdė Eduardas paprieštaravo ir Kalėdų proga po eglute jai padėjo audinių gobtuvą. O ką padarė močiutė? Žaibiškai persikėlė gyventi į pietų Prancūziją. Tenai skrybėlės su gėlėmis madingos ištisus metus.

– Puiki skrybėlė, – pasakiau ir parodžiau į vežimo ratą su rožiniu kaspinu šalia penkių rožinių orchidėjų, gulintį ant sofos. – Ji tikrai tau labai tinka.

– Galėtume lažintis, – pasakė močiutė, – kad kai ją užsidėsiu, visi žmonės atsisuks. Ideali vasarinė skrybėlaitė, sukurta mano skrybėlininkės iš Nicos.

Ir ji vėl įpylė mudviem šampano.

– Labai džiaugiuosi matydama, – kalbėjo ji toliau, – kad paklausei mano patarimo ir sugrįžai į Kronegą. Patikėk, tai geriausias sprendimas.

– Jeigu nebūtumei man padėjusi, tikrai nieko nebūtų išėję. Ačiū Dievui, kad tu sugalvojai tą laišką! Nebūčiau žinojusi, ką rašyti dėdei Eduardui. Klaikiausiai bijojau.

– Ir be reikalo, tuo jau įsitikinai, – tarė ji.

Linktelėjau galvą.

– Tu kaip visada teisi.

– Vadinasi, čia gerai jautiesi. O kaip sutari su baltąja papūga?

Nusijuokiau.

– Puikiai. Bonis jau leidžiasi paliečiamas.

– Šaunu! Aš sugaišau mėnesį. Vos prisiartindavau, iškart skrisdavo ant karnizo. O ką šiaip veiki?

– Išgelbėjome sakaliuką iš židinio, to už krosnies Riterių salėje. Iškrito iš lizdo, ir mes atsitiktinai jį išgirdome. Dėdė Eduardas dabar nuolat tikrina kaminų dureles. Įsivaizduok, už dvejų durelių jis rado sakaliukų griaučius.

– Vargšeliai, – užjaučiamai pasakė močiutė, – gera mintis tikrinti, o ką tu darai ištisą dieną?

Gurkštelėjau šampano:

– Jaudinuosi.

– Tai bent naujiena. Kodėl?

– Dėl iššvaistyto palikimo. Ir dėl dvaro. Ar žinai, kas čia vyksta? Lyg filme. Dvarininkas nori išvažiuoti į Kanadą ir viską kuo greičiau išparduoti. Dėdė Eduardas pasiūlė jam pinigų, bet Leopoldas siūlo daugiau. Tada dėdė Eduardas vėl pakėlė kainą, nors ir neturi pinigų, aš irgi neturiu. Ar supranti?

– Dar ne. Bet jeigu pinigų nėra, dar gali atsirasti. O ką jis sako, kai klausi, iš kur jų ketina gauti?

– Kad jis turi planą, kad gailestingas likimas jį palaiko. Daugiau nieko negaliu išpešti.

– Palik tuos rūpesčius man, – tvirtai pareiškė močiutė, – aš permatau sūnaus planus anksčiau, negu jis praveria burną. Net vaikystėje jis nesugebėjo nieko nuo manęs nuslėpti. Netrukus mudvi žinosime, kuo čia dėtas gailestingas likimas. Bet kaip judu sutariate? Pykstatės?

– Ne, visai ne. Matau jį gerokai rečiau negu anksčiau. Jis nuolat užsiėmęs. Bet kai jį pamatau, duoda man knygų, kurias turiu išmokti atmintinai.

– Visą knygą? Kuriam galui?

– Nori, kad mano išsilavinimas būtų nepriekaištingas, – bent taip sako. Bet koks jo tikslas, net nenutuokiu.

– Jam smagu. Dar vaikas būdamas mėgo žaisti mokytoją ir mokinius.

– Ir dar kai kas. – Aš patylėjau. – Kartais jis prasitaria, jog sugrįžau į Kronegą pernelyg vėlai.

– Pernelyg vėlai kam?

– Nežinau. Kartą mudu buvome apvaliajame bokšte, tada jis man trumpai drūtai sviedė, kad grįžau pas jį pernelyg vėlai ir kad apsisprendė, kai manęs nebuvo. Nepasakė, dėl ko apsisprendė. Ir nuo tada aš bijau.

– Baimė, – karingai pareiškė močiutė, – yra tokia prabanga, kokios sau nevalia leisti. Patyriau tą nuosavu kailiu ir nuo tada nieko nebebijau. Esu per sena bijoti.

Ji padrąsinamai man linktelėjo, bet tai nepadėjo.

– Kol kas aš dar taip nesijaučiu. Aš rūpinuosi.

– Rūpiniesi?

– Taip.

– Tikrai?

– Tikrai.

– Ką gi, – tarė močiutė ir giliai atsiduso, – tad man nelieka nieko kita, tik pasakyti tau teisybę.

Man sustojo širdis.

– Vis dėlto, – pralemenau, – tai kas... kas yra?

Močiutė pakilo, nuėjo į miegamąjį ir grįžo nešina dailia dėžute šveicariškų saldainių.

– Šis tas yra, bet ne taip jau baisu. Štai imk saldainį!

Be žodžių papurčiau galvą.

– Valgyk! – paliepė močiutė. – Šokoladas ramina nervus. Taigi, – kalbėjo ji toliau, kai aš ėmiau nuolankiai kramtyti, – pradėkime nuo pradžios: tu, mano sūnaus didžiausia brangenybė, jo tobulų auklėjimo būdų įrodymas, pasprunki su pirmu pasitaikiusiu gražuolėliu, kuris tau pasipainioja po kojų.

– Bet man jau buvo dvidešimt vieneri, – paprieštaravau, – ir jis buvo pirmasis vyras mano gyvenime. Juk gerai žinai, kad niekuomet neturėjau draugo. Man nebuvo leista net šokių kursų lankyti – nei mokantis vienuolyno mokykloje, nei namų ruošos mokykloje. Draudžiama pasikviesti draugę į Kronegą, man niekas neskambindavo, nes neturėjome telefono. Dėdė Eduardas perimdavo ir perskaitydavo visus mano laiškus, o vasaros pokyliams pats surasdavo partnerius. Bet aš jų nenorėjau.

– Anetėle, juk aš visa tai žinau. Mano sūnus saugojo tave kaip Cerberis. Ir tai negalėjo baigtis geruoju. Tavim dėta irgi būčiau pasprukusi su pirmu pasitaikiusiu, kuris būtų meiliai pažiūrėjęs man į akis. Bet ketinu tau pasakyti ką kita. Tai va: tu, mano Eduardo pasididžiavimas, staiga pabėgi, keletą metų neduodi jokios žinios, kartoju: *keletą metų,* o kai galų gale tave surandu, gimimo dienos ir Kalėdų proga tesiunti tik šykščiai užrašytus atvirukus.

Ji priekaištingai mane nužvelgė.

– Nė žodžio apie palikimą ir dvarą, nė žodžio apie savo planus. Tai bent akibrokštas. O ką daro mano sūnus? Džiaugdamasis pirmąja žinute, kad tu gyva, jis įsiveda telefoną ir laukia skambučio.

Tyla.

– Taip niekuomet jo ir nesulaukė!

Nuleidau akis.

– O paskui, kai aš jau įtikinu tave, kad galų gale parašytum laišką, jis sužino, kad dvaras parduodamas ir jį galima įsigyti dabar arba niekada. Gal tau nereikia aiškinti, ką tai reiškia, ar reikia? Juk žinai, kiek laiko jis laukė šios akimirkos. Šiaip ar taip, reikia pinigų. Tavęs nė kvapo, tavo turto irgi. Ką būtumei dariusi *tu? Jis* ėmė ieškoti ko nors, kas jam padėtų. Finansiškai – na, ir kitaip.

– Ką reiškia kitaip?

Močiutė kostelėjo kaip visada, kai turėdavo pranešti nemalonią žinią.

– Pilis yra puikus palikimas, Anetėle!

Buvau pernelyg priblokšta, net nepajėgiau linktelėti galvos. Spoksojau į močiutę neišspausdama nė žodžio.

– Nežiūrėk su tokiu siaubu, – nuramino ji mane, – testamento jis dar nepakeitė.

– O kas... kas... tai kas jis? Ar tu pažįsti?

– Žinoma. Iš giminių prancūzų. Tavo trečios eilės pusbrolis, Olivjė iš Paryžiaus.

– O Dieve!

– Dėdė pakvietė jį vasarai. Ketina patyrinėti. Jis atvažiuos po dešimties dienų.

Sėdėjau lyg trenkta žaibo. Kaip tik Olivjė. Šeima jį laikė finansų genijumi. Jis dirbo kelionių biure, puikiai kalbėjo vokiškai ir daug uždirbdavo. Buvau jaunesnė už jį trejais metais, mačiau jį vienintelį kartą – prieš keturiolika metų per vestuves. Tada ėmiau jo neapkęsti iš pirmo žvilgsnio.

– Ar jį dar prisimeni? – paklausė močiutė. – Susitikote per Emilijos vestuves.

– Žinoma. Jis man iš visų labiausiai nepatiko.

– Man irgi. Aš ir šiandien nematau to žavesio, apie kurį ištisai suokia jo motina. Man įtartina visa prancūzų giminė.

– Ar Olivjė žino, kam jį pasikvietė dėdė Eduardas?

– Oficialiai ne. Bet jo motina, nesitverdama iš laimės, kaipmat aplankė mane Antibe. Jai sūnus jau naujas pilies šeimininkas.

Mažai trūko, kad būčiau pravirkusi.

– Ašaros nepadės, – rimtai pasakė močiutė. – Tik nebijok! Taip greitai nieko nebus, nors nevalia nuvertinti Olivjė. – Ji pritildė balsą ir pasilenkė prie manęs: – Kaip žinai, mano sūnus neseniai pradėjo rinkti geležies dirbinius. Neapsakomai juos pamėgo. Tad nebandyk jo perkalbėti. O ką daro Olivjė? Vos gavęs kvietimą, įninka rinkti geležies dirbinius. Atveš jų ir padovanos, kad iškart kristų grafui į širdį.

– Bus klaiki vasara!

– Palūkėk, – pasakė močiutė ir įpylė šampano.

– Ar Olivjė žino, kad aš sugrįžau?

– Žino.

– Ir vis dėlto atvažiuoja?

– Aišku.

– Dėdė Eduardas jam neatsakė kvietimo?

– Kol kas ne.

Man šovė mintis.

– Kaip manai: gal jis ketina pripiršti man Olivjė?

Olivjė buvo laikomas užkietėjusiu senberniu.

– Mano sūnaus niekuomet nesuprasi, – nusijuokė močiutė, – bet tu nesirūpink! Šįkart tegu *jis* galvoja, bet spręsiu *aš*. Dar nori saldainio? Jie tikrai gardūs!

– Nuolankiai ačiū. – Paėmiau saldainį, kad įtikčiau močiutei. Apetitas seniai buvo išgaravęs. – Manau, kad aš pralaimėjau, – pasakiau nurijusi kąsnį. – Negaliu tekėti už Olivjė ir negaliu su juo varžytis. Man visiškai nereikėjo parvažiuoti. Aš neturiu jokios specialybės, iššvaisčiau palikimą, o mano pusbrolis maudosi piniguose.

– Ar jis tikrai maudosi, dar reikia išsiaiškinti. Kol kas niekas to nė nebandė daryti. Tai tik jo motinos tauškalai. Bet sakykime, kad jis tikrai turi pinigų, tada vis dar liks abejonių, ar ketina juos kišti į dvarą Vengrijos pasienyje.

Atsidusau.

– Anetėle, – guodė mane močiutė, – pinigai dar ne viskas. Jeigu įtikinsi mano Eduardą, kad pasikeitei, Olivjė gaus per nosį. Ar supranti?

– Kaip pasikeičiau?

– Danielis, – pasakė močiutė, įpiršdama man dar vieną saldainį.

– O kas Danieliui?

– Jis mums visiems kaip krislas akyje.

– Man irgi, – pasakiau kuo nuoširdžiausiai.

– Ar grafą tuo įtikinai?

– Viliuosi. – Tikra nebuvau.

– Anete, pažiūrėk man į akis! Ar tu rašei tiesą? Ar tu iš jo išsivadavai, ar vis dar esi prisirišusi?

– Aš iš viso jam nieko nebejaučiu. Per daug mane įskaudino. Galop dar buvo man neištikimas su verslo partnerio žmona. Niekuomet jam neatleisiu.

– Tikrai tikrai?

– Šimtu procentų. Nebenoriu jo akyse regėti.

– Bet tu jį *pamatysi*, – kaip paprastai blaiviai pareiškė močiutė.

– Nepamatysiu, jeigu sugebėsiu sukliudyti.

– Ir kaip ketini tą daryti?

Gūžtelėjau pečiais.

– Nenutuokiu. Jis man ir neduoda ramybės. Įsivaizduok, net telegramą atsiuntė.

– Žinau, – sviedė močiutė.

– *Tu* žinai?

– Aišku. Todėl ir atkakau anksčiau. Ketinau važiuoti prieš pat savo gimtadienį, bet Eduardas paskambino ir paprašė tučtuojau atvykti. Jis bijo Danielio. Neabejoja, kad iškart pabėgsi, jeigu tas per vartus įkiš bent nosies galiuką. Esu čia, nes jam reikia pastiprinimo. Bet *kaip* tu sužinojai apie telegramą?

Išklojau jai visą istoriją.

– Vadinasi, mudvi išsiaiškinome visą padėtį, – patenkinta pasakė močiutė. – Man taip net geriau. Galiu kalbėti nesivaržydama ir nesisaugoti, kad gali sužinoti kai ką, ko tau nevalia žinoti. Na, tai paplanuokime. Ar negalima Danielio kur nors rasti? Būtina jam uždrausti čia rodytis.

– Ir aš jau apie tai galvojau. Bet butas Londone atsakytas. Kai išvažiavau, Danielis buvo išvykęs verslo reikalais. Nežinau, kur jis dabar yra, o telegramą turi dėdė Eduardas.

Močiutė neketino nuleisti rankų:

– Gal jis vis dar Londone. Paskambinsime. Kuriam galui mums įvestas telefonas?

Ji atsistojo ir pirma nuėjo į miegamąjį. Atsisėdo ant lovos ir ėmė laukti.

Aš delsiau.

– O jeigu išgirs dėdė Eduardas?

– Jis dvare. Taigi sakyk numerį, vaikeli. Aš su juo pasikalbėsiu, tada iškart supras, jog viskas baigta.

– Aš surinksiu, močiut!

Paėmiau ragelį jai iš rankos. Keistai pasijutau, iš pilies skambindama į butą Londone. Prašmatnus namas su nuomojamais butais Hempstede rodės esąs kitoje planetoje. Tas ryšys, kurį mėginau užmegzti daužantis širdžiai, buvo lyg ryšys su Marsu. Surinkau numerį virpančiais pirštais. Užimta. Bet antrąkart prisiskambinau. Ragelyje traškėjo kaip visuomet, kai skambini iš vieno Europos galo į kitą, o paskui pasigirdo signalas. Po du šaukinius iš eilės, kaip būdinga Anglijoje.

– Nieko nėra namie, – pasakiau palaukusi. – Bet galėčiau paskambinti jo draugams Ženevoje. Gal tie žino, kur jis.

– Puiku, – sušuko močiutė, – taip pasistūmėsime į priekį.

Ženevoje iškart pakėlė ragelį.

Atsiliepė Lena apsimiegojusiu balsu:

– Alio? Nieko nėra namie. Prašyčiau paskambinti po pietų.

Paskui ji atpažino mane ir staiga pažvalėjo.

– Sveika, aukseli! – sušuko. – Girdėjau, kad tu jau pasakų pilyje. Ne, Danielio nėra. Juodu Australijoje verslo reikalais. Puikus sandoris. Ne, nežinau, kada grįš. Bet sveikinu, kad susitaikei su šeima. Girdėjau, kad dėdė suminkštėjo ir pakvietė Danielį vasarai. Koks jis malonus. Gal ir mes apsilankysime. Juk vietos turite pakankamai. Greičiau diktuok numerį!

– Mūsų numeris įslaptintas, negaliu niekam duoti.

– Okei. Pasiųsiu telegramą, jeigu rengsimės važiuoti. Ką perduoti Danieliui? Jam *nieku gyvu* nevalia važiuoti į pilį? Kas atsitiko? Nemalonumai? Okei. Supratau. Aš jam pasakysiu. Ką gi, kol kas, princesyt!

– Tai ji, – pasakiau močiutei ir padėjau ragelį.

– Kas?

– Toji, su kuria Danielis mane apgavo. Lena iš Panamos. Dažniausiai vilki ilgas siauras suknias ir ištekėjusi už Danielio draugo Kristiano.

– Bet tu su ja labai maloniai čiauškėjai.

– Oficialiai aš nieko nežinau.

– Gerai, kad nedavei jai numerio.

Prajukau:

– Tu net nežinai, *kaip* gerai. Lena nepakenčiama. Ji miega kiaurą dieną ir skambina vidurnaktį, nežiūrėdama, pažadins tave ar ne. Jos vyras užsiima nešvariais sandėriais, o abu kartu išnaudoja tave kaip įmanydami.

Papasakojau jai apie atostogas svečių kambaryje, ir močiutė pasipiktino.

– Bet ir tu gera višta! – tarė ji paskui. – Man taip nebūtų nutikę. Kodėl pasilikai? Aš būčiau iš karto išvažiavusi. – Ji pakraipė galvą ir atsistojo: – O ką dabar darysime su Danieliu?

– Lena sakė, kad jis ir Kristianas Australijoje. Nežino, kada grįš. Manau, parašysiu jam laišką į Ženevą ir uždrausiu atvažiuoti.

– Puiki mintis! Pagrasink paduoti į teismą, tada jo įkarštis kaipmat atvės. – Ji pasiėmė taurę šampano ir priėjo prie lango. Susimąsčiusi žiūrėjo į didįjį pilies kiemą. Staiga atsisuko į mane ir šūktelėjo: - Eikš greičiau, ant stogo tupi gandriukas. Tai bent laikysena. Iš jo galima pasimokyti. Koks orumas - iki pat snapo galiuko.

Jauniklis tupėjo ant pilies koplyčios stogo ir išdidžiai dairėsi aplinkui.

- Kai kada tenai pratupi dešimt minučių. Jis turi brolį. Šiemet išsirito du jaunikliai.

- Puiku, - nusijuokė močiutė, - gandrai neša laimę. Kad tai tiesa, tuoj įrodysiu. Aš tau kai ką atvežiau. Prasmingą dovaną. Bet gausi ją tik tada, kai su Danieliu bus galutinai baigta.

Ji paglostė man skruostą ir nusišypsojo. Saulė auksino jai plaukus, tamsios akys žibėjo. Jos žvilgsnis buvo toks pat gyvybingas kaip dėdės Eduardo.

- Nereikėjo. Juk aš ir taip labai tau skolinga.

Močiutės dovanos garsėjo visoje šeimoje.

- Tau neįdomu, kas tai? Labai brangus papuošalas. - Ji patylėjo ir paskui pasakė: - Viena iš Emė brangenybių. Pasitariau su tavo dėde, jis sutinka.

To nesitikėjau. Žinojau, kad Emė papuošalai buvo patys gražiausi visoje giminėje, kad močiutė juos paveldėjo ir kad dalį jų būčiau gavusi per savo vestuves. Bet apie vestuves negalėjo būti nė kalbos. Jokios.

- Tai jos mėgstamiausias žiedas, - paaiškino močiutė, - didelis briliantas su keturkampiais rubinais. Eikš pasimatuoti, o paskui padėsime į seifą.

Ir ji džiūgaudama ėmė raustis rankinėje. Ištraukė juodą dėžutę, o joje buvo prabangus žiedas: didelis apvalus soliteras, mažne trijų karatų, aptaisytas mažais rubinais.

Negalėjau išspausti nė žodžio. Niekuomet nebuvau turėjusi tokio brangaus papuošalo. Bet žado netekau ir dar dėl vienos priežasties.

– Kas yra? Jis tau nepatinka? – Močiutę nustebino tai, kad tyliu.

– Jis puikus, – pagaliau pralemenau, – aš atpažinau šį žiedą! Nuolat jį regiu, kasdien. Žinai kodėl? Emė mūvi jį dideliame paveiksle, kuris kabo mano svetainėje.

– Juk sakiau, – linksmai sutiko močiutė. – Tai buvo mėgstamiausias jos žiedas. Mūvėjo jį dieną ir naktį, net maudydamasi. Pasižiūrėk, koks dailus apsodas! Šiais laikais tokio darbo turėtum gerokai paieškoti. Duokš savo ranką. Man knieti, ar jis tau tinka.

Dėl to nesijaudinau. Žinojau, kad žiedo dydis bus kaip tik. Visos mūsų giminės moterys turėjo gražias rankas, o mano, kaip ir močiutės, jos buvo itin mažos.

– Tinka, – tarė močiutė patenkinta. – Nė trupučio tuo neabejojau. Tu paveldėjai mano rankas ir plonus pirštus. Pasižiūrėk! Žiedas lyg tau skirtas.

Pagarbiai žvelgiau į savo ranką. Briliantas skaidė šviesą, lyg būtų buvęs iš tūkstančio veidrodėlių.

– Na, ir ugnis! – sušuko susižavėjusi močiutė. – Pala! Palaikykime jį saulėje. O ką dabar pasakysi? Neįtikima, kaip kibirkščiuoja.

– Gal verčiau norėtum mūvėti jį pati? – dėl visa ko paklausiau.

– Ne, vaikeli, jis tavo. Turiu smaragdus, jie man labiausiai patinka.

– O gal... gal jo norėtų mano motina?

Močiutė vėl paėmė žiedą.

– Kodėl tu prisiminei motiną? – paklausė smalsiai.

– Įvyko stebuklas. Nepatikėsi, bet dėdė Eduardas man prisipažino, kur ji ir ką veikia. Pirmąkart gyvenime. Netgi pats pradėjo kalbą. Ar supranti?

– Žinoma, – nusijuokė močiutė ir pasidėjo rankinę ant dailaus prancūziško ponių sekretero, stovinčio šalia lango. – Juk *aš* jam patariau liautis žaidus tas kvailas slėpynes. Vis tiek iš to nebuvo jokios naudos. Ką dar jis sakė?

– Nieko.

– Tada atskleisiu tau paslaptį, Anetėle. Netrukus pamatysi savo motiną. Tai ką pasakysi dabar? Aš ir ją pakviečiau į savo gimtadienio šventę. Reikalauju, kad atšvęsčiau savo aštuoniasdešimtmetį kaip didįjį susitaikymą. Juk turiu tik du vaikus ir noriu, kad juodu sutartų.

Nesusivaldžiau ir karštai apkabinau močiutę.

– Pagaliau! – sušukau tvardydamasi, kad nepravirkčiau. – Tu nežinai, kaip seniai šito troškau. Bet ką pasakys dėdė Eduardas?

– Nežinau, vaikeli, aš jo dar neklausiau.

Mano džiaugsmas iškart priblėso:

– Jis dar nieko nežino?

– Nė žodelio negirdėjo, – atkirto nė kiek nesijaudindama močiutė.

– Bet juk Kronegas *jo* pilis! Jeigu jis nenorės, gali uždrausti jai atvažiuoti.

Močiutė oriai šyptelėjo.

– Kronegas yra jo pilis, bet *aš* esu jo motina. Nesuk sau galvos, aš viską sutvarkysiu.

Trumpai svarsčiau.

– Prašau man atvirai pasakyti: ar ji tikrai buvo tokia... nepakenčiama?

Močiutė atsisėdo ant palangės.

– Įsidėmėk, – tarė ji ir išdidžiai nusišypsojo, – ji buvo tokia pat nepakenčiama kaip aš. Aišku?

– Bet juk tu visai nesi nepakenčiama.

– Na taigi.

– Bet kodėl... kodėl... Nesuprantu...

Močiutė pasigrožėjo savo atvaizdu lango stikle.

– Juk pažįsti savo dėdę, vaikeli. Žinai, kad jis savaip supranta dorovę, kaip reikia gyventi, ką mano apie švelnesnius jausmus, irgi žinai. Kodėl aš, tavo nuomone, gyvenu pietų Prancūzijoje? Juk jis man draudė ne tik skrybėles su gėlėmis!

Klestelėjau šalia močiutės ant palangės. Tikėjausi, kad dabar bus *labai* įdomu. Tiesa, mudvi niekuomet nieko viena nuo kitos neslėpdavome, bet apie tokius dalykus paprasčiausiai nesikalbėdavome.

Močiutė pasitaisė garbanas ir nusišypsojo:

– Dabar tu jau suaugusi, Anete. Todėl tą ir pasakoju. Supratai? Mes esame karštakraujė giminė. Nežinau, kodėl tavo dėdė toks dorybingas. Iš manęs to nepaveldėjo. Mylėti, vadinasi, gyventi, o aš gyvenu su malonumu. Žinai, ką tau pasakysiu? Ištekėjusi buvau visiškai ištikima tavo seneliui. Bet paskui visada turėdavau tris meilužius. Vienas būdavo su manimi, kitas išeidavo, o trečias ateidavo. Tik dėl šios priežasties tiek laiko išlikau jauna.

Mudvi susižvalgėme ir pratrūkome kvatotis.

- Kodėl tu man niekuomet nepasakojai? - sušukau. - Tai nuostabu!

- Pažadėjau tavo dėdei tavęs negadinti! Jis pareiškė, kad paliks pilį tau tik tada, jeigu *aš* nė pirštu neprisidėsiu prie tavo auklėjimo. Ir aš paklausiau. Dėl Kronego galima atsisakyti keleto šokių pamokų ir keleto meilužių. Be to, kai sensteli, galima už visa tai atsigriebti. Ir didesnis malonumas negu jaunai. Viskas ėjosi kaip iš pypkės - tik su Danieliu nepasisekė. Smūgis buvo baisus. - Ji atsistojo. - Bet lazda turi du galus, - nusišypsojo ji gudriai. - Dabar Eduardas žino, kad nėra neklystantis, todėl susitaikys su tavo motina. Pamatysi, vasara bus nuostabi.

- Gražiausia vasara mano gyvenime, - pasakiau, - jeigu nebūtų Olivjė.

Močiutė nusijuokė:

- Olivjė? Vos jo nepamiršau. Bet manau, kad tau jis bus nepavojingas.

- Kodėl taip manai? Nesuprantu.

- Žinau apie jį kai ką, dėl ko jis tikrai nusisuks sprandą meilindamasis tavo dėdei, ne tik geležies dirbinių rinkinį atitemps.

- Dėl ko? - pasmalsavau.

- Anetėle, - pergalingai nusišypsojo močiutė, - niekuomet nebuvo didesnio gyvūnų mylėtojo už tavo dėdę. Jis negali užmušti net musės, bet koks sliekas jam mielas ir globotinas. Bet Olivjė miestietis ir neskiria kakadu nuo šikšnosparnio. Jis alergiškas katėms ir šlykštisi šunimis. Tačiau pats didžiausias gerumas:

tavo dėdė atidavė širdį vienam baltam paukščiui, o Olivjė *neapkenčia* paukščių.

Man akmuo nukrito nuo krūtinės.

Močiutė smagiai sukikeno:

– Šaunu, argi ne? Iš tokios giminės, kurios herbe pelikanas!

– Tai mano išsigelbėjimas, – pasakiau, apimta laimės.

– Žinoma, – sušuko močiutė ir pirma manęs nuėjo į svetainę. – Išgerkime už tai. Butelyje dar pilna šampano. – Ji įpylė ir pakėlė taurę: – Ką gi, Anetėle, į mano, į mano dukters ir į mano vaikaitės sveikatą!

– Už dėdę Eduardą ir už puikią vasarą!

– Už Kronegą! Ir kad giminaičiai prancūzai čia niekuomet neįkeltų kojos.

Išlenkėme taures, žiūrėdamos viena kitai į akis.

– Taip, – pasakė močiutė patenkinta, – o dabar palydėsi mane į virtuvę. Pagaliau noriu susipažinti su garsiąja Lote.

8

Buvo trys ketvirčiai dvyliktos, kai išsirengėme į virtuvę. Šampanas sužadino mums apetitą, ir iš anksto džiaugėmės gausiais pietumis. Močiutė buvo puikiai nusiteikusi ir troško viską sužinoti apie Lotę. Grafas kiekviename laiške be paliovos ją gyrė. Nenuostabu, kad močiutė susidomėjo.

Močiutė niekuomet nėra gyvenusi be virėjos, bet ir ji pati labai mėgo gaminti valgį, tad šykštuolė Ana buvo jai kaip krislas akyje. Ji nepasitikėdavo žmonėmis, kurie taupydavo maistui. Gal Lotė bus toji bendramintė, kurios močiutė taip ilgai ieškojo?

Kai ėjome per vidinį pilies kiemą šalia virtuvės, į nosį mums mušė gardus kvapas.

– Kvepia gundomai, – pagyrė močiutė. – Regis, Eduardas šįkart galų gale pasamdė tinkamą moterį. Ir jos išvaizda iš tavo nupasakojimo tinkama. Reikėtų kratytis liesų virėjų. Tą sakė mano tėvas, o jis buvo garsus smaguris. Gal pasakyti, ką jis darė? Kaskart, kai aplankydavo naują restoraną, pradžioje užsukdavo į virtuvę apžiūrėti virėjo. Pasilikdavo valgyti, jeigu virėjas būdavo apvalus, o jeigu būdavo liesas, be žodžių išeidavo iš restorano. Dažnai degdavau iš gėdos. Bet jis buvo teisus: storuliai gamina gardžiau.

Pasižiūrėjau žemyn į močiutę, kuri buvo puse galvos už mane žemesnė ir veržliai žingsniavo šalia. Buvo apsiavusi dailiais baltais bateliais, apsivilkusi balta šilko palaidine ir juosėjo žalią sijoną. Ant dailiai sugarbanotos galvutės pūpsojo didelė šiaudinė skrybėlė su aguonų žiedais.

– Bet juk *tu* puikiai gamini, o esi smulki ir grakšti.

– Išimtis patvirtina taisyklę, vaikeli. Neprieštarauk, žinau, ką kalbu.

Kronego pilies virtuvė buvo tarp vidinio ir išorinio kiemo dviaukščiame pastate; jame buvo trys dideli podėliai ir jaukus mediena išmuštas valgomasis. Jame mes valgydavome, kai būdavome vieni. Viršuje, pagrindiniame pastate, buvo didžiulis valgomasis, kurio lubas puošė lipdiniai, bet čia buvo maloniau.

Jame stovėjo miela spalvinga koklinė krosnis kūningos moters su margais tautiniais drabužiais pavidalo. Ant galvos jai kėpsojo pintinė su pietietiškais vaisiais. Čia ir pusryčiaudavome, čia kabojo ir mano, apsirengusios daržininke, portretas, kurį nutapė dėdė Eduardas.

Valgomąjį nuo virtuvės skyrė koridorėlis, o virtuvė tikrąja žodžio prasme buvo karališka: didžiulė šviesi patalpa su langais iš abiejų pusių, rudomis plytelių grindimis ir sunkiu mediniu stalu viduryje. Ant sienos kabojo trys eilės žvilgančių varinių keptuvių, kurias įsigyti pareikalavo Lotė, atsikrausčiusi į Kronegą. Ji pati atsigabeno gausų prieskonių rinkinį, kuriam Hansas padirbo specialias lentynas.

– Be savo prieskonių aš negaliu gaminti, – pasakė Lotė. Ir tik tada ji pasijuto kaip dera, kai kiekvienas iš keturių šimtų stiklainių su ranka rašytomis etiketėmis rado savo vietą.

Žmogaus asmenybę liudija daiktai, kuriais jis save apsupa, ir kambariai, kuriuos jis pakeičia apsigyvenęs.

Anos laikais virtuvė buvo plika, čia niekuomet nenorėdavau užsibūti ilgiau, negu reikėjo. Dabar viskas pasikeitė. Išdėlioti Lotės prieskoniai, šviežios žolelės, gausybė receptų knygų, ant visų palangių žydėjo snapučiai. Kad ir kada būtum įėjusi pro duris, visuomet kvepėdavo kokiu nors skanumynu: ką tik Lotės iškeptu pyragu, ką tik išvirtu marmeladu ar kepsniu, kuris pukšėdavo orkaitėje. Virtuvė gyveno. O pats geriausias dalykas – joje visuomet pasijusdavai laukiama.

– Kavos? – paprastai paklausdavo Lotė, kai užsukdavai po pietų. – Gal paragautumėte? – jeigu Lotei būdavo pats pietų gaminimo įkarštis.

Net prieš kviestinę vakarienę jai niekuomet nesutrukdydavai. Ji mokėjo puikiai paskirstyti darbus, sumaniai pasitelkdavo tarnaitę ir visuomet rasdavo laiko paaiškinti, ką ji kaip tik daro. Kodėl geriau troškinti daržoves savo sultyse, ne vandeny, kaip suderinti prieskonius, kad vieni neužgožtų kitų, kaip nuvarvinti nuplautas salotų galvas, kad neliktų nė lašelio vandens. „Šlapios salotos, – sakydavo Lotė, – rodo, kad virėjas prastas". Per vieną priešpietę Lotės virtuvėje galėdavai išmokti kur kas daugiau negu per brangiausius kulinarijos kursus mieste.

Kai įėjome į virtuvę, tarnaitė kaip tik skuto bulves. Lotė stovėjo prie viryklės ir gardino prieskoniais patiekalą, nuo kurio aromato mums jau kieme burna prisikaupė seilių. Močiutės viešnagės garbei Lotė buvo nuėjusi į kirpyklą, kaip visuomet ji ryšėjo akinamai baltą prijuostę. Tokių baltų prijuosčių Lotė turėjo trisdešimt vieną, kiekvienai mėnesio dienai. Lotė manė, jog nepadoru imtis naujo patiekalo, kai ant prijuostės šviečia senos dėmės.

Močiutė širdingai ją pasveikino ir įteikė sunkią šilko skarą, kurią buvo atvežusi iš Prancūzijos. Tarnaitė gavo kvepalų buteliuką, o Hansas puikiausių cigarų dėžę. Iš džiaugsmo Lotė paraudo kaip mokinukė ir tūptelėjo. Močiutė nusijuokė:

– Tai jūs toji brangenybė, apie kurią be paliovos kalba grafas. Ar pilyje jums patinka?

– Labai! – Lotė nusišypsojo ir mostelėjo tarnaitei, kuri suprato ir kaipmat išjungė radiją.

– Ar tiesa, kad daug metų gyvenote Prancūzijoje?

– Dešimt metų, banko direktoriaus šeimoje. Labai daug išmokau, bet menkai uždirbau, todėl ir išėjau.

Močiutė linktelėjo galvą.

– O čia jūs esate patenkinta?

Ji puikiai žinojo, kad jos sūnus Lotei moka dosniai.

– Labai patenkinta, ponia grafiene. Būčiau galėjusi dirbti ir dideliame restorane Paryžiuje, bet aš labiau mėgstu šeimas.

– Ir jūs teisi, – pritarė močiutė, palankiai nužvelgdama nedidelę apvalutę Lotę, ryšinčią patrauklią baltą prijuostę. – Sakykite, kas čia taip gardžiai kvepia?

– Ėriena, – išdidžiai pasakė Lotė.

– Ėriena? – pakartojo močiutė nusivylusi. – Ar ne per sunkus valgis tokiame karštyje?

– *Maniškė* ėriena – ne per sunkus, – pareiškė Lotė, – gaminu ją be jokių riebalų. Tiesa, apkepu, bet riebalus iškart nupilu. Paskui maišiklyje suplaku tyrę iš citrinų – su žievėmis ir grūdais, dėl aromato, – o paskui valandą troškinu mėsą ant labai silpnos ugnies. Pamatysite, bus nuostabus lengvas vasaros patiekalas.

– Iš tikrųjų nuskambėjo *labai* gerai. – Močiutė apstulbo. – Ėrieną visuomet gamindavau tik su baltaisiais griežčiais. Irgi be riebalų, tik keturių didelių pomidorų sultyse. Ar žinote šį receptą? Prie griežčių dar galima pridėti pankolio gumbą, tada skonis švelnesnis.

– Pankolio? – susijaudino Lotė. – Taip, turiu įsidėmėti. Puiki mintis. Žinoma. Sušvelnina aromatą.

Mačiau, kad dvi širdys surado viena kitą. Močiutė ir Lotė visiškai mane pamiršo, todėl nuėjau aplankyti Bonio, kuris tupėjo ant savo šakoto medžio šalia stiklinių durų, vedančių į sodą ir daržą.

Paukštis buvo įsižeidęs. Mes ne tik nuėjome į virtuvę su juo nepasilabinusios, bet dar ir „jo“ radiją užsukome, o juk kaip tik transliavo klasikinę muziką ir jis galėjo puikiai pritarti. Išvydęs, kad ateinu, jis pašiaušė kuodą, išskėtė uodegą kaip vėduoklę, paskui tyčia atsuko man nugarą.

Bonis buvo itin muzikalus paukštis. Labiausiai mėgo operas, o didžiausią palaimą jam teikė arijos su koloratūromis. Joms pritardavo aukštu balsu, kuriuo būtų džiaugęsis bet koks berniukas dainininkėlis. Jis išversdavo akis, atkragindavo galvą ir be galo susižavėjęs plakdavo sparnais. Atrodydavo taip, kad negreit pamiršdavai tą vaizdą.

– Bonuli, – ėmiau jam meilintis, – atsisuk! Netrukus vėl užgros muzika, tada galėsi dainuoti toliau.

Bet paukštis nebenorėjo giedoti. Tiesa, jis atsisuko, bet tik tam, kad ant manęs sušnypštų. Paskui pritūpė ir išlakiu skrydžiu atsidūrė ant peties grafui, kuris kaip tik įėjo.

– Šit kaip, – patenkintas pasakė dėdė Eduardas ir leido Boniui papešti jam antakį, – visas čia rasi. Taip ir maniau. Mama, čia Lotė. Šiandien po pietų tu suprasi, kodėl taip ja žaviuosi. Lote, čia mano motina, geriausia virėja visoje giminėje. Tą pripažįsta net giminės prancūzai. Jos tėvas, mano senelis, buvo garsus gurmanas, bet aš tą jums jau pasakojau. Dar klausimas: kuri norite aperityvo?

– Tegu tarnaitė iš mano svetainės atneša šampano, – sušuko močiutė. – Tiesa, aš su Anete jį pradėjau, bet šampanas lede, ir kiekvienam dar išeis po taurę.

Dėdė Eduardas priėjo prie viryklės ir įniko kilnoti puodų dangčius.

– Lote, skaniai kvepia. Bet juk tai mėsa, taip?

– Ėriena, pone grafe. Juk sakėte, kad jūsų motina ją mėgsta.

– Teisybė, pamiršau. Žinot ką? Šįkart paragausiu. Užtat kitą savaitę mėsos nė į burną. Kada pietausime?

– Netrukus, – išdidžiai pareiškė Lotė. – Aš baigiau.

– Tada liepkite dengti stalą, mieloji. Valgysime po ketvirčio valandos.

Pietūs po kaštonais praėjo linksmai ir nerūpestingai. Ėriena buvo tokia, kokią ir žadėjo patiekti Lotė, dar buvo salotų, sūrio, šviežių ananasų ir namie konservuotų migdolų. Bonis sulesė saują baltų saulėgrąžų, o pietus užbaigė stambiu krapu.

Močiutė nešykštėjo pagyrų:

– Pasakysiu visiškai atvirai, Eduardai Zilvesteri, tavo virėja pranoko įžūliausius mano lūkesčius. Ėriena buvo nuostabi, salotos puikios; nė lašu nepadaugino acto, o šiame krašte tai šį tą reiškia. Sūris kaip tik toks, koks turi būti. Akivaizdu, šito ji išmokusi Prancūzijoje. Čia juk niekas nežino, kaip sunokinti kamamberą. – Ji gurkštelėjo vyno. – Sveikinu tave, sūnau! Bet ja dėta atidaryčiau restoraną ir labai praturtėčiau.

– Tik jau nekalk šito jai! – susirūpino dėdė Eduardas. – Ir taip visi kaimynai jos gviešiasi. O mums jos dar reikia, tiesa, Anete? Bent iki liepos 31-osios.

– Įdomu, – sušuko močiutė ir suvalgė migdolą, – ar tai ne mano gimtadienis? Net nenumaniau, kad ketini jį švęsti.

– Žinai, mama, – ramiai paaiškino grafas, – tai nebus tikra šventė. Juk tu neapkenti pokylių. Bet prisipažinsiu, kad keletą žmonių pakviečiau pavakarių arbatai.

– Tu tikrai mielas, – rimtai atsakė močiutė. – Keleto svečių visai pakaks. Ir kad man jokių dovanų, girdite? Nusipirkau Nicoje naują skrybėlę, to gana.

Dėdė Eduardas kaip puikus artistas pabučiavo jai ranką:

– Nebijok, mama. Niekam net sapne neateitų į galvą apipilti tavęs dovanomis. Aštuoniasdešimt metų mūsų giminei joks amžius. Atšvęsime tavo devyniasdešimtmetį. Jau šiandien tau pažadu.

Sukikenau ir, kad neišsiduočiau, skubiai gurkštelėjau vyno.

– Ką tu rezgi? – paklausė močiutė sūnų.

– Tegu tau paaiškina Anetė.

– Na, ką judu sumanėte? – sušuko pasisukusi į mane močiutė. – Anete, tu jau raudona kaip burokas. Kalbėk! Kas yra?

Ėmiau juoktis.

– Nieko, močiute, ničnieko. Juk žinai, tik triukšmingas pokylis. Vyskupo palaiminimas, sodo žibintai ant gynybinės sienos, pilna svečių pilis, šampanas, muzikantai ir kepami ant iešmo jaučiai.

– Mat kaip, – patenkinta tarė močiutė, – aš taip ir spėjau. Bet paklausykite, nieko iš to nebus. Pirma, labiau mėgstu jaučius ganykloje, antra – išmeskite visa tai iš galvos. *Aš* nedalyvausiu tame sambrūzdyje.

– Mes šito ir nesitikime, – nusijuokė grafas, – švęsime *mes*, o tu vidurnaktį pasirodysi lange ir maloningai pamosi ranka. Juk turi vieną vakarinę suknelę?

– *Vieną* vakarinę suknelę? – sušuko močiutė, lyg nenugirdusi. – Pasakei *vieną* vakarinę suknelę? Kuo tu mane laikai, Eduardai Zilvesteri? Juk neatskrisiu čia iš Žydrojo kranto švęsti savo aštuoniasdešimtojo gimtadienio tik su *viena* vakarine suknele. Aš pasisiuvau *tris* vakarines sukneles: melsvą, raudoną ir baltą su nedideliu šleifu.

– Valio! – vienbalsiai sušukome mudu su grafu.

Močiutė nusišypsojo:

– Balta, mielieji, puikiai tinka su smaragdais. Aš pasipuošiu koljė ir auskarais, žinoma, tik vakare. Arbatai pakaks melsvos suknios, žavingos skrybėlaitės ir grandinėlės su briliantiniu kabučiu. Gal net apsimausiu ploną briliantinę apyrankę. Kaip manote?

Dėdė Eduardas pasilenkė ir dar įpylė jai vyno:

– Puiki mintis, mama. Užtemdysi visus svečius.

– Šito ir trokštu, – tarė močiutė. – Juk ne kasdien tau sukanka aštuoniasdešimt.

Dėdė Eduardas atsistojo.

– Mama, – pasakė jis kiek dvejodamas, – man buvo labai malonu. Džiaugiuosi, kad tu vėl Kronege. Pasimatysime vakare. Turiu skubų reikalą. Prašau man dovanoti!

Močiutė priekaištingai pasižiūrėjo į sūnų:

– Kas čia dabar? Dar net kavos nepatiekė, Eduardai. Juk tu nenueisi nuo stalo be kavos?

– Deja. Šaukia pareiga.

– Kokia pareiga? – pyktelėjo močiutė. – Tavo pareiga linksminti motiną.

– Tą ir daryčiau su malonumu, brangiausioji mama, bet turiu rūpesčių dėl dvaro.

– Aš žinau. Bet juk praleidai tenai visą priešpietę, ir pakaks. Noriu, kad dar pasiliktum. Ar girdi? Eikš, prisėsk! Turim aptarti svarbius dalykus.

Grafas klusniai atsisėdo ir atsiduso.

Močiutė nepaisė jo atodūsio.

– Na, mielieji, noriu pasiklausyti apie gimtadienio valgius. Aišku? Kuo vaišinsite tokią daugybę žmonių? Bus šaltų užkandžių? Vakarienė? Kokie patiekalai?

– Prašyčiau šiuos rūpesčius palikti mums, – sutriko grafas. – Juk tu esi jubiliatė, tad mes pateiksime tau staigmeną.

– Jokių staigmenų! – atkirto močiutė ir vėl paėmė migdolą. – Noriu viską žinoti. Argi Biblijoje nepasakyta, kad vaikai privalo klausyti tėvų?

– Tai gal mano motina dar gamins vaišes savo aštuoniasdešimtajam gimtadieniui? – pasipiktino grafas. – Jeigu jau taip, tai užsiauginsiu barzdą ir tapsiu miškakirčiu.

– Jau gali iškart pjauti medžius, – sušuko močiutė. – Noriu padėti, man bus malonu. Juk valgysiu ir aš, argi ne?

Karštą ginčą nutraukė Lotė. Ji atnešė kavos, o tarnaitė nukraustė stalą.

– Vis dar geri tą pokario viralą? – paklausė močiutė, pamačiusi du kavinukus. – Ar jis tave jau nuramino? Žinai ką? Duok man paragauti!

Ji atkišo puodelį, ir grafas pats įpylė iš savo sidabrinio kavinuko. Močiutės garbei Lotė buvo paėmusi brangius senovinius puodelius, nežinia kiek amžių priklausančius giminei ir labai retai naudojamus. Visi buvo vienetiniai, iš Čekijos, Vengrijos, Prancūzijos, Anglijos ir Slovakijos. Tapyti rankomis, paauksuoti ir iš ploniausio porceliano. Turėjome tokių trisdešimt, vienas puodelis buvo gražesnis už kitą.

Ant mano puodelio buvo povas, išskėtęs prašmatnias plunksnas, o ant močiutės puodelio tamsiai mėlyname fone švytėjo saulė, mėnulis ir žvaigždės iš aukso. Dėdė Eduardas gėrė iš žalio puodelio, ant kurio ponia pūstu sijonu kišo į katilą raguotą kipšą.

Močiutė paragavo kavos pakaitalo.

– Gardžiau, negu tikėjausi. Bet nėra sielos. Verčiau gersiu tikrą kavą. Jūsų kava nuostabi, Lote. Koks čia mišinys?

– Iš Haičio, – atsakė Lotė. – Parsisiųsdinu jos iš Prancūzijos – per pažintis.

Močiutė pritariamai linktelėjo galvą.

– Taip, geriausius daiktus reikia susirasti, niekas tau jų nepakiš panosėn. Ir to išmokstama per ilgą gyvenimą – kaip ir viso kito.

– Pavyzdžiui, ko? – paklausė dėdė Eduardas. – Ko tu dar išmokai?

– Tuojau tau pasakysiu. Bet kol kas kitas dalykas. Eduardai, džiaugiuosi, išgirdusi, kad mokai mano vaikaitę. Apie žvaigždes ir meno istorijos, tiesa? Neprieštarauju. Paklausiu štai ko: kodėl neduodi jai ir kokio praktiško darbo?

Grafas nustebęs pasižiūrėjo į motiną:

– Ar Anetė tau skundėsi?

Močiutė jį nuramino:

– Nesiskundė. Bet kaip kiekvieną kartą įrodo istorija, teorija be praktikos – sausa šaka. Kalbomis vien gaištama.

Močiutė man pamerkė, bet nenutuokiau, kur link ji suka.

– Ar nemalonėtum kalbėti aiškiau? – paklausė grafas. – Ką jai turėčiau duoti? Juk ji nieko nesimokiusi.

– Va čia tu didžiai klysti, – sušuko močiutė ir po stalu švelniai palietė mane koja. – Anetė turi menininkės talentą. O šįmet pavasarį ji tyčia važiavo į Ženevą pasimokyti senų baldų restauravimo. Argi tu nežinojai?

Ji persmeigė mane akimis. Vos tvardžiausi jos neapkabinusi.

– Kaip? – sušuko grafas. – Apie tai aš nieko nežinau. Tikrai, Anete?

Linktelėjau galvą.

– Ir neprasitarei man nė žodžiu?

– Tai įgimtas jos kuklumas, Eduardai Zilvesteri. Aš irgi atsitiktinai ištraukiau. Žinai ką? Tegu ji restauruoja vieną iš tų senų skrynių, apie kurias man rašei.

– Labai džiaugiuosi. Ar norėtumei, Anete? Prieš tau atvažiuojant aukcione įsigijau senovinę spintą ir keturias raštuotas valstietiškas skrynias. Spintą restauravau pats, bet paskui kažkas man sutrukdė ir nebeištaikiau laiko. Skrynios labai nublukusios, bet raštai dar įžiūrimi. Ką gi, jeigu išdrįsi, vaike, gali vieną išsirinkti ir įsikurti viršuje, mano dirbtuvėje.

Jis nusišypsojo man, ir aš pamačiau, kad jo akyse pakilau.

– Žinoma, išdrįsiu! – sušukau entuziastingai. – Ar mudu lipsime į viršų? Galėtume iškart vieną pasirinkti.

– Ne, dabar tai jau ne, – paliepė močiutė, – dabar liksite sėdėti ir palaikysite man draugiją!

– Hansas po pietų palydės tave į viršų, o tu jam pasakysi, kurią skrynią turi nunešti į dirbtuvę. Viršuje yra terpentino, dažų ir teptukų, viską tenai rasi. Mama, – pasakė jis paskui su įsakmia gaidele balse, – dabar *turi* man dovanoti. Man kaip tik sudėtingiausios derybos, kiekviena minutė auksinė. Džiaugčiausi galėdamas ilgiau likti, bet tiesiog negaliu.

– Prašom – kaip nori, – įsižeidusi tarė močiutė, – bet atsakyk man dar į vieną klausimą. Gal tu žinai, kas knisosi mano rašomajame stale, kai manęs nebuvo?

– Kodėl taip manai? – atsargiai paklausė grafas.

– Kai kas dingo. Senovinis Kronego planas. Vienas iš tų istorinių, juk žinai, su įvairiausiais spalvotais pilies priestatais. Mano senelis pats jį nubraižė. Labai dailiai. Iš teisybės, daugiau pramogai, nes mastelis netikslus. Bet tai palikimas, todėl nenoriu, kad tas planas dingtų.

– Gal pasidėjai jį kitur.

– Ne, nepasidėjau. Apskritai čia negyvenau. Ir kaip visuomet išvažiuodama atidaviau raktą *tau*, na, jeigu man kas nors nutiktų.

Grafas atsistojo ir nusišypsojo:

– Planas atsiras, mama. Kronege niekas nedingsta.

– Tu taip manai? – Močiutė prisimerkė. – Tada prašyčiau pasakyti, kodėl tavo rankos tokios subraižytos.

Klausimas grafui buvo nemalonus. Bet jis nebegalėjo išsisukti. Aš irgi tą pastebėjau, bet nutylėjau. Oda ant dešinės grafo rankos daiktais buvo subraižyta, o nuo didžiojo piršto ilgas kruvinas rėžis nutįsęs net ligi riešo. Abiejų rankų nagai nulaužyti, o dešinės nykštys pamėlynavęs.

– Tavo gražios rankos, – pakraipė galvą močiutė, – dailininko rankos! Ką tu jomis darai? Ar sienas mūriji? O gal slapčiomis ką nors kasinėji?

Dėdė Eduardas pasipiktino:

– Prašyčiau, mama! Kas čia per įtarinėjimai? Aš susižeidžiau.

– O kur?

– Apvaliajame bokšte. Vėjarodis įstrigo, o kai apžiūrinėjau, suklupau ant judančios plytos. Bet viena nelaimė ne nelaimė. Kai tikrinau kaminų dureles – Anetė tau juk jau sakė, kad į kaminus kai kada įkrinta sakaliukai, – vienos durelės užstrigo. Niekaip nepajėgiau jų atidaryti. Todėl ir įsibrėžiau.

Močiutė išklausė paaiškinimą tylomis. Paskui atsilošė pintiniame krėsle:

– Eduardai, tu pirma manęs klausei, ko dar išmokau per ilgą savo gyvenimą. Tai žinok: supratau, kad daugeliui vyrų nuotykių troškimas pranoksta protą. Dabar tu patenkintas?

Dėdė Eduardas nė nemirktelėjo:

– Kalbi mįslėmis, mama.

– Tikrai? – nusijuokė močiutė. – Juo geriau. Vadinasi, suprasime vienas kitą be žodžių. Ką gi, iki vakaro, sūnau. O jeigu po pietų vėl ims ūpas atidaryti kurio nors kamino dureles, prašyčiau prisiminti savo grafo titulą ir apsimauti tvirtas pirštines.

9

Lauke pylė kaip iš kibiro. Taip pliaupė lietus, kad didįjį kiemą bemaž visą apsėmė vanduo. Nebūtum perėjęs be guminių batų. Nuo kaštonų lašėjo, o iš lietvamzdžių garmėjo upeliai. Abiejų bokštų smailes gobė pilki lietaus debesys. Kai atvažiavo močiutė, gražios dienos buvo tik dvi, o paskui be paliovos lijo.

Ir vis dėlto buvome puikiai nusiteikę. Paaiškėjo, kad močiutė yra talentinga pasakotoja, ji linksmindavo mus valgant savo nuotykiais Prancūzijoje. Netgi ir popietės, kai mudvi likdavome vienos, skriste praskriedavo, nes aš sužinojau viską apie naujausią močiutės gerbėją, atsargos admirolą prancūzą, kuris įpiečiau nuo Bordo turėjo didžiulį vynuogyną su jam priklausančia pilaite.

Dėdę Eduardą matydavome retai. Tiesa, valgyti jis ateidavo laiku, bet šiaip niekur negalėjai jo rasti. Užtat stebėjomės matydamos, kad jo rankos vis labiau subraižytos, o nuotaika vis smagesnė. Vakar jis pasirodė prie stalo įsidrėskęs veidą ir dėjosi toks linksmas, kad mums mažne atėmė žadą. Bet niekaip negalėjome išklausti, ką jis veikia visą tą laiką.

Į močiutės klausimus grafas paslaptingai atsakydavo:

– Tai didžiulė staigmena tavo gimtadieniui.

Spoksojau į lietų. Buvo pusė vienuolikos, ir nematyti jokio žmogaus. Tokiu metu grafas ir šiaip dingdavo, o papusryčiavusi močiutė su pasiskolinta iš Lotės prancūziška virimo knyga užsidarė žydruosiuose savo kambariuose. Ji įspėjo, kad iki pietų nepageidauja būti trukdoma.

Dažniausiai aš tokiu metu uoliai darbuodavausi. Pastarosiomis dienomis visuomet anksti pakildavau, kad išgėrusi kavos lipčiau į dirbtuvę tapyti.

Žinoma, buvau išsirinkusi gražiausią skrynią su sudėtingiausiais piešiniais. Vadinamąją kraičio skrynią su dviem figūromis: jaunikio ir nuotakos iškilmių drabužiais; ji dešinėje, jis kairėje, o virš abiejų baltomis raidėmis buvo išvedžiota jungtuvių data ir nuotakos vardas.

Ana Luger – buvo parašyta, ir dar buvo galima įžiūrėti: *1781 Mūsų Viešpaties metai.*

Atnaujinti kitas skrynias būtų buvę kur kas lengviau, bet aš *norėjau* pasikamuoti. Džiaugiausi darbu, be to, galėjau įrodyti grafui, kad pastarieji penkeri metai vis dėlto nepraėjo veltui. Tiesa, aš netekau palikimo, bet išmokau *šį tą* naudinga.

Buvo ir dar viena priežastis: norėjau parodyti dėdei Eduardui, kad yra dalykų, kuriuos sugebu geriau už jį. Grafas buvo labai talentingas dailininkas, bet restauruoti jam trūko kantrybės. Jam buvo nuobodu vedžioti linijas, sugalvotas kito dailininko, tad jis mieliau pats tapė.

Spinta, kurią jis buvo atnaujinęs, taip ir atrodė. Dėdė Eduardas pasirinko pernelyg ryškias spalvas, o mėlyną maišė su nepermatoma balta, kurios apskritai dar niekas nebuvo atradęs tada, kai stalius sumeistravo šią spintą. Kai žiūrėdavai į tą spintą, manydavai, jog tai naujintelaitis baldas, tyčiomis pasendintas.

Žinoma, grafas to nepripažino.

– Ar ji trupučiuką ne per ryški? – išdrįsau paklausti, kai jis parodė man savo kūrinį.

– Nieku gyvu, – paprieštaravo jis sumaniai. – Aš tik atkūriau pirmykštę jos išvaizdą. Kai spinta buvo nauja, ją ištapė ryškiomis spalvomis. Ilgainiui tie raštai patamsėjo. Žinau, ką darau, vaike. Pamatysi. Laikas sušvelnins spalvas, o paskui po šimto metų turėsime gražų senovinį baldą.

Bet *aš* tiek ilgai nenorėjau laukti. Norėjau iškart pasidžiaugti savo darbu. Man nebuvo sunku atgaivinti gražius senovinius piešinius, todėl valandų valandas dariau mėginius, kol radau tinkamą spalvą nuotakos skruostams.

Be to, restauruodama galėjau pergalvoti, nes niekas man nekliudė, tarkim, vakarykštę sceną Kaizerio kambaryje. Dėdė Eduardas pasielgė kitaip nei visuomet, nepradingo iškart po kavos. Jis parodė močiutei savo geležies dirbinių rinkinį ir, buvo akivaizdu, nusivylė, kai ji, nepratarusi nė vieno žodžio, praėjo pro spintą su Vengrijos princesės vestuviniais papuošalais. Ji pasigrožėjo Munkašo buliumi ir jaunosios imperatorienės Elžbietos galva, bet šiaip buvo santūri.

– O *apie tai* nieko nepasakysi? – paklausė nusivylęs grafas ir parodė žaliu šilku apmuštą lentyną. – Juk tu šitų nematiusi, mama. Praėjusią vasarą dar neturėjau.

– Ak, seni žaislai, – mano nuostabai, sviedė močiutė. – Kur juos radai?

– *Žaislai?* – tarytum nepatikėjo savo ausimis dėdė Eduardas. – Tai juk amžiaus paniekinimas! Čia Vengrijos karaliaus dukters kraitis ir dingusio Vengrijos karalių lobio dalis. Žinoma, kopijos. Iš tikrųjų šie papuošalai yra pagaminti iš tauriausių metalų ir brangiausių akmenų. Diadema iš aukso, emalio, briliantų ir perlų. Argi ji ne nuostabi? Tikrai karališkas papuošalas!

– Kas taip sako? – abejingai paklausė močiutė. – Šiaip ar taip, *mes* su jais žaisdavome. Mano senelis mums padovanojo šiuos dirbinius. Jie daug metų gulėjo dėžutėse, niekas nežinojo, iš kur jose atsirado. Bet pripažįstu, kad jie gerai atrodo ant žalio šilko.

Nustebau, kad grafas nepuolė ginti papuošalų. Užrakino spintą netaręs nė žodžio. Norom nenorom prisiminiau susižavėjimą, kai jis *man* pasakojo apie paslaptingą lobį. Močiutės pastaba tą norą jam užgesino.

Lauke lietus nepaliovė kliokęs. Vis dar tebesėdėjau savo svetainėje ir žiūrėjau, kaip jis sruvena stiklu. Nesiryžau palikti patogios sofos. Viduje, kai lauke balos vis gilėjo, buvo taip gražu.

Vadinamoji Haidno galerija, kurioje įrengta dirbtuvė, buvo senovinio priestato ketvirtame aukšte šalia apvaliojo bokšto. Tiesiai iš mažojo kiemo į ją galėjai užlipti laiptais, bet kad patektum į mažąjį kiemą, pirmiausia turėjai pereiti didįjį, o kai telkšojo šitiek vandens, tam, be abejo, reikėjo didvyriškumo.

Gal padaryti dienos pertrauką? Nusimaudyti vonioje, išsitrinkti galvą, paskaityti? Viliojanti mintis. Pasvarsčiau. Ne. Tai neįmanoma. Olivjė čia bus po savaitės, o aš norėjau baigti skrynią iki jo atvykimo. Kas norėtų, kad ją užgožtų atsivežtinis geležies dirbinių rinkinys? Be to, buvo dar ir kitas kelias į dirbtuvę.

Atsidusau ir pasižiūrėjau į šlapius kaštonus. Kitas kelias, iš teisybės, jo niekas nesirinkdavo, vedė per apvalųjį bokštą, ir aš klaikiai jo nemėgau. Mat reikėjo pėdinti ilgu šaltu koridoriumi be jokio lango, tamsiu nors į akį durk. Koridorius kirto vienuolikos metrų storumo šiaurinę bokšto sieną ir baigėsi senoje sarginėje. Iš jos per žemas, geležimi išmuštas dureles patekdavai tiesiai į Haidno galeriją.

Pasižiūrėjau į laikrodį. Be ketvirčio vienuolika! Nevalia delsti. Pašokau ir apsimoviau storą vilnonį mėlyną megztinį. Jau buvau užsimovusi senomis patogiomis aksominėmis kelnėmis, šiltomis puskojinėmis ir apsiavusi sportiniais bateliais. Paskui pasikišau knygą su senovinių raštų pavyzdžiais (ilgokai paieškojusi ją radau bibliotekoje) po pažastimi ir iškeliavau.

Ryžtingai užlipau į trečią aukštą, praėjusi pro močiutės duris. Pasiklausiau, bet neišgirdau net krepštelėjimo. Ši pilies dalis buvo tik trijų aukštų. Apačioje mano kambariai, virš jų - žydrieji močiutės apartamentai, o pačiame viršuje - dar keturi svečių kambariai su gražiomis senovinėmis krosnimis ir venecijietiško stiklo šviestuvais.

Tauriai atrodė ir koridorius palei šiuos kambarius. Išklotas raudonais kilimais, tarp aukštų langų prikabinėta didžiulių briedžių ragų. Palei priešingą sieną pristatyta išdrožinėtų kėdžių aukštomis atkaltėmis. Virš kėdžių kabojo protėvių portretai sunkiuose paauksuotuose rėmuose.

Man reikėjo pereiti šiuo koridoriumi. Pačiame jo gale buvo rudos medinės durys su įmantriai išdabinta geležine spyna. Spynoje kyšojo didelis juodas raktas. Nuo čia prasidėjo tamsus koridorius į apvalųjį bokštą.

Prie durų truputėlį padelsiau. Būtų buvę geriau pasiimti žibintuvėlį. Gal grįžti ir susirasti jį? Kiek pasvarsčiau ir apsisprendžiau. Paliksiu duris atlapotas, kad tamsa nebūtų tokia aklina.

Suėmiau raktą ir dukart pasukau. Nustebau, kad taip lengvai pavyko. Keista. Kiek prisiminiau, durų niekas niekuomet nedarinėjo, todėl spyna surūdijusi. Bet rudos medinės durys atsidarė be jokių pastangų, netgi necypteléjusios.

Į mane plūstelėjo tamsus šaltas oras. Atsargiai žengiau pirmuosius žingsnius, palengva, apgraibomis, nes grindys buvo iš nelygių akmenų, aš nenorėjau pargriūti ir nusisukti sprando. Gerai, kad buvau apsiavusi sportiniais bateliais. Nusigavau gal kokius keturis metrus ir sustingau lyg įkasta.

Kas čia?

Kapų tyla!

Bet juk ką tik šį tą girdėjau. Įtemptai klausydamasi ėmiau sėlinti pirmyn pirštų galiukais. Ar man pasigirdo?

Ne. Štai ir vėl.

Duslūs smūgiai plaktuku, regis, visiškai netolimi.

Keistas dalykas. Gal Hansas ką nors remontuoja senojoje sarginėje. Tylutėliai nuskubėjau koridoriumi ir su palengvėjimu atidariau duris. Sarginėje nė gyvos dvasios. Vėl įsiklausiau į tamsą. Be jokios abejonės - vėl dunksi. Dunksėjimas sklinda iš bokšto.

– Ar čia yra kas nors? – šūktelėjau dėl visa pikta. – Aliooo! Kas tenai baladojasi?

Smūgiai kaipmat liovėsi. Luktelėjau, bet nieko neišgirdau. Pamažėle man darėsi šalta. Dar valandėlę pastovėjau prie durų, o tada šmurkštelėjau į dirbtuvę. Susimąsčiusi atsisėdau šalia pusiau baigtos skrynios ir pradėjau maišyti dažus. Galvoje zujo įvairiausios mintys.

Niekuomet per daug netikėjau vaiduokliais, juo labiau besitrankančiais bildukais. Kronege niekuomet nesivaideno, net ir vaikystėje manęs pilis nebaugino. Priešingai negu mūsų kaimynai, mes neturėjome siaubo istorijų apie kankinimo rūsius ir pilies kameras. Neturėjome ir „raudonojo riterio" kaip Lokenšteinai ar „baltosios moters" kaip Hoenfrydai. Jeigu kas nors ir gobė Kronegą, tai daugių daugiausia geroji lemtis. Bet geroji lemtis netraukia į save dėmesio dusliais smūgiais, pamaniau, ir staiga man prieš akis iškilo didelis medinis dėdės Eduardo plaktukas. Aš tylutėliai sukikenau. Medinis plaktukas! Tai jau kas kita. Medinis plaktukas, atsitrenkęs į akmenį, dunkstelės būtent taip, kaip aš išgirdau tamsiajame koridoriuje.

Nusikvatojau ir pašokau. Dėdė Eduardas ir jo paslaptis. Istorinis planas, subraižytos rankos - staiga viskas susidėliojo į vietas. Smalsumas man nebedavė ramybės. Norėjau nučiupti grafą nusikaltimo vietoje arba dar geriau - slapčiomis jį pasekti. Paprasčiausiai nebepajėgiau sėdėti ir tapyti. Buvau pernelyg susijaudinusi.

Šįkart plaktuko dūžius išgirdau jau sarginėje. Bet vos atidariau duris, viskas nutilo. Nustebau. Aš tikrai netriukšmavau. Kad ir kas tenai daužėsi, šįkart negalėjo manęs išgirsti.

Bet labiausiai apstulbau vidury koridoriaus išvydusi žibintą, vaiduokliška šviesa tvieskiantį į nelygias akmenines sienas. Dar svarsčiau, iš kur šis žibintas galėjo atsirasti, kai staiga išgirdau savotišką šnarėjimą, lyg smėlis ar uolienos kristų ant žemės. Bumbt!

Nukrito didėlesnis akmuo.

O! Duslus smūgis, paskui tylus keiksmas.

Valio! Dėdės Eduardo balsas.

Bet kur lindėjo grafas? Koridorius nelabai platus. Ar kur nors yra slaptos durelės? Pasislinkau keletą žingsnių žibinto link. Čia jau dedasi neįmanomi dalykai! Aš bemaž jutau dėdės buvimą, bet kur jis pasidėjo? Juk negalėjo lindėti sienoje! Dar žingsnis - ir ko nepratrūkau skambiai kvatotis. Dievulėliau! Nors sprok iš juoko. Bet neliko jokios abejonės. Iš akmeninės sienos, grėsmingai apšviestas žibinto, kyšojo dėdės grafo Eduardo užpakalis.

Nepamirštamas vaizdas. Grafas buvo matyti tik iki juosmens, o tada lėtai lėtai - buvo girdėti, kaip jis dejuoja, šnopščia ir čiaudi, - išlindo ir viršutinė jo kūno dalis, pečiai, kaklas, galva, stambi nosis; viskas padengta storu pilkų dulkių sluoksniu. Niekuomet nebuvau mačiusi elegantiškojo pilies šeimininko šitokio. Tikrai įsimintina akimirka.

Nebegalėjau susivaldyti.

- Dėde Eduardai, - sušukau, - ką tu čia veiki?

Grafas krūptelėjo ir įsistebeilijo į mane, lyg jam būtų pasirodęs vaiduoklis.

- O kaip *tu* čia įėjai? - paklausė ir nusivalė nuo nosies dulkes.

- Pro duris šalia svečių kambarių. Bet ką *tu* čia veiki?

- Ieškau, - atsakė grafas, - ir nenoriu, kad man trukdytų. - Jis nusičiaudėjo taip, kad, rodės, kažkas sprogo. – Duok man nosinę, Anete! Mano nosis pilna dulkių.

Paklusau.

– Bet *ko* tu ieškai? – paklausiau, kai jis išsišnypštė nosį.

Dėdė Eduardas įsidėjo mano nosinę kišenėn ir paėmė žibintą.

– Vengrijos karalių lobio, – pasakė lyg patį paprasčiausią dalyką. – Vengrijos karalių lobio, ko gi daugiau? – Jis nusišypsojo: – Bet, dėl Dievo, nesakyk mano motinai!

– Vengrijos karalių lobio? – paklausiau po pusvalandžio, kai sėdėjome jaukiame grafo ponų kambaryje ant patogios senovinės odinės sofos ir atidžiai tyrinėjome istorinį Kronego planą. – Bet tai juk neįtikima istorija!

– Taip ir yra, – sutiko dėdė Eduardas, jau spėjęs nusimaudyti po dušu ir persirengęs, – neįtikimiausia iš visų mano žinomų. Ir tuojau ją tau papasakosiu.

Jis paėmė butelį seno konjako, giminės rūšies, ir pripylė dvi sklidinas taures.

– Jeigu tu rimtai pastudijavai tą knygutę, kurią daviau, tada žinai, jog 1848 metais Vienoje įvyko revoliucija. Niekam nebereikėjo griežtojo Meternicho, o Ferdinandas Gerasis turėjo atsisakyti sosto dėl savo sūnėno Pranciškaus Juozapo. Toliau dar gražiau. Austrijoje visiška suirutė, o ką veikia Vengrija? Mėgina sukilti ir išsivaduoti iš Austrijos gniaužtų. Žinoma, bergždžiai. Vadas, grafas vengras, kaipmat sučiumpamas ir 1849 metais nubaudžiamas mirti Budapešte. Bet pirma, vaike, pirma jis paslepia Vengrijos karalių lobį; sakoma, vienoje iš savo pilių. Saugiai jį paslepia, kad nepatektų į nagus nekenčiamiems Habsburgams. – Dėdė patylėjo, kad įtampa dar padidėtų. Ir kai aš iš nekantrumo bemaž nebepajėgiau nusėdėti, jis porino toliau: – Bet, vaike, visos jo pilys buvo apieškotos, ir *nieko* nerado. Pasakysiu tau kodėl. Prisiekiu – lobis jau seniai buvo Kronege. Tavo proprosenelis jaunystėje mylėjo prancūzę, o prancūzai visuomet palaikė vengrus. Kad ir kaip ten būtų, iš meilės jai proprosenelis sutiko paslėpti čia lobį, kol baigsis didžiausi persekiojimai.

– Kodėl niekuomet man šito nepasakojai? – paklausiau susijaudinusi.

– Kad ir aš pats tik neseniai sužinojau. Tai kuo mudu baigėme? Lobis užkastas čia, o tavo proprosenelis apnakvindino ir pavaišino delegaciją, bet, *gaila,* šių žmonių nestebėjo. Jis buvo tikras džentelmenas ir net sapnavęs nebūtų, kad reikėjo vengrus sekti, kai jie slėpė dėžes.

– O kas nutiko vėliau?

– Delegacija išvyko, ir niekas niekada jos daugiau nebematė.

– O paskui?

– Po ketverių metų, 1853-iaisiais, rado garsiąją Stepono karūną; Orsovos pelkėse, geležinėje dėžėje. Bet kaip jau įrodyta, ta karūna niekuomet nebuvo patekusi į Kronegą.

– Kas dėjosi čia?

– Nieko, – atsakė grafas ir gurkštelėjo konjako.

– O lobis?

– Jis taip ir nerastas.

– Nesuprantu, dėde Eduardai. Tai niekas neatvyko jo pasiimti?

– Taip. Tuo ši istorija keisčiausia. Lobis buvo atgabentas čia ir tarytum prasmego skradžiai.

Aš vis dar netikėjau.

– Gal vis dėlto jį išsivežė. Žinai ką? Gal užkasė jį *ne* pilyje, o lauke, pilies kalne. Ar po pakeliamuoju tiltu, ar po gynybine siena. Tada jį būtų buvę galima išsikasti, niekam iš pilies nepastebint.

Dėdė Eduardas pranašiai nusišypsojo:

– Gera teorija, vaike, bet klaidinga. Ir tuoj tau paaiškinsiu kodėl. Papuošalai ir auksinės monetos pernelyg brangūs daiktai. Jeigu lobis būtų buvęs rastas, tai kai kas iš jo po kelerių metų kur nors būtų pasirodę, ir bet kuris žinovas pasaulyje iškart būtų atkreipęs dėmesį. Kažkas būtų per aukcioną pardavęs diademą ar vieną kitą monetą, ir visi prekiautojai būtų supuolę kaip šunys pėdsekiai. Mat, vaike, jeigu prekiaujama brangiais senoviniais papuošalais ir senovinėmis monetomis, tiksliai žinoma, kas ir kur pasaulyje yra. Žinoma, kas ką turi, kokia giminė parduoda ir kokie žmonės ar muziejai nuperka. Prekyba meno kūriniais yra tik savas pasaulėlis. Visi vieni kitus pažįsta, ir visi žino apie prekes. Skaito tuos pačius katalogus ir važinėja į tuos pačius aukcionus. Ir jeigu staiga būtų kas nors pasiūlyta iš Vengrijos karalių lobio, būtų lyg bombos sprogimas, ir aš, be abejo, būčiau išgirdęs. – Jis šelmiškai nužvelgė mane. – Bet kaip tik šito ir nenutiko.

– Taigi tu nusprendei, jog lobis dar čia.

– Tikrai. – Dėdė Eduardas patenkintas nusišypsojo pats sau.

Pasvarsčiau.

– Nesuprantu tiktai vieno dalyko, – pratariau, – jeigu aš būčiau buvusi tavo prosenelis, nebūčiau galėjusi ramiai miegoti nė vienos nakties. Argi jam nerūpėjo, kur tas lobis?

Grafas skambiai nusikvatojo:

– Sakai nerūpėjo? Gerai. Jis taip degė iš smalsumo, kad visą savo gyvenimą nieko kita daugiau ir negalvojo. Buvo toks apsėstas tos minties, kad net nubraižė šį istorinį planą. Jis stengėsi įsibrauti į kiekvieną šiame plane nubraižytą patalpą ir nuodugniai ją iškrėsti. Privalu jį labai gerbti ir už tai, kad jis laukė dešimt metų, ar kas nors neatkaks pasiimti lobio.

– Ir jis nieko nerado? – paklausiau užjaučiamai ir nugėriau konjako. – Po tokio klaikaus darbo? Nelabai teisinga.

Dėdė Eduardas nutaisė profesoriaus veidą.

– Kiekvienas darbas, vaike, visuomet atlyginamas. Žinoma, jis kai ką rado. – Ir parodė į planą: – Čia, po senais laiptais už pilies koplyčios, jis iškasė pilną ąsotį nuostabių senovinių aukso monetų. Iš keturioliktojo amžiaus, iš Liudviko Pirmojo laikų. Tada Vengrija buvo didžiulė ir net turėjo savų aukso kasyklų.

– Ar tos monetos buvo Vengrijos karalių lobio dalis?

– Atrodo, kad ne. Manau, kad auksas jau seniai ten gulėjo. Gal buvo užmūrytas per paskutinę turkų apsiaustį.

– O daugiau jis nieko nerado?

– Ne, vaike.

– Vienintelį ąsotį, – pasakiau nusivylusi ir padėjau taurę. Konjakas priešpiet man buvo pernelyg stipru. Dėdė Eduardas pasipiktino:

– Sakai, vienintelį ąsotį? Nesuprantu tavęs. Su šitiek aukso galėtume kaipmat atsipirkti dvarą. Ar žinai, kiek jis buvo vertas? Tai buvo didžiulis turtas. Patikėk manimi! Mano prosenelis už tuos pinigus pastatė jėgainę ant upės. Kronegas buvo pirmoji pilis visoje šalyje, kuri turėjo elektrą. Tai bent įvykis tada buvo. Visi laikraščiai rašė.

– Bet *dabar* mums iš to jokios naudos, – pasakiau. – Mes prijungti prie bendro elektros tinklo.

– Mielas vaike, – nepritariamai pasakė grafas, – tu klysti kaip visi jauni žmonės ir galvoji tik apie šiandieną. Nors mūsų jėgainė nebeveikia, ji visiškai tvarkinga. Jeigu užgrius krizė ir dings elektra, Kronegas visuomet turės elektros energijos. Ši mintis mane labai ramina.

– Mane irgi, – pasakiau, kad nudžiuginčiau dėdę Eduardą. – Bet kaip tu rasi tą karalių lobį? Ar turi planą?

Grafas pripylė konjako ir palaimingai šyptelėjo:

– Mano prosenelis buvo darbštuolis. Aš jam neapsakomai dėkingas. Jis atliko svarbiausius parengiamuosius darbus, įsilauždamas pro šias storas sienas. Dabar aš to negalėčiau padaryti. Tiesa, vėliau jis liepė viską užmūryti, bet tik laikinai. Su mediniu plaktuku iškart aptinki silpnąsias vietas.

– Dėde Eduardai, – pasakiau žiūrėdama į planą, – apvaliajame bokšte, kur tu kaip tik ieškai lobio, apskritai nieko nepažymėta.

– Teisybė, vaike. Taikli pastaba. Bet juk žinai, kad aš nelabai noriai pasikliaunu kitų žmonių sprendimais, todėl skaičiavau pats. Mama visiškai teisi. Net masteliai plane netikslūs. Šiaip ar taip, aš toliau ieškojau savo nuožiūra, ir mane palaikė geroji lemtis. Anete, kai prieš dešimt dienų aš padaužiau koridoriaus sienas apvaliajame bokšte, aptikau ploną vietą. – Jis patylėjo ir įkvėptas pasižiūrėjo į mane. – Už sienos, – kalbėjo jis toliau, o tamsios jo akys švytėjo, – yra siaura ilga patalpa, penkių metrų ilgio, dviejų pločio. Jos mano prosenelis nepastebėjo.

– Patalpa apvaliajame bokšte, šiaurinėje jo sienoje? *Niekuomet* nesu girdėjusi.

– Aš taip pat. Niekas iš giminės apie ją nežino. Ši patalpa yra senovinės pabėgimo sistemos dalis iš tų laikų, kai apvalusis bokštas dar buvo varpinė. Spėju, kad iš čia požeminis urvas veda į Lokenšteiną. Matai, kad neįmanoma visko žinoti. Net nenutuokiau tą urvą esant. Žinau tik vienintelį kelią pabėgti, tą, kurį žinome visi: iš žemutinės sarginės.

– Bet kaip svetimi žmonės galėjo sužinoti apie tą patalpą?

– Kaip pirštu į akį pataikei. Manau, kad jie ir nežinojo. O spėju štai ką: žmonės, kurie norėjo paslėpti lobį, ėmė ardyti sieną kur papuola ir netyčia pateko į tą patalpą. Jie prakalė angą pakankamo dydžio sau, skrynioms ir...

– Tai tu jau matei skrynias? – pertraukiau jį. – Kaip šaunu! Kiek jų tenai?

– Skrynių aš *nemačiau*.

– Juk ką tik sakei...

– Aš jų nemačiau. Patalpa tuščia.

– Tuščia? – pakartojau be galo nusivylusi.

– Visiškai tuščia, – tarė grafas ir patenkintas žiūrėjo į savo taurę.

– Tada niekaip nesuprantu tavo džiaugsmo. Man tai įrodymas, jog lobis vis dėlto kadaise buvo išneštas.

Dėdė Eduardas gudriai nusišypsojo:

– Jeigu tu, vaike, nebūtum manęs nutraukusi, dabar nesisvaidytum tokiomis neapgalvotomis išvadomis. Mat ketinau pridurti štai ką: ta patalpa yra siaura ir ilga. Trys sienos iš tvirto akmens, taigi iškart matyti, kad neliestos šimtmečius. Bet ketvirtoji siena – iš akmens plokščių ir *plytų*. Ar tau tai ką nors byloja? Plytos senoviniame romaniniame bokšte? Ką tai reiškia, vaike? Atsakyk!

– Kad jos įmūrytos vėliau, – tariau susijaudinusi.

– Tiesa! Jos įmūrytos vėliau, būtent 1849 metais. Jeigu nori paklausyti mano nuomonės – nepertraukinėk, tada skrynias sukrovė palei ilgąją patalpos sieną ir užmūrijo apsaugine akmenų ir plytų sienele. Na, kaip tau ši mintis?

– Skamba logiškai, – pasakiau.

Dėdė Eduardas džiugiai linktelėjo galvą.

– Ji ir *yra* logiška. Šiandien padaužiau tą sieną, ji mažne griūva ant tavęs. Deja, tai labai nepatogu. Išklibėjo gana didelis akmuo ir vos per plauką nenukrito man ant kojos.

– Ar tu tik šiandien priešpiet patekai į tą patalpą? – pasidomėjau susijaudinusi.

Grafas linktelėjo.

– Nepatikėsi, bet sugaišau dešimt dienų, kol išardžiau skylę. Jie užmūrijo kaip dera, tikrai. – Jis apžiūrėjo subraižytas savo rankas. – Šiandien po pietų pasidarbuosiu laužtuvu, – pridūrė jis linksmai. – Ir jeigu seksis, rytoj ar bent poryt viskas bus baigta. Tada mums nebereikės sukti galvos dėl dvaro.

– Maldauju, dėde Eduardai, *maldauju*, leisk man padėti! – pratrūkau aš. – Esu stipresnė, negu tu manai, aš irgi galiu naudotis laužtuvu.

– Esi mėginusi? – susidomėjo grafas.

– Ne. Bet juk negali būti taip sunku. Tu taip pat nesi mūrininkas, o vis dėlto imiesi šito darbo.

– Tai kas kita, – oriai sušuko dėdė Eduardas. – Vyrų supratimas apie mūrijimą kitoks negu moterų.

– Nesąmonė, – nusijuokiau aš, – pats netiki savo žodžiais!

– Anete, – nutraukė mane grafas, – tau nevalia man padėti. Pernelyg kris į akis, jeigu staiga *mudu* imsime nuolat dingti. Prisimink močiutę, ji jau ir šiaip netveria smalsumu. – Jis tiriamai nužvelgė mane. – Tavo močiutei *nieko* nevalia žinoti. – Supranti, ką sakau? Jai nevalia žinoti, tai nepaprastai svarbu.

– Bet kodėl, dėde Eduardai?

– Kad pernelyg nesusijaudintų.

– Močiutė? Niekuomet gyvenime! Jos nervai geresni už mūsų visų kartu. Juk tu ir pats žinai.

– Gal, – pritarė grafas, – bet šiuo atveju jai *nevalia* žinoti. Supratai, kad tu nieko nežinai? Pasižiūrėk man į akis, Anete! Ar galiu tavim pasikliauti?

– Žinoma.

– Ar man šventai prisieki, kad nė vienam žmogui nepasakosi apie Vengrijos karalių lobį?

– Prisiekiu.

– Šventai?

– Prisiekiu šventai.

– Visu tuo, kas tau miela ir brangu?

– Visu tuo, kas man miela ir brangu.

– Puiku, – tarė dėdė Eduardas ir susidaužė su manimi taurėmis.

– Bet aš vis dar nesuprantu, kodėl kaip tik močiutei nevalia nieko žinoti.

Grafas paspringo ir užsikosėjo. Pašokau ir padaužiau jam nugarą.

– Ačiū, – sušvokštė jis vėl atgavęs kvapą, – jau gerai. Sėskis! Atsakau: močiutei nevalia sužinoti, nes ketinu jai padovanoti karalių lobį gimimo dienos proga. Tai bus staigmena, supranti? – Jis atsistojo ir pasižiūrėjo į laikrodį: – Pietų metas. Dabar nulipsime į apačią ir elgsimės kaip paprastai. Jokių užuominų, žvilgsnių ar išdavikiškų pastabų. Ar supratai, vaike? Apsimesime, kad nieko neįvyko. Beje, visai nenoriu valgyti, bet juk būtina laikytis padorumo.

– Aš irgi neišalkusi, – tariau ir pajutau, kad viduje visa virpu. – Bet esu ramut ramutėlė. Gali manimi pasikliauti.

– Nuostabu! – sušuko dėdė Eduardas. – Štai paimk taurę! Žinai ką? Išgersime dabar už lobio paieškas, už Leopoldą, už jo veidą, kurį jis nutaisys liepos 31 dieną. Jeigu aš neklystu, mums liks džiugus prisiminimas visam gyvenimui.

10

Pietūs buvo be galo, be krašto. Sėdėjome trise mažame, mediena apmuštame valgomajame, ir močiutė mėgino užmegzti pašnekesį. Prancūziškoje virimo knygoje ji šiandien aptiko įdomių receptų ir norėjo išgirsti mūsų nuomonę. Ją ypač sudomino du daržovių užkandžiai, kuriais ketino vaišinti svečius per savo gimtadienį.

Grafas bambtelėdavo atsakydamas vieną kitą žodį, o aš iš viso negirdėjau, kas kalbama. Tegalvojau apie Vengrijos karalių lobį ir net nejutau valgio skonio. Šiandien po pietų arba rytoj rytą mes sužinosime tiesą. Tik sukežusi siena teskyrė mus nuo lobio skrynių, aukso monetų, žiedų, grandinėlių ir diademų, kurios išvaduos nuo visų piniginių rūpesčių. Nuo šios minties man virė kraujas. Taip jaudinausi, kad vos galėjau nuryti kąsnį.

Močiutė, aišku, tai pastebėjo: juo labiau kad buvo patiekta įdarytų paprikų, o prieš jas – gardžios daržovių sriubos su grietinėle ir rėžiukais; šiuos valgius labiausiai mėgau aš ir dėdė Eduardas.

– Ar neskanu? – paklausė ji ir susirūpinusi mane nužvelgė. – Gal karščiuoji, Anete? Tavo skruostai degte dega. – Ji uždėjo ranką man ant kaktos, kad patikrintų karštį. Nusiraminusi atitraukė: – Viskas gerai. Tad valgyk! Patiekalai tobulai parinkti tokiai šaltai ir lietingai dienai kaip ši.

Dėdė Eduardas irgi buvo išsiblaškęs. Vos močiutė nutilo, jis svajingai įsižiūrėjo į vieną tašką, pamėgino pasemti sriubos šakute, o kai nepavyko, garsiai nusišnypštė į damasto servetėlę.

– Dėl Dievo, Eduardai, – pasibaisėjusi sušuko močiutė, – ar neturi nosinės?

Grafas apstulbęs spoksojo į servetėlę rankoje:

– Pardon, mama, sumaišiau.

Tada išsiėmė nosinę ir pasikišo po smakru. Močiutė neteko amo, bet greit susitvardė.

– Na, tai *kas* judviem nutiko? – sušuko ji ir tiriamai permetė mane ir dėdę akimis. – Ar slapčiomis prisisiurbėte? O gal jums pasirodė vaiduoklis? Eduardai, elgiesi kaip mažvaikis. Slėpk nosinę, girdi? Nosinę! Ji tau ant kaklo!

Dėdė Eduardas suraukė vešlius antakius:

– Nesuprantu, ką čia šneki, mama.

Jis bejėgiškai pasižiūrėjo į mane.

Močiutė neteko kantrybės, pasilenkė ir pirštų galiukais ištraukė jam iš už marškinių apykaklės nosinę.

– Štai! Prašau įsidėti ją tenai, kur dera. Ir galų gale paaiškink, ko toks susirūpinęs. Tu manęs visai negirdi.

– Girdžiu, girdžiu, – sušuko dėdė Eduardas, baisiai susinepatoginęs. – Kiekvieną žodį. Bet po pietų turiu iškart lėkti į dvarą, visąlaik galvoju apie derybas. Atsiprašau, mama, daugiau to nebus.

Ir jis susikišo servetėlę ir nosinę į kelnių kišenę.

Močiutė nieko nebesakė, ir pietauti baigėme gaubiami tylos. Tačiau ji nė akimirką neatitraukė nuo mūsų akių ir pati padarė išvadą. Po pietų užsispyrė užlipti su manimi į dirbtuvę.

Apsirengusios ilgais lietpalčiais su gobtuvais, įsispyrusios į guminius batus, didvyriškai įveikėme didįjį pilies kiemą. Kai kur vanduo mums siekė iki blauzdų, bet mažajame kieme buvo geriau.

– Pagaliau, – su palengvėjimu atsiduso močiutė, kai be didesnės žalos nusigavome į dirbtuvę. – Atsikapstėme.

Tada pakorė varvančius mūsų lietpalčius ant tuščio molberto, nusimovė guminius batus ir patogiai atsisėdo į mėgstamiausią dėdės Eduardo krėslą. Jis stovėjo šalia krosnies, buvo apmuštas raudonu aksomu, o jo kojos buvo liūto letenų pavidalo.

– Eikš! – Močiutė mostelėjo į išpjaustinėtą kėdutę jai iš dešinės. – Sėskis! Dabar klusniai atsakysi į mano klausimus.

– Ar galiu piešti? – nedrąsiai paklausiau. Bijojau, kad neišduotų mano veidas.

– Kaip nori. Bet pirma manęs paklausyk. Tai va: atskrendu čionai iš pietų Prancūzijos, pusę metų nemačiusi sūnaus. Džiaugiuosi jo draugija ir tikiuosi, kad džiaugiasi ir jis. Bet kas nutinka? Jis vengia manęs kaip maro. Dingsta ištisas dienas, kalba nesąmones, visaip išsisukinėja. Juk pati matei, kaip elgėsi šiandien per pietus. Ar tai normalu?

Gūžtelėjau pečiais, mėgindama išvengti tiriamo močiutės žvilgsnio.

– *Panašiai* elgiesi ir tu. Judu man panašūs į sąmokslininkus. Kažkas čia vyksta, apie tokius dalykus aš nutuokiu. Bet neaiškink man, kad tai susiję su pasirengimais mano gimtadieniui.

– Bet tai tikrai susiję su tavo gimtadieniu.

Močiutė pamąstė.

– Kada tu sužinojai, kur mano sūnus pradingsta ištisą dieną?

– Šiandien priešpiet.

– Ar jis tau išsipasakojo, Anete?

– Netiesiogiai. Sužinojau pati netyčia. Bet šventai jam prisiekiau, kad nė vienam žmogui nepasakysiu, ką jis veikia, o ypač *tau*.

– Kodėl?

– Kad būtų staigmena.

– Šit kaip, – tarė močiutė ir keistai nusišypsojo. – Vadinasi, šitaip. Kaip tik to ir bijojau. Tau nereikia laužyti šventos priesaikos, vaikeli. Man aišku kaip dieną. – Ji atsiduso ir kalbėjo toliau: – Juk žinai, kad esu nepataisoma optimistė. Tvirtinau sau, jog nieko baisaus. Tai susiję su geležies dirbinių rinkiniu, Eduardas meistrauja man kokį daiktą, gal dailią ketaus krosnelę ar panašiai. Juk ir tada galima susibraižyti rankas. Bet vakar tas subraižytas veidas ir beldimas, kurį girdžiu miegamajame, – ne, tikrai, tai man pernelyg pažįstama. *Tą* bildesį aš pažįstu. – Ji vėl atsiduso, bet šįkart dar graudžiau. – O juk taip stengiausi, kad jis šito išvengtų, – tarė žiūrėdama iškankintomis akimis. – Kaip matau, nepavyko.

Jos balsas mane sujaudino.

– Apie ką tu kalbi, močiute? Nuo ko jį saugojai?

– Nuo giminės ligos, vaikeli! Užkrato! Paveldimos ligos!

– Paveldimos ligos? Bet juk mes visi sveiki kaip ridikai. Mūsų giminėje niekuomet niekas nesirgo jokia paveldima liga.

– O ne, sirgo. Žinai, nuo kada? Nuo praėjusio amžiaus, tiksliau – nuo 1849 metų. Mano karta jos išvengė, bet sūnus neabejotinai užsikrėtė. Ir, žinai, ypač sunkia forma. Dabar jį ištiko priepuolis, protas aptemo, liga perėmė visą, tad jis ieško Vengrijos karalių lobio.

Nedaug trūko, kad būčiau nugriuvusi nuo kėdutės:

– Kaip? Tu žinai apie Vengrijos karalių lobį? Juk tai didžiausia visų laikų paslaptis. Aš šventai prisiekiau...

– Vaikeli, – užjaučiamai nutraukė mane močiutė, – aš juk užaugau pilyje ir žinau senas giminės istorijas geriau negu judu abu kartu. Vengrijos karalių lobis aptemdė mano jaunystę. Visus giminės vyrus išvarė iš proto. Pradėję ieškoti, jie taip ir nepaliaudavo. Mano senelis išgriovė pusę pilies, kad jį rastų. Buvo kaip apsėstas. Kampuotajame bokšte vos nenusisuko sprando. Kaip manai, kodėl mes netekome Lokenšteino? Senelis, iškasęs pilną ąsotį auksinių monetų ir iš anksto džiaugdamasis nauju būsimu radiniu, taip švaistė pinigus ir tiek prasiskolino, kad Lokenšteiną turėjome parduoti. Tėvas irgi nebuvo geresnis. Prisiekė, kad ras lobį, niekuo daugiau nebesirūpino, apleido visus reikalus ir prisiėmė tokio dydžio kreditų, kad turėjome parduoti dvarą ir žemes, kad tik išgelbėtume Kronegą. Neįsivaizduoji, kiek aš prisikentėjau jaunystėje. Kai *pamatau* medinį plaktuką, iškart prarandu apetitą.

Netekau žado.

– Ar tai tiesa, močiute? – paklausiau gūždamasi. – Koks siaubas.

– Aišku, tiesa, Anete. Kai ištekėjau, prisiekiau sau visiems laikams palikti tą lobį žemėje. Neminėjau vaikams jo nė žodžiu, paslėpiau arba sudeginau visus dokumentus, kuriuose tik buvo paminėtas lobis. Mano vyras buvo geras verslininkas, ir mudu drauge atsigavome finansiškai. Bet kipšas nesnaudžia. Man reikėjo sunaikinti ir senuosius planus, tik niekaip neprisiverčiau.

– Tai ne tik istoriniai planai, – pasakiau, – tai ir seni laiškai. Dėdė Eduardas rado palėpėje krūvą tavo senelio laiškų. Ir jie jį įtikino.

– Labai įdomu. O kur jis ieško lobio?

– Apvaliajame bokšte! Už koridoriaus sienos jis aptiko ilgą siaurą patalpą, kurios nepastebėjo tavo senelis. Jis tikras, kad tenai užmūrytas lobis.

– Bet jeigu jo tenai *nebus*, – su pakaruoklišku humoru pasakė močiutė, – jis lieps *nugriauti* apvalųjį bokštą. Pamatysi, ką jis sugeba. Vargas, kai jie paleidžia vadžias. Tada jų niekas nebesulaiko.

Norom nenorom nusijuokiau:

– Nesigraužk šitaip, močiut!

– Nesišaipyk, vaikeli! Iš balso suprantu, kad visa tai tave linksmina. Tik meldžiu – neįsitrauk pati. Tai geras patarimas. Tiesa, kol kas susirgdavo tik giminės vyrai, bet, regis, virusas puikiai išsilaikęs, gal dabar ir tu tapsi auka.

Paėmiau smulkią močiutės ranką ir pabučiavau:

– Maldauju, nesirūpink! O kad nusiramintum: dėdė Eduardas jau bemaž rado lobį. – Patogiai atsisėdau ir išklojau viską apie skylę ir palaikę plytų sieną. – Šiandien popiet jis darbuosis laužtuvu, ir ryt išauš didžioji diena. Aš taip jaudinuosi, – baigiau pasakojimą. – Manau, šiandien net nebegalėsiu tapyti.

Močiutė šįkart prašneko pakeltu balsu:

– Vengrijos karalių lobis *ne Kronege! Jo čia nėra,* esu visiškai tikra. Jaučiu. Patikėk manim, niekas jo anuomet čia neatnešė. Tai buvo triukas suklaidinti Habsburgams. Dedu galvą, kad jis buvo paslėptas kurioje nors kitoje Vengrijos pilyje ir ten tebėra iki šiol. O šiandien užlipau pas tave todėl, kad turi man padėti tuo įtikinti ir savo dėdę.

– Bus sunku, – paprieštaravau. – Dėdė Eduardas tvirčiausiai įsitikinęs, kad ras lobį.

– Visi jie buvo tikri, – tarė močiutė. – Tokie tikri, kad prisiėmė kreditų lobio dar neiškasę. Anetėle, susiprotėk! Net jei lobis ir būtų čia paslėptas, pilis pernelyg didelė, kad kada nors būtų surastas. Pagalvok apie sienas! Juk daugelyje vietų jų storis vienuolika metrų; ką jau kalbėti apie pamatus. Prisimink požemius! Jie per visą pilies kalną veda iki pat upės. Ieškant iš tiesų kruopščiai, reikėtų paversti pilį į akmenų skaldyklą. O tai jau beprotybė. Argi nesuvoki? Lyg užsimotum griauti piramides.

Koridoriuje pasigirdo žingsniai. Atsivėrė durys ir įėjo dėdė Eduardas. Apsirengęs elegantiška pilka eilute, su neperšlampamu lietpalčiu ir žaisminga skrybėle, papuošta kalnų ožkos plaukų kuokšteliu. Jis trynėsi rankas, regis, puikiai nusiteikęs.

– Nors man kuo skubiau reikia į dvarą, – pareiškė jis, – dar norėjau trumpai pasižiūrėti, kaip tapo Anetė. Tavo tiesa, mama, ji išmano šį darbą.

Jis prisitraukė kėdę ir atsisėdo. Močiutė tylėjo kaip žemė.

Dėdė Eduardas apžiūrinėjo skrynią. Nuotaką buvau baigusi vakar, o ir jaunikis jau buvo atkurtas, teliko jo puošnios siuvinėtos odinės kelnės.

– Figūros neblogai pavyko, – pagyrė mane grafas. – Nuotakos suknia tikrai puiki. Gerai pieši, vaike. Kaip tu manai, mama?

– Aš visai nieko nemanau, – atkirto močiutė neįprastai piktu balsu, tyčia nežiūrėdama į sūnų.

Grafas nustebęs pažvelgė į motiną:

– Kas atsitiko? Susibarei su Anete?

– Kur jau. Bet ką tik gavau smūgį, kuris man sutrumpins likusį gyvenimą.

– Dėl Dievo, – riktelėjo susirūpinęs dėdė Eduardas, – nuo ko tas smūgis?

– Nuo tavęs.

– Manęs?

– Žinoma. Nuo ko daugiau?

Dėdei Eduardui pritrūko žodžių.

– Ką gi, tai bent gražumėlis! – pasipiktino jis. – Kaip gali šitaip sakyti? Prašyčiau – kaip aš galėjau tau smogti?

– Su *mediniu plaktuku*.

– Ką?

Močiutė pasižiūrėjo į sūnų:

– Pasakysiu kelis žodžius: Vengrijos karalių lobis.

Grafas piktai pasigręžė į mane:

– Anete...

Bet tik tiek. Močiutė įsiplieskė:

– Eduardai Zilvesteri, Anetė tylėjo kaip kapas. Man jos pagalbos nereikia, kad perkąsčiau, ką tu dirbi. Man dar neprasidėjo senatvės marazmai, ir yra tam tikrų ženklų, kurių nepamiršiu, kol gyva būsiu. Tai štai, sūnau: jeigu mūsų giminės vyras slankioja su tokiomis apgliaumijusiomis akimis, jeigu valandų valandas prapuola lyg skradžiai žemės, vėl pasirodo subraižytas, valgo sriubą šakute ir nepaleidžia iš rankos medinio plaktuko, aš net užhipnotizuota pasakyčiau, kas dėl to kaltas.

Dėdė Eduardas sutrikęs nuleido akis.

– Iš tiesų, mama, man be galo nesmagu. Nieku gyvu neketinau tavęs jaudinti. Žinau, kaip tada buvo, ir tavo tėvas - kaip čia pasakius – prašovė pro šalį.

– Aš niekuomet netikėjau tuo karalių lobiu, - įsiterpė močiutė, - netikiu ir dabar.

– Aš žinau. Todėl ir slėpiau nuo tavęs. Supranti? - Jis atsitiesė, tamsios akys sužibo. – Bet, mama, likimas mane pasirinko atitaisyti padėčiai. Lobis čia, ir tu jau gali džiaugtis. Su tuo auksu, kurį aš šiandien ar rytoj išvilksiu į dienos šviesą, galėsime susigrąžinti dvarą *ir* Lokenšteiną.

– Šit kaip, galėsime?

– Žinoma. Lobis kaip jau ir rastas.

Močiutė meiliai pasižiūrėjo į sūnų:

– Nenoriu gadinti tau džiaugsmo, bet gal tau pasakyti, kiek kartų jau girdėjau tokius žodžius?

– Aš jau jį radau, - atkakliai pakartojo grafas.

– Tu net panardinai į auksą pirštus?

– Dar ne. Bet auksas jau ranka pasiekiamas. Jis už apgriuvusios sienos. Padėsiu jį tau prie kojų gimtadienio proga.

Močiutė atsistojo.

– Eduardai Zilvesteri, vargu ar tai įmanoma. Gal aš verčiau išvažiuosiu. Išsivešiu ir Anetę, kad neapkrėstumei jos savo kvailybėmis.

Grafas irgi pašoko.

– Apie tai negali būti nė kalbos, – suriko piktai ir gindamas mane atsistojo priešais. – Tu pasiliksi čia, Anetė taip pat. Juk tą aš darau *judviem*, argi nesuprantate?

– Aš išvažiuosiu, – pakartojo močiutė, – nes nenoriu kasryt pabusti iš baimės ir galvoti, ar vienintelis mano sūnus šiąnakt dar liko gyvas.

– Bet naktį aš neieškau, mama. Tu pernelyg baili. Draskaisi taip, lyg aš kopčiau į Himalajų kalnus.

– Himalajų kalnus? Nors plyšk iš juoko! Aš iš viso nebijau kalnų ar šiaip *aukščio*. Aš bijau *gilių duobių*, kokių paprastai būna senovinėse pilyse. Ar prisimeni mano senelį? Nedaug trūko, kad ieškodamas lobio būtų nusisukęs sprandą. Kampuotajame bokšte jis įgriuvo į seną šachtą, ir praėjo dvi dienos, kol jį rado kamerdineris.

Dėdė Eduardas išklausė ją net nemirktelėjęs.

– Tenai, kur *aš* ieškau, žemė tvirta, mama. Aš viską išbaladojau, centimetras po centimetro. Grindys iš tvirtų akmens plokščių, niekur nė skylės. O siena, apie kurią tau pasakojau, siena, kuri sumūryta priešais lobio skrynias, – tuščiavidurė. Patikėk manimi, sugaišiu tik kelias valandas. Ji net griūva ant tavęs, vos paliesta.

– Gerai, – drėbė močiutė, – bent žinosime, kur tave atkasti, jei neateisi vakarienės.

– Siena...

– Bet pirmiau prašyčiau parašyti testamentą! Aš *nemaniau*, kad tave pergyvensiu, bet pasaulis pilnas netikėtumų.

– Mama, tu nesveika.

– Anaiptol. Man tik alergija – nuo Vengrijos karalių lobio. Dovanok, Eduardai Zilvesteri, kad prigesinsiu tavo nuotykių troškimą, bet štai ką tau labai rimtai pasakysiu: jeigu iškart nesiliausi ardyti pilies, aš išvažiuosiu.

– Tu man uždraudi ieškoti?

Močiutė maloniai linktelėjo galvą.

– Ar tau aišku, kad šitaip rizikuojame netekti dvaro?

Močiutė šypsojo kaip sfinksas.

– Juk tu dar turi atsarginį ėjimą, argi ne? – Ji žvilgtelėjo į mane. – Prancūzišką, jeigu neklystu.

Regis, grafas neišgirdo.

– Tie dvaro reikalai labai rimti, – pakartojo jis. – Dėl Leopoldo viskas pavirto į varžytuves. Kaskart, kai pasiūlau sumą, jis pasiūlo dar didesnę. Šiandien priešpiet pridėjo dešimt procentų, tad dabar eisiu ir pakelsiu dar penkiais procentais.

Močiutė pakraipė galvą.

– O ką aš anksčiau tau sakiau? – paklausė mane. – Šitas virusas suminkština protą. Tokie pat simptomai kaip mano senelio. Tik tau jie pasireiškė, kai sulaukei penkiasdešimt aštuonerių, Eduardai, bet ir dabar dar per anksti. Žinome, kur tai nuves. Štai ką tau pasakysiu: dabar...

Tada suskambėjo telefonas. Suirzęs dėdė Eduardas čiupo ragelį.

– Kas yra? – suriko nepatenkintas. – Mums kaip tik svarbus pasitarimas. Kaaaip? – suriko staiga. – Dabar? Matyt, klaida. Buvo sakyta, po savaitės, ir nė dienos anksčiau. Nieko sau dalykėliai. Žinoma! Tuoj pat ateinu prie vartų.

– Neįtikima, – sumurmėjo padėjęs ragelį. – Mama, tu aiškiaregė. Man reikia lipti į apačią, užgriuvo nelauktas svečias. Iš Prancūzijos. Atsarginis ėjimas.

Močiutė pratrūko juoktis ir pasiėmė guminius batus bei lietpaltį.

– Pala, Eduardai! – linksmai šūktelėjo ji. – Mes irgi eisime. Anete, čiupk lietpaltį, kuo skubiau! Palydėsi mus. Šis svečias rūpi mums visiems.

11

Paskubomis palikome dirbtuvę: pirma močiutė, jai įkandin grafas, paskutinė aš. Nė vienas nieko nekalbėjome, visu keliu man kirbėjo vienintelė mintis:

„Kaip tik dabar, kaip tik dabar jis atvyko!“

Dar savaitė, ir niekam nė motais būtų buvęs Olivjė ir jo pinigai. Lobis būtų buvęs saugus, dvaras atpirktas. O dabar? Turint galvoje netikėtą močiutės pasipriešinimą ir naują Leopoldo pasiūlytą dvaro kainą, Olivjė priims išskėstomis rankomis. Grafas pasirinks jį, ne mane, jis įsikurs pilyje ir apkartins man gyvenimą. Graži ateitis!

Bet aš neketinu pasiduoti. Aš pasiryžau. Ketinau ieškoti lobio toliau viena. Žinojau tą vietą apvaliajame bokšte, o man močiutė juk neuždraudė. Aš pasirūpinsiu, kad auksas laiku sutviskėtų dienos šviesoje. Juk greičiausiai nesunku nugriauti sutrūkinėjusią sieną! Man iškart palengvėjo, kai tik pasiryžau toliau ieškoti lobio. Giliai atsidusau, iškėliau galvą ir nutaisiau šypseną. Aš pasirengusi. Pasitiksiu varžovą iš Paryžiaus nesigąsčiodama.

Kai nulipome į mažąjį kiemą, apsidžiaugėme pamatę, kad lietus liovėsi. Per stebėtinai trumpą laiką tamsiai pilki debesys užleido vietą sidabrintam ūkui, pro kurį jau buvo justi saulė.

- Žiū, kaip garuoja žemė, - sušuko močiutė, brisdama per valkas pirma mūsų, lyg vaikas po maudynių. - Bet kas tenai? - ji parodė į didžiuosius pilies vartus ir į sąmyšį prie jų. - Eduardai Zilvesteri, primena atsikraustymą. Ar tu ką nors nuslėpei nuo mūsų?

Po didžiuliais akmeniniais vartais, apsaugoti nuo lietaus, stovėjo penki elegantiški lagaminai. O šalia - kažkas panašaus į kelioninę drabužių spintą. Iš rūko tumulų, kurie kilo iš pilies griovio ir gaubė pakeliamąjį tiltą, išniro Hansas, sunkiai nešinas didele medine skrynia. Už jo šmėžavo Lotė ir tarnaitė, iš paskutiniųjų jėgų vilkdamos gramozdišką jūreivio dėžę. Bet tai dar ne viskas.

Iš miglos išniro milžiniškas skėtis geltonais ir mėlynais dryžiais, tokių pamatysi tik golfo aikštyne. Po juo žingsniavo perkaręs jaunuolis ilgu kelioniniu paltu. Atsidūręs po vartų arka jis rūpestingai suskliaudė skėtį, pasiglostė geltoną barzdelę ir tiriamai apsižvalgė. Saulė jau išlindo ir abu bokštai atsispindėjo valkose, kurios nuo vartų atrodė kaip visai padorus ežeras.

– *Mon Dieu!* – sutrikęs šūktelėjo jaunuolis. – Ar čia potvynis – o gal tai vandens pilis?

Tarnaitė sukikeno, o Lotė smuko į virtuvę. Hansas prasižiojo aiškinti, bet grafas jam neleido. Pralenkė mus keliais skubiais žingsniais ir pasveikino atvykėlį maloniai paplodamas per pečius.

– Nesibaimink vandens, – sušuko jis taip, kad nuskardėjo per visą kiemą, – po poros valandų jis susigers. Tu pamatei vienos rimtos liūties padarinius. Naudingus žemdirbystei. Mama, Anete, prieikite, juk jūs visi pažįstami! Anete, visiškai pamiršau tau pasakyti, kad pakviečiau Olivjė vasarai. Dabar nenuobodžiausi, vaike. Olivjė, ką tu pasakysi apie savo dailią pusseserę? Puiki, argi ne?

Olivjė nieko neatsakęs iškart plačiai nusišypsojo ir pagarbiai pabučiavo močiutei ranką, o man išbučiavo abu žandus. Turėjo pasistiebti, nes buvo už mane žemesnis trimis centimetrais. Reta barzdžiukė perbraukė man per smakrą. Buvo toks pat nesimpatingas kaip per Emilijos vestuves.

– Atvirai kalbant, – pasakė dėdė Eduardas, kuris itin nemėgo netikėtų svečių, – tai laukėme tavęs tik po savaitės. Ar pasiskubinai dėl kokios nors priežasties?

Olivjė įsiteikiamai nusišypsojo ir išskėtė rankas.

– Karštis toks, mielas dėde, kad nors mirk! – pasakė vokiečių kalba. – Nebepajėgiau ilgiau tverti nė akimirkos, bet labiausiai mane pastūmėjo smalsumas, teisybė. Gražioji jūsų pilis, norėjau ją pagaliau pamatyti.

Kaip daugelis kilmingų prancūzų, Olivjė į visus giminaičius kreipėsi „jūs", kad pabrėžtų savo aristokratišką kilmę. Per Emilijos vestuves jis net savo tėvams sakė „jūs", taigi nebuvo jokių abejonių, jog ir būsimai žmonai teks tokia garbė.

– Tu mums labai mielas svečias, – tarė močiutė, – bet jeigu būtum paskambinęs, Hansas būtų nuvažiavęs tavęs pasitikti į oro uostą. Kaip tu čia atkakai? Ar ne pernelyg daug vargo su šitiek bagažo?

– O ne, – sušuko Olivjė ir atsisagstė paltą, – tik lėktuve bagažas per daug svėrė, tad turėjau sumokėti *supplement*,* daugiau jokių rūpesčių. Paskui sėdau į taksi ir išlipau iš jo prie šių gražių vartų.

– Taksi? – nustebo dėdė Eduardas. – Bet nuo oro uosto iki čia daugiau negu du šimtai penkiasdešimt kilometrų!

– *Pardon*, du taksi, – pasitaisė Olivjė, – pasisamdžiau du taksi, nes turiu daugokai lagaminų.

– Du automobilius? – sušuko grafas, kuris baisėjosi tokiu išlaidavimu. – Tikriausiai labai daug kainavo.

Olivjė nustebo:

– Gal. Aš dar nepaverčiau į frankus, bet garantuoju jums, mielas dėde, Prancūzijoje būtų kainavę kur kas brangiau.

---

* Papildomas mokestis (pranc.).

– Ką gi, jei išgali sau leisti, – pasakė grafas, net nešyptelėjęs iš labai jau keisto Olivjė paaiškinimo. – Kad ir kaip ten būtų, tai tavo uždirbti pinigai. Bet *aš* būčiau pagailėjęs.

Užuot atsakęs, Olivjė įsiteikdamas nusišypsojo, atsargiai atrėmė milžinišką skėtį į sieną ir išdrįso žengti į didįjį pilies kiemą. Buvo apsiavęs brangiais batais ir kaip įmanydamas stengėsi jų neapsitaškyti. Ir jam tikrai pavyko neįlipti į valką. Nutaisęs žinovo veidą jis apsidairė.

– Labai gražu! – pagyrė. – Visai kaip nuotraukose, kurias man rodė mama. Bet tai ne tikra pilis, mielas dėde, ne *chateau*, prašom atleisti, nes mums, prancūzams, pilis yra tik Versalis, ir jokia daugiau. Kronegas yra *chateau fort*. Kaip bus vokiškai? Stipri pilis?

– Tvirtovė, – atsakė dėdė Eduardas, kuris nepakentė jokios kritinės pastabos apie Kronegą. – Ji vadinama tvirtove.

– *Merci,* – padėkojo Olivjė ir toliau nesivaržydamas apžiūrinėjo pilį, – *merci beaucoup** – Jis narsiai žengė vėl ir atkragino galvą.

– Du bokštai! – sušuko džiugiai. – Apvalus ir kampuotas, labai ypatingi. Abu viduramžių. Įdomu.

– Klysti, – pasakė grafas truputį suirzęs. – Kronege neturime viduramžių laikų bokšto. Apvalusis yra be galo senas, romaniškas, o kampuotasis viduramžiais buvo sugriautas ir atstatytas Renesanso laikais. Į akis krinta abiejų bokštų skirtumas. Ir žinovas kaipmat tą pamatytų iš statybinių medžiagų. O ką tu pastebi, kai žiūri į abu bokštus?

---

* Labai ačiū (pranc.).

Olivjė neatsakė. Išvydo bokšto laikrodį ir nustebęs stebeilijo aukštyn. Paskui sulygino bokšto laikrodžio valandas su tuo, ką rodė jo brangus rankinis laikrodis. Kiek padelsė, bet nesusitvardė. Grėsmingai bedė į dangų.

– Jūsų laikrodis rodo neteisingai. Viena valanda skuba!

Dėdės Eduardo kaklas trupučiuką paraudo.

– Mielas giminaiti, laikrodis rodo ne neteisingai, o kitaip. Tegu Anetė paaiškina tau kodėl. O dabar turi man dovanoti, kaip tik skubėjau į svarbų pasitarimą, kai tu taip netikėtai užgriuvai. Hansai, nuneškite bagažą į trečią aukštą, į kambarį virš mamos svetainės. Juk žinote, į tą su gražia aštuonioliktojo amžiaus krosnimi! Anete, tu pasirūpinsi mūsų svečiu! Parodyk jam pilį ir papasakok apie bokštus. Paskui visi susitiksime penktą valandą mažajame valgomajame per arbatos gėrimą.

– Ačiū, mielas dėde, – sušuko plačiai šypsodamas Olivjė, – ačiū už rūpestį. Bet man neprireiks gražiosios pusseserės. Mano mama, kuri prieš trejus metus mielai pas jus viešėjo, viską man paaiškino, taigi gražią jūsų pilį aš pažįstu taip gerai, lyg būčiau čia gimęs.

Jis nusilenkė, čiupo skėtį ir be žodžių nusekė paskui Hansą į viršų.

Mažojo valgomojo langai buvo į sodo ir daržo pusę. Nuo to laiko, kai jo valdove tapo Lotė, daržas džiuginte džiugino. Kairėje, šalia stiklinių virtuvės durų, augo prieskoniniai žalumynai. Pasirinkimas buvo gausus. Be petražolių, laiškinių svogūnų ir krapų, čia dar tarpo vešlūs ir sultingi verbenų, garščių, bazilikų, metėlių ir mėtų kerai.

Palei sieną prieš valgomąjį rūpestingai prižiūrimi ir puoselėjami augo vaismedžiai, noko abrikosai, persikai, obuoliai ir kriaušės. Pavasarį visa siena panėšėdavo į žiedų jūrą. Jau ir dabar buvo matyti, kad šįmet derlius bus puikus.

Lietus išėjo vaismedžiams į naudą. Kamienai liko švarutėliai, o lapai žvilgėjo lyg ką tik nulakuoti. Lygiai penktą mes suėjome į valgomąjį – močiutė, Olivjė ir aš. Pusbrolis buvo persirengęs puikiai pasiūta ruda eilute, apsiavęs beprotiškai brangiais gyvačių odos batais. Iš karto juos pastebėjau, nes jų kulnai buvo tokie aukšti, kad Olivjė dabar buvo net dviem centimetrais aukštesnis už mane. Pusbrolis linksmai žiūrėjo į mane iš viršaus ir net pirmąkart nusišypsojo. Praslinko ketvirtis valandos, o dėdė Eduardas vis dar nebuvo grįžęs iš dvaro. Močiutė pasiūlė jo palaukti, apžiūrėti virtuvę ir supažindinti Olivjė su Lote. Nors Lotė ir tempė Olivjė nešulius, pastarasis jai neprisistatė.

– Ji brangenybė, – pasakė močiutė, – virti išmoko Prancūzijoje. Privalu ją mylėti. Be abejo, juk nori su ja susipažinti?

Močiutė kalbėjo balsu, nepakenčiančiu prieštaravimų.

– Kaip pageidausite, mieloji teta, – pakluso Olivjė, bet iš jo veido buvo matyti, kad jis nelinkęs megzti draugystės su tarnais.

Džiugia širdimi aš irgi nuėjau į virtuvę, kur Olivjė teikėsi duoti Lotei kelis klausimus prancūziškai, pagirti jos kalbos įgūdžius ir galop net paspausti ranką.

Džiugia širdimi todėl, kad tikėjausi jo susidūrimo su Boniu, kad iš labai arti galėsiu stebėti, kaip paukščio žavesys paveiks mūsų svečią.

Bet nusivyliau. Kakadu tupėjo ne ant savo lipynės, o aukštai ant užuolaidos karnizo. Pamatęs Olivjė jis visai susigūžė ir nebejudėjo. Nepažįstamų paukštis visuomet bijodavo ir dabar jam rūpėjo likti nepastebėtam. Juk nežinia, ar tas nepažįstamasis nesikėsino į jo gyvybę.

Kadangi grafas vis dar nesirodė, Olivjė leidosi vedžiojamas po virtuvę. Jis pasigrožėjo naujomis varinėmis keptuvėmis, prieskonių gausybe, dekoratyvinėmis lėkštėmis ir ąsočiais, atsivežtais Lotės iš Prancūzijos. Jis žvalgėsi į kairę ir dešinę, į viršų ir apačią, bet, didžiausiam mano nusivylimui, Bonio nepastebėjo. Ir nieko keista. Kakadu buvo baltas, o virtuvė taip pat dažyta baltai. Geresnės maskuojamosios spalvos nerasi.

Pasvarsčiau. Gal man šiek tiek pagelbėti? Balsiai pakalbinti Bonį? Klausiamai pasižiūrėjau į močiutę, kuri stovėjo šalia Lotės ir žavėjosi ką tik iškeptu šokoladiniu pyragu. Ji kaipmat atspėjo mano mintis, bet drausdama papurtė galvą.

„Luktelėk, - bylojo žvitrios jos akys, - dar turėsime pakankamai laiko pasilinksminti".

Močiutė buvo teisi. Kaip tik tada, kai ketinome grįžti į valgomąjį ir gerti arbatą, pro duris veržliai įėjo dėdė Eduardas.

– Labai labai prašau dovanoti, – sušuko jis nusivoždamas skrybėlytę. – Derybos be galo ilgai užtruko. Kaip miela, kad manęs laukėte. Lote, kuo skubiau duok man puodelį arbatos.

Tarnaitė tūptelėjo, paėmė grafui iš rankos skrybėlytę ir padėjo nusirengti. Dėdė Eduardas įsikibo Olivjė į parankę ir norėjo išsivesti iš virtuvės. Bet kur tau. Staiga Olivjė pamatė veidrodį, kuris kabojo už Bonio medžio, o kadangi buvo smalsus žmogus, sustojo lyg nudiegtas.

Veidrodis buvo didžiausias Bonio numylėtinis. Juk visą dieną paukštį supo dvikojai beplunksniai milžinai, todėl paukštis prieš miegą iki soties šnekučiuodavosi su savo atvaizdu. Kad kuo labiau prie jo priartėtų, kakadu tebuvo palikęs tik truputį kitados puikių prašmatnių rėmų, ir tos liekanos atrodė apgailėtinai.

– Labai įdomu, – sušuko Olivjė ir parodė supleišėjusias liekanas. – Jūsų pilyje tikriausiai yra termitų? Niekad nebūčiau pamanęs. Pietų Prancūzijoje daug termitų, bet karštis tam labai tinka. Kaip jūs naikinate tuos gyvius, mielas dėde?

– Niekaip, – nusišypsojo grafas. – Tu čia matai ne termitų darbą. Čia mano kakadu išdaigos.

– Jūs turite paukštį? – pasibaisėjęs sušuko Olivjė ir atsitraukė per du žingsnius. Paskui atsargiai apsižvalgė. – Bet jo čia nėra, – tarė su palengvėjimu. – Kuo jis vardu?

– Papas! – sviedė žemyn kakadu nuo savo karnizo.

Olivjė nustebęs pasisuko į grafą.

– Atleiskite, mielas dėde, ką jūs turite galvoje? Paukščio vardas Papas? Aš maniau, kad „papas“ vokiškai, na, jūs žinote, tai žmogaus kūno dalis. – Jis akimirką svarstė. – Kodėl ne, – tarė paskui, – labai originalu. O kur jis yra, tas Papas?

Grafas sutrikęs pasižiūrėjo į savo pašnekovą ir staiga prapliupo griausmingai kvatotis. Ledai kaipmat buvo pralaužti.

Tarnaitė spigiai kikeno, Lotė pasigręžė į viryklę, jos pečiai įtartinai krūpčiojo, net močiutės akys pasruvo ašaromis. Olivjė įsižeidęs apžvelgė visus, nieko nesusigaudydamas.

Užtat atkuto Bonis. Kai buvo tiek pažįstamų, įsibrovėlis jam nekėlė jokio pavojaus. Jis oriai nužirgliojo karnizu, pašėliškai plakdamas sparnais ir taip klaikiai klykdamas, kad tas klyksmas smelkėsi iki širdies gelmių.

– *Nom de Dieu!** – suriko Olivjė, pamatęs kakadu, kuris išskleidęs sparnus triskart padidėjo. – Koks siaubas!

Jis išbalo kaip virtuvės siena ir puolė į valgomąjį. Tenai drebėdamas susmuko ant kėdės ir sustingo.

Jis žadino užuojautą. Šokome iš virtuvės jo raminti.

– Ar jis tave išgąsdino? – apgailestaudamas sušuko dėdė Eduardas. – Užjaučiu. Šitaip klykia be galo retai, patikėk manim! Nežinau, kodėl jis taip susijaudino. Bet jau nurimo. Juk girdi?

Olivjė vos linktelėjo galvą, bet neišlemeno nė žodžio. Jis stebeilijo į sidabrines pyrago lėkštes, mėlyną čekiško stiklo servizą ir aukštus arbatinius, mėšlungiškai mėgindamas paslėpti drebančias rankas.

---

* O Dieve! (pranc.).

– Kai judu susidraugausite, – paguodė jį grafas, – kuo puikiausiai sutarsite. Jis taurus paukštis, patikėk manimi! Atsiprašau, kad mes taip juokėmės, bet jis vardu Bonis, ne Papas. Bonis ar Paukštelis, gali jį vadinti kaip patinka. O štai ir Lotė su arbata. Pyragas vėl masinte masina. Jis ką tik iškeptas, tikrai bus skanus. Įdėsiu tau didžiulį gabalą, Olivjė, tai ramina nervus.

Regis, arbata atgaivino Olivjė. Ji buvo puiki: „Earl Grey“ ir „Lapsang“ arbatžolių mišinys. Net dėdė Eduardas gėrė ją be cukraus, kad pasimėgautų aromatu. Sulig pirmuoju puodeliu Olivjė liovėsi drebėjusios rankos, sulig antruoju – jo veidas vėl atgavo spalvą.

– Na, pasakok, – paragino jį grafas, kai tas sudorojo pyrago gabalą, – kaip tau sekasi?

Olivjė laukė šio klausimo.

– Neblogai, mielas dėde, – nusišypsojo jis, – tikrai neblogai. Aš labai reikšmingas, bemaž kaip generalinis direktorius. O juk tik dveji metai dirbu toje firmoje.

– Šaunu. Tavo mama rašė, kad turi reikalų su kelionių firma. Gal leistumei paklausti, kiek kapitalo į jį investavai?

– Kapitalo? – paklausė Olivjė, lyg niekuomet negirdėjęs šito žodžio.

Dėdė Eduardas pakartojo klausimą. Olivjė padėjo šakutę pyragui.

– Jūs klystate, mieliausias dėde. Aš neinvestavau jokio kapitalo. Esu tik tarpininkas Afrikoje. Visą žiemą praleidžiu prabangiame viešbutyje Kenijoje ir rūpinuosi svečiais, kuriuos tenai atveža firma.

– O kapitalo joje neturi? – nepatikėjo dėdė Eduardas.

– Ne, neturiu.

– Ir jokioje kitoje firmoje?

– Jokioje, mielas dėde.

– Tai ką tu veiki su savo pinigais? – Dėdės Eduardo balse buvo girdėti nuostabos gaidelė.

– Gyvenu, – pareiškė Olivjė, nepastebėdamas, koks sutrikęs dėdė. – Bet jau ne vieną kartą svarsčiau, gal įsteigti nuosavą firmą. Įdomu, kad jūs apie tai prašnekote. Paryžiuje prieš išvažiuodamas *ekstra* jums, mielas dėde, surašiau planus, tiksliai apskaičiavau ir pagrindžiau tuos skaičius. Viską pasiėmiau. Jeigu jūs turite atliekamų pinigų, galite patikėti man. Kelionių verslą žinau iki menkiausių smulkmenų, jokios rizikos, be jokių marškinių, ir galėsime bendradarbiauti. Mąstau apie naują kelionių firmą. Aptarnausime tik aukštuomenę ir skraidinsime į Afriką. Mielas dėde, aš direktorius, o jums atvira ausis. Ką norėsite, tą ir sakysite. Pelną dalysimės perpus. Ar gera mintis?

Dėdė Eduardas neteko žado. Jis bemaž įkišo stambią savo nosį į pyrago lėkštelę stengdamasis tvardytis. Padėtį išgelbėjo močiutė.

– Tavo pasakojimas tikrai įdomus, Olivjė, – nusišypsojo ji. – Mes rimtai pagalvosime. Bet juk tu ką tik atvažiavai, mums dar visa vasara prieš akis, tad užteks laiko pakalbėti apie verslą. Verčiau papasakok apie asmeninį gyvenimą? Ar turi linksmų naujienų?

Nuo ilgų šnekų vokiškai Olivjė išraudo skruostai, bet dabar jo akys sužibo. Pergalingai mus apžvelgė:

– Turiu puikių naujienų, mieloji grafiene. Pasveikinkite mane! Aš susirišau.

– Ką tu padarei? – Dėdė Eduardas atgavo savitvardą.

– Susirišau, mielas dėdė.

– Ar tu susižeidei?

– Ne, anaiptol. Aš susirišau su labai dailia dama, lygiai prieš tris savaites. O gal vokiškai ne taip sakoma?

– Tu kalbi apie *fiance?* – įsiterpė močiutė.

Olivjė dėkingai linktelėjo galvą.

– Jis susižadėjo. Na, Oliveri, tai nuostabi naujiena. Nuoširdžiausiai sveikiname!

Ji atsistojo ir pabučiavo jį.

– Aš nė žodžio negirdėjau apie sužadėtuves! – pasipiktinęs sušuko grafas. – Kodėl mums nieko nepranešėte?

– Tiesiog niekas apie tai nežino, mielas dėde, tik mama, Roza ir aš. Neišsiuntėme nė vienintelio atviruko, nes mano Roza tik po mėnesio skiriasi.

– Tu sakai, kad ji skiriasi? – Dėdė Eduardas priblokštas spoksojo į svečią. – Tai ar ji ištekėjusi?

– Tik popieriuje, dėde. Ji žaibiškai išsiskyrė su tuo pabaisa, pačią pirmąją naktį. Iššoka iš lovos ir tuoj įbėga į vonios salę, vargšiukė. Bet jis jos nepalietė. Gal dukart pabučiavo, daugiau nieko.

– O kas buvo jos vyras? – pasmalsavau.

– Naftos milijonierius. Krūva pinigų, bet jokio subtilumo. Mano Roza labai jautri. Jai prireikė vienerių metų, kad nuo jo atsigautų.

– Jeigu santuokos nebuvo, Olivjė, ją būtų galima anuliuoti, – įsiterpė dėdė Eduardas. – Ar apie tai pagalvojai? Tada tu vestumei neišsiskyrusią moterį.

- Galvojau, Roza irgi, bet tai labai sudėtinga ir brangu. Skyrybos kur kas greičiau.

- Ir aš taip manau, - pasakė močiutė, kuri netikėjo nė vienu žodžiu apie neįvykusią jungtuvių naktį. - Tavo Roza protinga mergina. Kokia jos specialybė?

- Ji fotomodelis, - išdidžiai pareiškė Olivjė. - Aukšta, rudaplaukė, ji nuostabi, tikra deivė!

- Prancūzė? - paklausiau aš.

- Ne, pussesere, amerikietė.

- O ką sako tavo motina?

- Iš pradžių norėjo tik prancūzės, bet susitaikė. Mano Roza jai labai patinka. Mano mama laiminga, kad mes tuokiamės. Ji sako, kad aš pernelyg ilgai laukiau.

Jis pergalingai nusišypsojo.

Dėdė Eduardas, kuris klausėsi nepertraukdamas, atsitiesė:

- Kiek tau metų, Olivjė?

- Trisdešimt.

- Ir tu patenkintas savo gyvenimu?

- Labai.

- Tada duosiu tau gerą patarimą. Nevesk!

- Eduardai, - sušuko močiutė, - ką tai reiškia?

Olivjė raustelėjo.

- Prancūzijoje, mielas dėde, mėgstama tuoktis. Visi mano draugai jau vedę ir turi vaikų.

- Na, ir? - karingai riktelėjo grafas. - Visi tuokiasi, visi susilaukia vaikų, visi apsigyvena bjauriuose naujuose namuose, perkasi siaubingus baldus ir klaikius paveikslus - kas tau rūpi? Jeigu visi šoks pro langą, tai gal ir tu šoksi paskui juos?

Olivjė be žodžių sėdėjo priešais savo pyrago lėkštę.

– Bandos jausmas yra didžiausia mūsų laikų blogybė, – toliau pamokslavo dėdė Eduardas. – Jis griauna mūsų kultūrą ir dorovę. Masės pasiduoda kūno geiduliams. Bet juk *tu* kilęs iš geros šeimos, Olivjė. Juk tau šito nereikia, argi ne?

Olivjė sutrikęs papurtė galvą.

– Na, matai, – patenkintas tarė grafas ir įsidėjo į lėkštę dar vieną gabalą pyrago. – Žinojau, kad esi supratingas vaikis. Duosiu tau patarimą visam gyvenimui, giminaiti. Jeigu nori ko nors pasiekti, visuomet elkis priešingai nei *kiti*. Turi skirtis. Jeigu visi tuokiasi, tu lieki viengungis. Ar aišku?

– Pala! – sušuko močiutė ir pasisuko į grafą. – Eduardai, šito tai jau per daug. Vargšelis apskritai nebesusigaudo. Motina kankina jį daug metų, kad turi susirasti žmoną, o tu nesugalvoji nieko geriau, kaip jį atkalbinėti. Tegu jis veda. Tai asmeninis *jo* reikalas.

Dėdė Eduardas pastūmė lėkštelę.

– Taigi, kad ne. Jis juk veda ne todėl, kad nori, o kad taip daro visi. Vadinasi, reikalas viešas.

– Nesąmonė, – karščiavosi močiutė, – jis pats to nori. Tu mėgsti vienatvę, bet kiti, aš irgi, labiau mėgsta būti dviese. Pasakyk, Oliveri, kodėl tu susižadėjai?

Oliveris susimąstė. Suraukė kaktą, jo ūsų galiukai drebėjo.

– Aš įsimylėjau, – pareiškė pagaliau.

– Na, matai! Jis myli. O kai myli, tai jau labai asmeniškas reikalas, – pergalingai pasakė ji.

– Aš nieko negaliu prikišti įsimylėjimui, – tarė grafas, – tik pasekmės man nepatinka.

– Kokios pasekmės? Ką tai reiškia, Eduardai Zilvesteri? Jeigu niekas nebesituoks, kaip žmonės dauginsis?

– Žmonės ir taip dauginasi pašėlišku greičiu. Visas pasaulis suka galvą, kaip tas mases išmaitinti. Ne susilaikymas, o *dauginimasis* yra nelaimė.

– Eik jau, – nekantriai pasakė močiutė, – čia ne vieta diskusijoms apie žmoniją. Čia kalbama apie šeimą ir dideles vestuves Prancūzijoje. Tikiuosi, pavasarį, ar ne? Sakyk, Oliveri, data jau sutarta?

– Luktelėk! – nutraukė ją grafas. – Oliveri, tu dar pagalvok! Fotomodelis nėra sutuoktinės idealas. Tavo Roza išmes krūvą pinigų drabužiams – ir flirtuos su liokajumi. Tegu ji būna tavo draugužė, bet nieko nepasirašinėk. Vedybos yra nesąmonė.

Šito močiutei jau buvo per daug.

– Taip. Vedybos nesąmonė? O kaip Anetė? Ar ir ji visą gyvenimą turi likti vieniša?

– Anetė kas kita, – nusišypsojo grafas. – Jos pareiga pripildyti giminės pilį mielų vaikučių. – Jis meiliai mane nužvelgė: – Be to, ji netekės už fotomodelio, kurio niekas nepažįsta, tekės už tvarkingo išauklėto vyriškio, kuris turi visa, kas privalu. Aš manau, kad tai skiriasi kaip dangus ir žemė.

Dabar Oliveris įsižeidė.

– Mielas dėde, – tarė jis piktokai, – mano Roza anaiptol ne iki dangaus, tikrai ne. Ji puiki vidinė moteris ir baronienės Seimur mokinė. Tai geriausia kulinarijos mokykla Paryžiuje. Ji baigė kursus, visko, ko pageidausite: žuvų, mėsos, vynų, desertų, pietų ir vakarienės. Ji stebuklingai gamina.

– Šit kaip? – suabejojo grafas.

– Ji man patinka jau vien todėl, kad moka gaminti, – palaikė močiutė Olivjė. – Eduardai, tau ir vėl viskas pernelyg niūru. Amerikietės kur kas geresnės, negu manoma. Amerikoje net duoną madinga kepti. Ne kartą apie tai skaičiau. Sumuštinių laikai praėjo. Kiekvienas kultūringas amerikietis dabar domisi gera virtuve.

– *Merci,* mieloji teta, – sušuko Olivjė ir dėkingai pabučiavo močiutei ranką. – Tikrai, taip ir yra! Roza yra labai *fidel,* labai *fidel,* kaip tą pasakyti vokiškai? Ištikima. *Merci.* Labai ištikima, kur kas labiau už prancūziškas.

– Tikiu tavimi. Tavo Roza man patinka. Kada mes susipažinsime su ja?

Olivjė nusišypsojo, o paskui visus nustebino paskelbdamas:

– Kitą savaitę.

– Kitą savaitę? – pakartojo dėdė Eduardas nesusigaudydamas. – Kaip kitą savaitę? Gal teiktumeisi pasakyti kur?

– Čia, mieliausias dėde.

– Ji atvažiuos čia? O *kas* pakvietė?

Olivjė laimingas žiūrėjo į savo išpuoselėtas rankas, kurias kaip klusnus mokinukas buvo pasidėjęs ant stalo.

– Aš. Ši puiki mintis mano. Rozai Italijoje fotopasimatymas, kelios dienos Milane su nauja žieminių drabužių kolekcija. Jeigu viskas bus gerai, užsuks čionai grįždama. Mieliausias dėde, mieliausia teta, *turiu* jus supažindinti!

– O kiek laiko ji čia bus? – paklausiau atsargiai.

Olivjė gūžtelėjo pečiais.

– Gal keletą dienų? – Jis klausiamai pasižiūrėjo į grafą.

– Visa tai *labai* įdomu, – rėžė dėdė Eduardas ir atsistojo. – Naujiena veja naujieną. Aš jau eisiu.

Olivjė iškart pašoko:

– Aš akompanuosiu jus, mielas dėde. Kai ką atvežiau ypatingajam jūsų rinkiniui. Nuostabių geležies dirbinių. Dar vaikystėje tokius dirbinius labai mėgau. Jie vis brangsta, beveik kaip auksas. Paryžiuje pavaikščiojau po antikvariatus ir parinkau jums du tris daikčiukus, kaip dovanėlę. Prašau jus pripažinti.

– Aha, – tarė dėdė Eduardas kiek švelniau, – medinės dėžės paslaptis. Na, gerai, lipkime į viršų. Man iš tiesų labai įdomu. Bet pasakyk, Olivjė, kur tu išmokai kalbėti vokiškai?

– Kalbų mokykloje, dėde, bet tik mėnesį mokiausi gramatikos. Paskui tobulinausi vienas su žodynu.

– Teisybė, – net nemirktelėjo grafas. – Žinai daug žodžių.

Olivjė padėkojo už pagyrimą, bet nė neketino sekti paskui grafą. Stypsojo šalia savo kėdės ir bailiai žiūrėjo į virtuvės duris.

– Nebijok, – nuraminau jį, – yra ir kitas kelias. Koridorėliu tiesiai į kiemą.

– Juo mudu ir eisime, – pritarė grafas. – Be to, Bonis šiuo metu pavargęs ir nenusileis nuo karnizo. Mama, Anete, ar galėčiau paprašyti, kad po pusvalandžio ateitumėte pas mane į ponų kambarį?

– Žinoma, – sušuko močiutė. – Bet pirmiau man knieti sužinoti, kaip ten tos vestuvės, Olivjė, ar data jau paskirta?

Olivjė atsisuko ir pasižiūrėjo svajingomis akimis:

– Paskirta, mieloji grafiene. Visi mes laukiame Rivjeroje jūsų vasario mėnesį, kai pražydina pirmosios mimozos.

12

– Na, ką pasakysi? – nusijuokė močiutė, kai per didįjį kiemą ėjome į ponų kambarį. – Argi viskas ne pagal programą? Vis dar tebemanai, jog tavo elegantiškas pusbrolis pavojingas?

Sustojau.– Man jo jau dabar gaila.

Močiutė aplenkė valką.

– Man irgi. Jis daro vien klaidas. Neturi pinigų, atsibeldžia savaite anksčiau, kritikuoja bokšto laikrodį, taip darko vokiečių kalbą, kad net mane pykina. Bet čia dar ne viskas. Jis lyg niekur nieko pasikvietė sužadėtinę, o tu žinai, jog tavo dėdė negali pakęsti nelauktų svečių. Ir dar fotomodelis! Gal ji didžiajame kieme su maudymosi kostiumėliu sumanys pasideginti. O kas tada nutiktų, palieku tavo lakiai vaizduotei.

Didžiajame kieme vanduo buvo nusekęs. Oras šiltas, o raudona saulė kybojo už kampuotojo bokšto. Žemė kvepėjo. Liūtis išėjo į naudą medžiams. Tiesa, trupučiuką nukentėjo erškėtrožių žiedai palei akmeninius mažojo kiemo vartus, bet jų šakos buvo apsipylusios naujais pumpurais, kurie netrukus turėjo pražysti. Hansas dideliu grėbliu iš po kaštonų grėbstė nulaužtas šakas ir nuplėštus lapus.

Kai tik įžengėme pro ponų kambario duris, tuoj pat pamačiau, kad istorinis planas kabo ant sienos šalia rašomojo stalo. Parodžiau močiutei, ir ji reikšmingai linktelėjo galvą. Ponų kambarys buvo pilies šeimininko šventovė. Jis buvo kimšte prikimštas knygų, paveikslų, statulų, biustų, brangių baldų ir įdomių niekniekių.

Prie senovinių odinių baldų komplekto stovėjo gaublys sulig žmogaus ūgiu, o ant stalelio priešais vieną iš keturių langų gulėjo dailus raižytas žalvarinis žiūronas. Parketą dengė didžiulis persiškas kilimas iš Tebrizo. Dėdė Eduardas mus pasitiko. Buvo visas išraudonijęs, jam grėsė įniršio priepuolis.

– Pagaliau, – sušuko jis ir mostelėjo į odinę sofą, – jau laukiau jūsų. – Paskui susmuko priešais mus į krėslą ir iškart prašneko apie reikalą: – Turime aptarti du svarbius dalykus. Vieną dorovinį, kitą materialinį. Ar žinote, ką man dabar pranešė mūsų poliglotas iš Paryžiaus? Kad ketina su savo fotomodeliu miegoti *viename* kambaryje. Tiesa, toji Roza paspruko nuo savo sutuoktinio nepalytėta, bet Olivjė reikalauja dalytis su ja guolį.

– Na ir kas? – Močiutė abejingai sukiojo savo smaragdinį žiedą. – Kas čia tave taip jaudina?

Dėdės Eduardo skruostai dar labiau išraudo.

– Kas jaudina? – sugriaudėjo jis. – Viskas jaudina. Šitas vaikis atvažiuoja ir bando lyginti Kronegą su Versaliu. Koks įžūlumas! Paskui užsimano pasikviesti nepažįstamą sužadėtinę, apie kurią niekas nieko nėra girdėjęs. Nori ne tik ją vesti, nori čia, pas mane, po mano stogu, atimti jai nekaltybę.

– Tu tuo tiki? – ramiai paklausė močiutė.

– Žinoma. Aš nieko taip klaikiai nekenčiu, kaip nepažįstamų žmonių poravimosi mano lovose.

– Eduardai Zilvesteri, poruojasi gyvuliai. Žmonės tai vadina meile.

– Vadink, kaip nori, – šėlo grafas, – tai, ką juodu ketina daryti, bjaurastis.

– O jeigu gurkštelėtume truputį tavo senojo konjako? – nutraukė jį močiutė ir meilingai pasižiūrėjo į sūnų, kuris klusniai pašoko ir atnešė pageidaujamo gėrimo. – Geresnio konjako neradau visoje Prancūzijoje.

– Tai va, mama, man reikia tavo patarimo. – Dėdė Eduardas įpylė konjako ir vėl atsisėdo. – Kaip manai, ką daryti?

– Juk tu pasikvietei Olivjė, negali reikalauti, kad jis nematytų savo sužadėtinės kiaurą vasarą.

– Kodėl negaliu? – paklausė grafas viltingai.

– Kad taip nedera. Kai myli, trokšti būti kartu.

– Bet tik ne mano lovose!

Močiutė gūžtelėjo pečiais:

– Jeigu tau Kronau viešbutis ir kaimynų apkalbos mieliau – prašau. Susiimk į nagą.

– Vadinasi, man nedera uždrausti jai atvykti į pilį?

– Nieku gyvu.

Dėdė Eduardas atsistojo ir niaurus ėmė vaikščioti po kambarį.

– Sugalvojau! – šūktelėjo jis staiga. – Žinau, kur įkurdinsiu tą damą. Žinoma, bokšto kambaryje.

– Juk tu ne rimtai!

– Aišku, rimtų rimčiausiai. Tai geriausias sprendimas. Jis liks, kur buvęs, tada tu galėsi jį pasekti. O *ji* apsistos kampuotajame bokšte, iš jo taip greitai nedrįs nulipti. – Jis patenkintas vėl atsisėdo ir trynė rankas: – Kaip tik šitaip. Ir kodėl man iškart nešovė į galvą?

Močiutė nusijuokė:

– Eduardai, tai neįmanoma. Kada ten paskutinįkart buvo kuopta? Regis, prieš dvidešimt metų. Ar ne? Juk tu puikiai žinai, kad tas kambarys negyvenamas. Jis pilnas voratinklių. O baldai vos laikosi.

Grafas nesileido perkalbamas:

– Tai man mažiausiai rūpi. Tarnaitė iššveis grindis ir nuvalys langus. Be to, vaizdas iš tenai neįkainojamas.

Močiutė vargais negalais tvardėsi, kad nesijuoktų.

– Sakai, vaizdas? Olivjė sužadėtinė tikrai čionai ne vaizdais atvyksta grožėtis, žinai tą puikiai, kaip ir aš. Tas kambarys niekuomet nebuvo skirtas gyventi. Mes jame žaisdavome, bet praėjo jau septyniasdešimt metų. Kai tik prisimenu tuos medinius laiptus į jį. Sprandui nusisukti! Ir jie tikrai sutrešę. Ar nori tą Rozą po žeme pakišti?

– Nenoriu, bet nekenčiu orgijų.

– Kampuotajame bokšte nėra vandens ir elektros.

– Na ir kas? Duosime jai žibalinę lempą.

– O kur ji prausis? Pardon, o kur ji atliks žemiškus reikalus?

– Tada ir teiksis nulipti į apačią.

– Rytą? Pusnuogė? Su naktiniais marškiniais?

Tikslus smūgis. Dėdė Eduardas atsiduso:

– Ką gi, tavo viršus. O ką siūlai?

– Apgyvendinsi ją svečių kambaryje šalia Olivjė. Visa kita juokai. Juodu juk suaugę. Neišgelbėsi nekaltybės.

– Tikrai? – paklausė suglumęs.

– Žinoma.

– Tai ji nebe skaisti?

Močiutė atlaidžiai nusišypsojo:

– Labai nustebčiau, jeigu būtų skaisti.

Dėdė Eduardas rūsčiai spoksojo priešais save.

– Tiek to, kambarys bus jos. Bet liepsiu pastatyti siaurą kietą lovą, bus pakeista lova ir Olivjė. Kaip manai? Nedideli, siauri kieti čiužiniai, jie turėtų atvėsinti karštį!

– Be abejo, – nuramino jį močiutė. – Puiki mintis.

– Sukiesi, kaip išmanai. – Dėdės Eduardo veidas nušvito. – Tokie mano doroviniai įsipareigojimai. Kuriam galui gelbsčiu Anetę iš nuodėmių liūno, jei jai prieš akis vėl bus toks blogas pavyzdys? Beje, ar žinote, ką man Olivjė atvežė geležies rinkiniui? Niekuomet neatspėtumėte. Žarsteklį, visai dailų, peleninę, nenusakomo prastumo, ir *keturis* Kalėdų eglutės stovus! Netekote žado? Stovus, kokių čia pilna kiekvienoje geresnėje ūkinių prekių krautuvėje. Šitokius plataus vartojimo gaminius jis velka iš Paryžiaus, lėktuve moka papildomai už antsvorį ir dar reikalauja iš dėkingumo bučiuoti jam rankas kojas. Matyt, suklydau jį kviesdamas. Tas vyrukas bukaprotis!

- O kur jis? - paklausiau.

- Savo kambaryje. Jam negera. Pro kambario langą parodžiau kiemą, tuo metu praskrido gandriukas. Jis taip susijaudino, kad tuoj plojosi ant lovos. Ar suprantat ką nors?

- Išsigando, - pasakė močiutė.

- Nuostabaus grožio gandro?

- Bijo visų, kas skraido. Prašyčiau prisiminti, kas nutiko dėl Bonio.

- Vargšas paukštis, - tarė grafas. - Tikrai negaliu visai vasarai uždaryti Bonio virtuvėje.

- Nesigraužk, Eduardai, gal paukščiui patinka, kad žmogus staiga jo baiminasi. Paprastai *jį patį* baugina kiekvienas naujas veidas, bet pagaliau nepažįstamasis išsigando *jo*. Nežinia, gal paukštį tai linksmina.

Dėdė Eduardas atsistojo:

- Tikiuosi. Neleisiu, kad mano paukštelis būtų bauginamas. Pakankamai ilgai truko, kol jis priprato. - Dėdė priėjo prie rašomojo stalo, ištraukė raudonos odos aplanką ir lėtai sugrįžo prie mūsų. Plačiu mostu išėmė iš aplanko du didelius smulkiai prirašytus lapus, trumpai permetė akimis ir padavė močiutei. - Dabar pakalbėsime apie reikalus. - Jis atsisėdo ir užsimetė koją ant kojos. - Mama, čia aprašas, kurį pats patikrinau. Dvaras ir viskas, kas jam priklauso. Visa nuosavybė. Namas, ūkiniai pastatai, daržai, šiltnamiai, mašinos, tiksliai nurodytas miško plotas ir dirbamoji žemė. Šis astronominio dydžio skaičius gale, ne loterijos bilieto numeris, o kaina, kurios pareikalavo savininkas.

Močiutė pastatė nuošaliau konjako taurę ir užsidėjo akinius. Smulkiai ištyrinėjo aprašą. Tai truko gana ilgai. Galop pakėlė galvą.

– Eduardai, – sušuko ji pasipiktinusi, – tai grynas lupikavimas. Tas žmogus serga didybės manija. Ar žinai, kiek gavo tavo senelis už visa tai? Penktadalį sumos. Penktadalį sumos, kuri čia parašyta.

– Kam tą sakai. – Dėdė Eduardas išsitraukė nosinę ir smarkiai nusišnypštė. – Ir tai dar ne viskas. Turėjau pasiūlyti daugiau, kad nurungčiau Leopoldą. Jam pridėjus, aš vėl turėjau jį pralenkti. Taigi prie sumos apačioje reikia pridėti dar trisdešimt procentų.

– Gryna beprotybė!

– Sumokėti iki liepos 31 dienos. Vakar savininkas gavo Kanados vizą. Nori kuo greičiau išvažiuoti. Jeigu aš nesumokėsiu liepos 31-ąją, dvarą gaus Leopoldas, išnuomos jį tam kiaulių skerdikui, ir mes nebenorėsime čia gyventi. Mes *privalome* sumokėti. Juk supranti?

Močiutė pamąstė.

– Eduardai, – tarė ji netrukus, – čia kažkas negerai. Iš kur Leopoldas ims šitiek pinigų? Jis neturi. Žinai ką? Esu tikra, jis sukčiauja.

– Būtų puiku. Bet taip neatrodo.

Močiutė nenusileido:

– Pažįstu Lokenšteinus nuo pat savo gimimo. Vienintelis, kuris dar galėjo vargais negalais sukaupti pinigų, buvo Leopoldo dėdė, pilies paveldėtojas. Visi kiti tik nesąmones krėtė. O Leopoldas – visiška finansų genijaus priešingybė. Kiek žinau, Lokenšteinas jau įkeistas. Be to, ar prisimeni? Pernai jis pardavė daug miško. Manau, kad dabar jis tik tave nori nukamuoti ir priversti grąžinti kalną, kurį paveldėjo Emė.

Dėdė Eduardas paėmė taurę.

– Gal jam atiteko palikimas?

– Nemanau. Tikrai būtume sužinoję. Lokenšteinai ilgaamžiai, o pastaruoju metu nė vienas iš jų neapleido šio pasaulio. Bet ar nebuvo kalbų, kad dukra ištekės už piniguose besimaudančio amerikiečio? Gal žentas paskolins jam pinigų?

– Sužadėtuvių taip ir nebuvo. Ne, greičiausiai čia kas kita. Leopoldas labai jau keistai elgiasi. Žinai, koks jis man atrodo? Kaip žmogus, laimėjęs pagrindinį loterijos prizą. Bet kas tai galėtų būti? Nė kruopelytės nenutuokiu.

Močiutė nusiėmė akinius, atsilošė ir sukryžiavo po galva rankas. Tada užsimetė vieną koją ant kitos ir įsižiūrėjo į dešinį bato galą.

– Sužinok, – paliepė ji, – sužinok, sūnau! Kuo anksčiau sužinosi, tuo geriau. Kada vėl jį pamatysi?

– Rytoj prieš pietus. Apžiūrėsime mašinas.

– Labai gerai! Elgsies maloniai, džiaugsies gera kaimynyste ir Anetės bei Valterio draugyste – juk juodu vaikystėje kartu žaisdavo, o jeigu nieko neišpeši, pakviesi aperityvo, prireikus – netgi pietų. Supratai? Tada aš jį pakviesiu į savo jubiliejų, o pasitaikius progai, sušneksime ir apie pinigus. Pamatysi, jis pučia miglą.

Dėdė Eduardas nutaisė rimtą veidą.

– Mama, nors tau ir nemalonu, turime matyti reikalo esmę. *Gal* nutiks stebuklas ir Leopoldas meluoja.

Gal jis neturi pinigų. Bet kas iš to? Ne kiek geriau. Mes *tikrai* neturime pinigų, tik Vengrijos karalių lobį, kurio tu draudi man ieškoti.

Močiutė išmintingai šyptelėjo:

– Pamiršk lobį! Tau jo nereikia. Viskas paprasčiau, negu manai. Jeigu paaiškės, kad Leopoldas neturi pinigų, numuši kainą ir duosi rankpinigių.

– O iš kur aš gausiu rankpinigių?

– Dėl Dievo, Eduardai, tiek pinigų tu juk dar turėsi?

Grafas atsistojo ir vėl priėjo prie rašomojo stalo. Šįkart atsinešė juodą odinį aplanką.

– Štai, – tarė svariai, – pastarųjų dvylikos mėnesių išlaidos. Visos sąskaitos: Riterių salės lubų atnaujinimas, gynybinės sienos atstatymas, pietinė jos dalis būtų bemaž nugriuvusi, naujas šiaurės flygelio stogas, keturiasdešimt trijų langų rėmai, visai buvo supuvę. O štai čia perlaidos Anetės motinai. Visiškai atsiteisiau su savo seseria, nebesu jai skolingas nė pfenigo.

Močiutė peržiūrėjo sąskaitas.

– Tavo tiesa, – atsiduso ji. – Pilis suryja daug pinigo. Neįtikimas krūvas. – Ji grąžino sąskaitas ir stebėjo, kaip grafas deda jas į juodąjį aplanką. – Deja, negaliu tau padėti. Namas pietų Prancūzijoje tik išnuomotas, o kapitalą investavau ilgam laikui, nes pati gyvenu iš nuošimčių. Kitų pajamų neturiu.

– Anete, – pasakė man grafas, – nors pažadėjau tavęs nebekankinti dėl piniginių reikalų, aplinkybės pasikeitė. – Jis patapšnojo per raudonąjį aplanką ant savo kelių: – Kai *tokios* kainos, už tavo ipotekas ir koralus gautume bent karvę, o jeigu pasisektų, dar ir su veršiuku. Pasvarstyk, vaike, ar negalima kaip nors prispausti taviškio kraičių medžiotojo? Gal jis turi turtingą tėvą ar piniginga krikštamotę?

Giliai atsidusau:

– Iš tikrųjų turtingasis jo tėvas viso labo yra smulkus valdininkas, iš kurio Danielis išviliojo santaupas. Turtinga krikštamotė mirė, palikusi visus savo pinigus seseriai Kornvalyje.

– Danielis negavo nieko?

– Nieko. Tiesa, anksčiau buvo paskirtas paveldėtoju, bet kai ji sužinojo, kad jis užsiima nešvariais sandėriais, pakeitė testamentą.

– Man būtų įdomu, *kaip* ji tą sužinojo, – įsiterpė močiutė. – Juk pati tikrai nekišo nosies.

Norom nenorom nusijuokiau:

– Tam tikru požiūriu įkišo. Vargu ar jis galėjo pasielgti kvailiau. Krikštamotė vienintelį kartą patikėjo jam savo pinigų, o jis kaipmat investavo juos į bičiulio firmą, Atlanto vandenyne ieškančią naftos.

– Nesuprantu, – pasakė dėdė Eduardas. – Kodėl tai kvaila? Juk nafta rimtas verslas.

Pasvarsčiau. Ir taip pernelyg daug pasakiau, kelio atgal nebuvo. Pagalvojau apie tai, ką buvau nutylėjusi, ir mane nudiegė iš baimės. Netrukus užgrius audra.

– Tai kas yra? – nekantriai sušuko dėdė Eduardas. – Kuo tau nepatinka nafta?

Nusprendžiau pulti pirmyn galvotrūkčiais. Jau nesugebėsiu išsisukti:

– Nafta čia niekuo dėta. Viskas priklauso nuo firmos. Jos net nebuvo. Tik vienintelis vyras, vardu Semas. Abejoju, ar vardas tikras, ir šitas Semas lėbavo

Santa Kruse. Kada ne kada siųsdavo į Londoną pranešimus, kad beveik jau aptikę naftos.

– Vaikeli, – mano nelaimė, nebeištvėrė močiutė, – man baisu dėl tavo aukso akcijų.

Štai šių žodžių ir bijojau. Ir kaipmat sulaukiau poveikio. Dėdė Eduardas visas paraudo.

– *Aukso akcijų?* – sugriaudėjo jis. – Kokių aukso akcijų? Pirmąkart girdžiu. Man ji nė žodžiu neužsiminė apie aukso akcijas.

– Tikrai? – nekaltai paklausė močiutė.

– Nė žodžiu! – įsišėlo grafas. – Ji nė žodžio nepasakė. Kas čia per sąmokslas? Anete, ką tu pasakoji mamai man nežinant? Kodėl nieko nesakei man apie auksą?

– Nieko nesakiau todėl, kad šis reikalas iš pat pradžių pasirodė man įtartinas. Nenorėjau tavęs jaudinti. Akcijos tikrai bevertės.

Dabar supyko močiutė:

– *Man* tu ne taip pasakojai. Kai *mudvi* kalbėjomės, nebuvai tokia tikra.

Vos močiutė pakėlė balsą, grafas nusiramino.

– Gana! – paliepė jis. – Jokių ginčų! Anete, reikia viską išsiaiškinti. Tad pradėsime iš eilės. Kokios akcijos? Kokia firma?

Atsidusau.

– Irgi Danielio draugų firma, bet tarsi garbingų žmonių. Jie išlaiko keletą geologų, kurie Australijos dykumoje, šiaurėje, ieško aukso. Gal ši firma irgi tik iš vienintelio žmogaus, kuris tupi Sidnėjuje ir siuntinėja į Londoną melagingas žinias.

Močiutė nervingai padaužė delnu sofos atkaltę.

– Tu nesi tikra? – paklausė grafas.

– Nesu.

– Bet neabejojai, kad naftos paieškos – apgavystė?

– Danielis pats papasakojo.

– Už kokią sumą jų prisipirkai?

Sunkiausias klausimas. Įkvėpiau oro.

– Už pusę savo turto.

– Aha, – stebėtinai ramiai tarė dėdė Eduardas, – už pusę turto. Už tiek galima smarkiai pasikapstyti dykumoje. O koks firmos pavadinimas? Ar ji bent turi pavadinimą?

– Žinoma, turi. Užrašytas ant akcijų. „Aurelius“.

– Ar akcijomis buvo prekiaujama biržoje?

– Anksčiau. Bet per pastarąjį pusmetį jų kursas vis labiau smuko. O prieš išvažiuodama iš Londono, šio pavadinimo apskritai nebeaptikau laikraštyje.

– Ar būdama čia pasidomėjai, gal jis vėl pasirodė?

Papurčiau galvą.

Dėdė Eduardas atsistojo.

– Gerai. Aš pasidomėsiu. – Jis nuėjo prie rašomojo stalo ir sudėjo raudonąjį ir juodąjį aplankus į stalčių, po to rūpestingai jį užrakino. Raktą įsikišo į liemenės kišenėlę. – Mama, – tarė paskui, – juk tu matai, kaip yra. Leisk man apibendrinti. Iš tavęs nieko negaliu tikėtis, iš Olivjė ir Anetės – taip pat. Leopoldas *gal* ir neturi pinigų, bet *gal* ir turi. Kad ir kaip ten būtų, dvaras parduodamas, vėliausiai mėnesio pabaigoje. Jeigu Leopoldas jo negaus, atiteks kam nors kitam. Bet tikra tai, kad mes krimsimės pirštus. Nebent... – Jis reikšmingai patylėjo ir pabaladojo sieną, – nebent aš imsiu jautį už ragų ir išviliosiu iš šių sienų paslaptį. Mama, būk protinga! Seniai ieškomas Vengrijos karalių lobis yra mūsų pilyje, apvaliajame bokšte, už apgriuvusios sienos. Tokia proga vienintelė. Aš tiksliai žinau, *kur* jis, ir, įsivaizduok, dar žinau, *kas* ten paslėpta.

Jis gurkštelėjo konjako ir pamerkė man.

– Kaip tu gali žinoti? – abejingai paklausė močiutė. – Ar tavo akys radarai?

– Geriau, mama. Aš turiu tikslų čionai atneštų lobių sąrašą. Tarp jų ir originalai visų tų geležinių papuošalų, kuriuos matėte ant lentynos, apmuštos žaliu šilku. Mielosios, ar judviem ką nors sako pavardė Lakis fon Alištalis? Adolfas Lakis fon Alištalis?

Močiutė atlaidžiai pasižiūrėjo į sūnų.

– Visiškai nieko.

– Tada tau paaiškinsiu. Lakis fon Alištalis buvo garsiausio Vengrijos juvelyro iki 1848 metų revoliucijos sūnus. Gimė 1829 metais Pešte, taigi per revoliuciją jam jau buvo devyniolika metų. Per audringą ir veržlią jaunystę jis dalyvavo maište prieš austrus, o paskui pačią paskutinę akimirką pabėgo į Prancūziją. Ten studijavo Menų akademijoje ir susipažino su didžiaisiais juvelyrais. Kai padėtis Vengrijoje nurimo, jis grįžo namo perimti tėvo dirbtuvės.

– Labai įdomu, – nutraukė močiutė grafą, – bet kam tos smulkmenos?

– Kad galų gale suprastum, kodėl esu toks tikras. Vadinasi, Lakis fon Alištalis sugrįžta ir tampa geriausiu juvelyru visoje šalyje. Imperatorius Pranciškus Juozapas paskiria jį rūmų juvelyru ir liepia perdirbti karūną, su kuria 1867 metais jį karūnuos Vengrijos karaliumi. Kas yra?

– Nieko, – atsakė močiutė. – Pasakok toliau!

– O Paryžiuje Alištalis buvo daug ko išmokęs. Jis naudojo neįprastas medžiagas, žinoma, neįprastas tais laikais. Pavyzdžiui, papuošalams iš aukso ir brangakmenių imdavo vėžlio šarvo ar dramblio kaulo. Gamino papuošalus su gintaru ir perlamutru. Jis sukūrė originalių brangenybių. Apyrankių iš aukso, rubinų, emalio ir perlų. Kartą kunigaikštienei austrei jis padirbo gėlių krepšelio pavidalo segę. Visi žiedai buvo iš įvairiaspalvių brangakmenių, o pats krepšelis – iš didžiulio gelsvo brilianto. – Grafas patylėjo. – Vien tas papuošalas vertas pusės dvaro.

– Tai gal tu iš tiesų manai, kad visi tie papuošalai apvaliajame bokšte? – skeptiškai paklausė močiutė.

Grafas linksmai nusijuokė:

– Ne tie, nes per revoliuciją Alištaliui tebuvo devyniolika. Bet bokšte paslėpti įžymiausi papuošalai, sukurti jo tėvo. Diadema iš baltų ir rožinių deimantų, grandinėlė iš rubinų ir baltų briliantų, garsusis laikrodis iš aukso brangakmenių dėkle, kuris yra milžiniškas išduobtas smaragdas.

– Ir visa tai tikrai bokšte? – sušukau susijaudinusi.

– Kur kas daugiau, – nusijuokė grafas. – Krūva viduramžių aukso monetų. Tada Vengrija buvo didžiulė šalis, turėjo keletą stambių aukso kasyklų. Auksas buvo pagrindinė eksportuojamoji šalies iškasena. Jį parduodavo Prancūzijai ir Venecijai. O iš likučių būdavo kalamos aukso monetos. Šiandien jos neapsakomai brangios ir yra svarbi Vengrijos karalių lobio dalis.

– Eduardai, man net seilės tįsta, – šūktelėjo močiutė. Jos šūksnyje jau buvo girdėti susidomėjimas.

– To ir norėjau, bet čia dar ne viskas. Ar žinai, kas buvo Elžbieta Tiuringietė?

– Žinoma. Vengrijos karaliaus Andriejaus II duktė. Praėjus ketveriems metams po jos mirties paskelbta šventąja. Ar ji irgi apvaliajame bokšte?

– Ne, – atsakė nė trupučio neįsižeidęs grafas, – bet jos nuotakos kraitis – taip. Monetos, indai, diržai, papuošalai. Ir dar žinot kas? Niekuomet neatspėtumėte. Sidabrinė *vonia!*

– Sidabrinė vonia? Eduardai, tu svaičioji!

– Vonia iš *sidabro*, – pakartojo susižavėjęs grafas. – Žinau puikiai, nes prieš Elžbietos vestuves buvo skrupulingai aprašytas kiekvienas jos kraičio daiktas. Yra senoviniai dokumentai, gali juos persiskaityti, jeigu moki vengriškai.

– Tai tie geležiniai papuošalai spintoje yra *jos* vestuvinių papuošalų kopijos? – paklausė močiutė.

– Atspėjai, – sušuko dėdė Eduardas. – Turiu bemaž visą jos kraitį. Man tetrūksta diademos, keleto grandinėlių ir garsiosios segės, kuria taip žavisi jos biografas. Bet, regis, netrukus laikysiu rankose originalus. Žinoma, tai nepalyginti geriau.

Jis nusijuokė ir persibraukė ranka vešlius žilus plaukus.

– Visa tai skamba labai gundomai, – tarė močiutė, – bet vieno dalyko nesuprantu: kodėl tu esi toks tikras, kad tas lobis apvaliajame bokšte?

Dėdė Eduardas neskubėjo atsakyti. O paskui lėtai ir pasimėgaudamas tarė:

– Adolfas Lakis fon Alištalis.

– Nekankink mūsų, Eduardai Zilvesteri! Kuo čia tas dėtas?

– Jis susirašinėjo su tavo seneliu. Du laiškus radau praėjusią žiemą palėpėje po senais laiškais. Mat bėgdamas iš Vengrijos į Paryžių Alištalis užsuko į Kronego pilį. Tiksliau sakant, jis buvo lobio gabentojų žvalgas. Jis prašė tavo senelį leidimo trumpam paslėpti lobį čia. Pilyje jis pernakvojo. O kitą dieną išvyko toliau į Paryžių.

– Tai jo nebuvo, kai užmūrijo lobį?

– Taip. Bet buvo sutarta, kad paskui jis susitiks su delegacija Prancūzijoje.

– Ar jie susitiko? – paklausė močiutė.

– Iš laiškų nesuprasi. Spėju, kad jie niekuomet nesusitiko.

– Įdomu. – Močiutė gurkštelėjo konjako.

– Kodėl? *Mums* tai visai nesvarbu. Svarbu tik tai, jog jis išvardijo viską, kas buvo čia paslėpta. Mini papuošalus, kuriuos nukalė jo tėvas, auksines monetas ir Elžbietos kraitį. Man to gana. Tau ne?

– Kalbi visai kaip tavo senelis. Tas pats įtaigumas, tas pats susižavėjimas.

Grafas dramatiškai pakėlė ranką.

– Mama, mano protėviai ne veltui kamavosi. Leisk man tai įrodyti, maldauju!

– O jeigu neleisiu?

– Aš vis tiek ieškosiu.

– Tada atimsiu iš tavęs palikimą, mielas sūnau, tavimi dėta, gerai tą apsvarstyčiau. Vis dėlto aš turiu pakankamai, kad iš mokesčių išlaikyčiau didelį namą Prancūzijoje ir gyvenčiau itin maloniai.

– Mama, aš nuoširdžiausiai prašau tavo leidimo.

Močiutė žiūrėjo į gražų persišką kilimą po kojomis ir tylėjo.

Grafas ėmė nekantrauti:

– Ko tau dar reikia? Gal turėčiau išbučiuoti kojas?

– Gerai, – tarė močiutė staiga, – kasinėk. Bet su viena sąlyga.

– Kokia? – nuskambėjo nepatiklus klausimas.

– Susitaikysi su seseria ir pakviesi ją į mano aštuoniasdešimtojo gimtadienio pokylį.

Grafas neteko žado. Šito tikrai nesitikėjo.

– Tu rimtai kalbi? – paklausė jis galiausiai.

– Žinoma. Man aštuoniasdešimt ir norėčiau, kad abudu mano vaikai gyventų gražiuoju. Argi per daug reikalauju?

Dėdė Eduardas neatsakė. Paskui vieninteliu mauku susivertė konjaką ir pratrūko:

– Ji tikrai atvažiuos ne viena. Atsitemps kokį nors berną, kurio niekas nepažįsta ir kuris bus toks jaunas, kad tiktų jai į sūnus. Ji elgsis *nepakenčiamai.* Tas bernas ištisai ją grabinės, ir juodu darys Anetei pačią blogiausią įtaką.

– Nesąmonė, Eduardai! Tu jau daug metų nematei Anos Luizos. Ji labai pasikeitė, ir tai jai išėjo į naudą.

– Bet vyrų vis dar turi.

– Žinoma, – sušuko močiutė. – Juk ji karšta, graži, sąmojinga moteris.

– Ką gi, turiu gerai pagalvoti...

– Prašau, tavo valia. *Aš* turiu laiko.

Dėdė Eduardas atsistojo ir priėjo prie žiūrono. Paglostė metalą, pasilenkė ir apžiūrėjo stovą. Paskui centimetrą pastūmė Keplerio biustą kairėn ir grįžo prie mūsų.

– Gerai, – tarė jis ir sustojo šalia motinos. – Aš pagalvojau. Tegu ji atvažiuoja.

– Parašysi ir nuoširdžiai pakviesi?

– Parašysiu, bet pietų jūros toli. Abejoju, ar ji sugebės atsigauti čionai laiku.

– Pietų jūros toli, bet tavo sesuo dabar pas mane Prancūzijoje. Praėjusią savaitę atvyko į svečius.

– Na, gerai. – Grafas giliai atsiduso. – Parašysiu jai tavo adresu ir nuoširdžiai pakviesiu. Patenkinta?

Močiutė atsistojo ir pabučiavo jį.

– Ačiū, – tarė grafas, – o dabar suplanuokime rytdienos mūšį. Priešpiet būsiu dvare ir pamėginsiu iššniukštinėti, kokie mano mielo kaimyno finansiniai ištekliai. Jei nepasiseks, parsivesiu jį pietų, o tada paremsite mane moraliai. Po pietų man labai prireiks veiksmingos pagalbos, nes būtina laikyti Olivjė per atstumą nuo apvaliojo bokšto. Anete, gal judu kur nors paiškylausite? Arba dar geriau: pamokyk jį vokiečių, tuomet mums visiems bus naudos.

– Žinote ką? – šūktelėjo močiutė, – *aš* prižiūrėsiu Olivjė, o Anetė padės tau bokšte. Dviese darbas bus našesnis, ir aš nesijaudinsiu dėl tavęs, Eduardai. Be to, galėtumėte pasikviesti ir Hansą, kaip manai? Jeigu lobis tikrai tenai, apylinkė vis tiek sužinos.

Grafas atsistojo.

– Tai jau smulkmenos, kurias aptarsime rytoj per pusryčius, sutinkate? Dabar palydėsiu judvi į apačią, o tada kiek prigulsiu. Nežinia kodėl, bet labai pavargau.

– Nuo jaudulio, – pasakė močiutė irgi stodama, – nuo lobių ieškojimo jaudulio. Bet prigulti – gera mintis. Gal ir aš prieš pietus trupučiuką numigsiu dėl grožio.

Visi išėjome iš ponų kambario.

Dėdė Eduardas palydėjo mus iki laiptų apačios, nusilenkė ir nuskubėjo sau.

Nulydėjau jį akimis. Kaip ir tikėjausi, pasuko *ne* kairėn, kur buvo jo miegamasis, o dešinėn. Ten stovėjo pilies koplyčia. Žinojau, ką jis ten veiks.

Jis atsiklaups, nunarins savo grafišką nosį ant rankų ir karštomis maldomis mėgins įkvėpti gerąją lemtį, kad rytoj sektųsi darbuotis.

13

Kitos dienos rytas buvo akinamai gražus. Pabudau jusdama, kad netrukus įvyks kažkas nuostabaus. Širdis ėmė daužytis. Žinoma! Didžioji diena. Šiandien mes rasime legendomis apipintą, ilgai ieškotą, tariamai pradingusį, garsųjį, stulbinamo grožio Vengrijos karalių lobį.

Atsisėdau ir pradėjau skaičiuoti saulės spindulius, pro sunkias aksomines užuolaidas įsibrovusius į mano kambarį.

Devyni.

Devynetas yra mano laimingas skaičius!

Pralinksmėjusi pasitaisiau už nugaros pagalves ir patogiai atsišliejau. Patenkinta apsižvalgiau. Mano miegamasis buvo aukštas jaukus kambarys, o lova su baldakimu kaip saugi sala pūpsojo jo viduryje. Lovos stulpai buvo iš tamsaus drožinėto medžio, baldakimas – raudono ir auksinio brokato. Apmušalai geltoni kaip auksas, tos pačios spalvos buvo ir daili gulimoji kėdė, stovinti šalia svetainės durų.

Nusižiovavau ir palaimingai pasirąžiau. Kaip visuomet mėgavausi, kad pabudau Kronego pilyje, saugoma sienų, kokias vargu ar rastum kur nors pasaulyje. Net ir užsimerkusi jausdavau esant šalia abu galingus bokštus, skleidžiančius ramybę ir saugumą.

Pasaulis laikinas, galvojau, bet čia viskas pastovu.

Lauke uoliai čiulbėjo paukščiai. Niekur kitur nebuvo tokios gausybės zylių, liepsnelių, kikilių ir kregždžių, niekur lakštingalos nesuokė taip gražiai kaip Kronege. Tarp gyvūnų sklido žinios, jog čia neskriaudžiamas joks padarėlis. Pilyje nebuvo kačių, niekas nebarstydavo nuodų, nespęsdavo spąstų. Mūsų valdose niekas nemedžiodavo, ir rudenį, kai kaimynai medžiotojai šukuodavo laukus apsikarstę žudikiškais šautuvais, visi sparnuočiai sulėkdavo į Kronegą.

Kartą per medžioklės sezoną ant pilies kalno suskaičiavau keturiasdešimt penkis fazanus. Jie tupėjo medžiuose ir krūmuose kaip dideli spalvingi plunksnų kamuoliai. Mane jie prisileido visai arti. Jų negąsdino šūviai, ataidintys iš toli. Kronege jie jautėsi visiškai saugūs.

Bokšto laikrodis išmušė dešimt. Vadinasi, devynios, taigi valanda laiko apsirengti. Dešimtą norėjau susitikti su močiute po kaštonais.

Močiutė keldavosi anksti. Lygiai septintą išgerdavo lovoje puodelį arbatos, *morning tea*, kaip paprastai patiekiama Anglijoje. Bet pusryčių ji dažniausiai palūkėdavo manęs. Kaip gera bus vėl lauke pasėdėti po kaštonais didžiajame kieme! Džiaugiausi būsima diena ir šokau iš lovos.

Lygiai dešimtą pasirodė močiutė. Apsirengusi nauja balta vasarine suknele, apsisiautusi raudonu šaliku ir užsidėjusi raudoną panamą su baltomis saulutėmis.

– Labas rytas, gražusis vaikuti, – pasisveikino ir palankiai apžiūrėjo mano mėlyną drobinę suknelę. – Esi daili – kaip žydintis gyvenimas.

Tada atsisėdo šalia į baltą pintą krėslą ir permetė akimis krūvą virimo knygų, kurių jai buvo parinkusi Lotė. Įpyliau kavos, ir abi mėgavomės pirmuoju jos puodeliu, visiškai patenkintos savimi ir pasauliu.

Dėdė Eduardas perdavė, kad atsiprašo. Jam skubiai paskambinę, tad vos išgėręs arbatos išėjo į dvarą. Vargu ar grįš prieš pietus. Nebuvo ir Olivjė. Jau iš vakaro jis pasakė, kad nori išsimiegoti, jog nelauktume jo pusryčių.

Taigi po medžiais sėdėjome trise: močiutė, Bonis ir aš. Kakadu, kaip visuomet rytais, tryško gyvastingumu. Norėjo išdykauti, kad pakasytume po sparnais ar pakaušį, o paskui įniko triūsti. Nuo savo lipynės jis lupo žievę, retkarčiais pailsėdamas, kad juo pasižavėtume. Buvo labai patenkintas, jau įveikęs nedidelę šoninę šaką. O dabar uoliai ėmėsi kamieno. Kabojo žemyn galva ir taip plušėjo, kad žievės net lakstė.

Močiutė mėgaudamasi tepė duoną persikų marmeladu.

– Ką gi, ši diena didi, – pasakė nelabai jaudindamasi. – Pamatysime, ką ji atneš. Karalių lobis ar ne, dvaras ar jokio dvaro – žinai, Anete, apskritai man tai nerūpi. Dešimtmečius išsivertėme be to dvaro, gyvensime ir toliau, jeigu jo nebus.

– Ar tu iš viso nesidomi lobiu?

– Nepamiršk, aš jau esu nusvilusi! Bet džiaugiuosi, kad tavo dėdė susitaikys su tavo motina, ir man *labai* smalsu, ką jis perpiet papasakos apie Leopoldą. Paduok man marmelado, vaikuti! Jis nuostabus.

Bonis padarė pertrauką. Su dideliu gabalu žievės snape jis mikliai užsikorė aukštyn kamienu ir patogiai atsitūpė ant jau nuluptos šakos. Paskui savo grobį suplėšė į nepaprastai mažas daleles. Kartais, norėdamas pasipuikuoti prieš mus, jis pašiaušdavo kuodą.

Įpyliau kavos.

– Močiute, kaip tik galvoju, kuo mums užimti Olivję po pietų. Gal tegu eina pasimaudyti? Jeigu tu nenorėsi, jį galės palydėti tarnaitė. Paskui gal parodytumei jam geležies rinkinį. O gal pamokytum vokiečių kalbos?

– Sakyčiau, kad maudynės lengviausias darbas. Bet tegu tarnaitė pirma nulipa prie upės ir priskina man truputį *oseilles*. *Oseille,* juk tu žinai. Rūgštynių. Koks tas žodis bjaurus vokiškai, palyginti su prancūzišku. Šiaip ar taip, man reikia *oseilles*, nes norėčiau sumaišyti jas su špinatų lapais. Per pietus bus špinatų ir grybų, keptų su nuostabiu sūrio padažu.

Močiutei tebekalbant, Bonis staiga išmetė žievę ir pradėjo grėsmingai krykšti. Ir tuoj po medžiais pasirodė Olivjė. Su šviesia elegantiška eilute, pergalingai šypsodamas, bet šypsena jo lūpose sustingo, kai pastebėjo Bonį.

– Papas! – sušuko jis nedrįsdamas net krustelėti.

Bonis dar balsiau sukrykštė ir pašiaušė kuodą.

– Aš jam nepatinku.

– Jis nurims, – linksmai pasakė močiutė. – Eikš, sėskis prie mūsų! Kaip išsimiegojai?

Olivjė atsisėdo ant balto suolo priešais ir tuoj pasislinko ant paties jo galo, kad būtų kuo toliau nuo paukščio.

– Ačiū, išmiegojau, – tarė, neatitraukdamas žvilgsnio nuo kakadu. – Bet man trukdė bokšto laikrodis. Visąlaik muša.

– Iš tikrųjų tai tik kas ketvirtį valandos, – patikslino močiutė, – ir itin nesmarkiai. Jeigu būtum girdėjęs jį prieš karą, štai tada griaudėjo kaip reikiant.

Olivjė dar buvo be pusryčių. Buvo gerokai išalkęs, bet valgiu nesigardžiavo. Jį neapsakomai trikdė Bonio buvimas. Be to, jam trūko balto minkšto raguolio, prie kurio buvo pratęs. Kronege valgėme šviežią kaimišką duoną. Olivjė tai atrodė barbariškas paprotys.

Močiutė pastebėjo, jog jis išsirinko mažiausią riekelę ir nenoriai ją kramsnoja.

– Gal verčiau paragautum pyrago? – paklausė ji maloniai. – Paprašyt, kad tau atneštų? Beje, Olivjė, ką šiandien ketini veikti? Jeigu nesi nieko numatęs, galėtum apžiūrėti apylinkes, o vėliau nusimaudyti.

Olivjė veidas nušvito:

- Ar čia yra baseinas?

- Ne. Bet yra upeliukas, kurio vanduo labai švarus, iškart pilies kalno papėdėje.

- O kaip galima nusigauti į apačią? - nepatikliai paklausė Olivjė.

- Pėsčiomis, - paaiškinau, - bet takas geras. Daugių daugiausia dešimt minučių.

Olivjė užsimetė koją ant kojos ir apžiūrėjo savo brangius batus.

- Gal rytoj. Šiandien kalnai man tokie sunkūs. Bet *privalu* sportuoti. Mieloji grafiene, ar čia galima tenisą žaistas?

- Kronau yra teniso aikštė, - suprato močiutė. - Jei nori, po pietų galime ten nuvažiuoti, ir tu pasižiūrėsi. Gal net rasi porininką. Čia teniso aikštės nėra, pilies kalnas pernelyg status.

Staiga Olivjė atkuto.

- Pilies kalnas pernelyg status? Tokio nematau. Tarp stiprių sienų išorės ir vidaus sienos, kur dabar vaismedžių sodas, plyti lyguma. Jūs pašalinate vaismedžių sodą, mieloji teta, ir įrengiate teniso aikštę.

- Labai įdomu, - tarė močiutė, o jos lūpų kampučiai įtartinai sutrūkčiojo. - Bet mūsų vaismedžiai liks kur buvę. Štai - paragauk marmelado! Tai *mūsų* persikai! - Ji įkrovė du šaukštelius Olivjė į lėkštę ir luktelėjo, kol tas paragavo: - Na, ką pasakysi?

- Labai gardu, ačiū! Tikrai, labai apetitiška! Bet teniso aikštė didina vertę, miela grafiene, bet kokios nuosavybės. Afrikoje mes tą vis apžvelgdavome. Viešbutį su teniso aikšte parduosite lengvai. Kronegą *su* teniso aikšte ir gal net su baseinu parduosite taip pašėliškai kaip žaibas.

Močiutė priekaištingai pasižiūrėjo į Olivję.

– Kas čia per argumentas? Kronegas neparduodamas, nei su teniso aikšte, nei be jos. Pilis liks giminės. Kaip tau galėjo kilti tokių minčių?

Olivję pastebėjo suklydęs, net jo ausys paraudo. Jis sutriko. Nervingai persibraukė skystą geltoną barzdžiukę ir pamėgino išgelbėti tai, kas dar buvo įmanoma.

– Aš tik visai bendrai diskutavau, mieliausioji grafiene, patikėkite manimi, tik bendrai. Nuodėmė parduoti Kronegą *pernelyg* pranaši, ir be akių matyti. Atsiprašau, bet ar negalėčiau paprašyti virėjos atnešti puodelį arbatos? Arbata rytais man trokštamesnė už kavą.

– Žinoma, – pasakiau ir atsistojau. Aš gailėjausi Olivję. Vos prasižiodavo, vis padarydavo liapsusą. Kaip įmanydamas jis visiems kėlė nepasitenkinimą. Kadangi neturėjo pinigų ir man nieku gyvu negalėjo pakenkti, nusprendžiau būti jam maloni. – Atnešiu tau arbatos, Olivję. Man vis tiek reikia į virtuvę, lesalo Boniui.

Kai grįžau, Olivję tebekiūtojo ant balto suolo galo ir mandagiai šnekučiavosi su močiute, šįkart prancūziškai. Padėjau priešais jį lėkštę šokoladinio pyrago ir sulaukiau drovios šypsenos.

– Lotė tuoj ateis ir atneš tau arbatos.

Močiutė paėmė man iš rankos lęšių kerelį.

– Olivjė, jeigu tu iš tikrųjų ketini mėgautis vasara pilyje, turi susidraugauti su paukščiu. Jis visuomet pietauja kartu su mumis, o mano sūnus nieko taip nemyli, kaip jį. Žinai? Duok jam šitą kerelį, lęšius ypač mėgsta. Gal tada tave pamils.

Olivjė sėdėjo kaip primuštas šuo.

– Drąsiau, jis nesikandžioja.

Olivjė klusniai paėmė kerelį už paties galiuko. Jo veide atsispindėjo prieštaringi jausmai. Ūsų galiukai tirtėjo, lūpos buvo suspaustos. Greičiausiai jis su malonumu būtų prasmegęs skradžiai žemės, bet jo baimę tramdė pasipūtimas. Nenorėjo apsijuokti, juo labiau mano akyse.

Ištiesęs ranką jis pasilenkė virš stalo prie kakadu.

– *Alors*, tu baltas termite, – sušuko jis narsiai, bandydamas atplėšti nuo suolo savo elegantišką pasturgalį.

Bet nespėjo.

Bonis jau vakar virtuvėje leido suprasti, kad spjauna į šį įsibrovėlį. Be abejo, taurę perpildė ir tai, kad buvo pavadintas „baltu termitu".

Kakadu pasipūtė, kaip žaibas šovė prie Olivjė, vos nekliudęs jam veido vėl pakilo aukštyn ir triukšmingai plakdamas sparnais dingo tarp kaštonų lapų. Iš baimės Olivjė nugriuvo nuo suolo ir nejudėdamas sėdėjo ant žemės, rankomis užsidengęs galvą. Jis buvo sustingęs iš siaubo.

– Dėl Dievo! – suglumusi šūktelėjo močiutė. – Ir kaip man šovė į galvą tokia kvailystė. Anete, padėk jam atsistoti! Olivjė, ar ką nors susilaužei? Boni, *tučtuojau* nusileisk žemyn! Ko tau prireikė kaštonuose!

– Krrr krrr! – sukrykštė Bonis iš saugaus atstumo, jis pakilo dar aukščiau tarp šakų ir ant staltiesės pasipylė nedidelių dygliuotų kaštonų kruša. – Krrr! Krrrkšt!

Ir dingo tarp lapų.

Aš pakėliau Olivjė, išbalusiomis lūpomis, virpantį kaip epušės lapas.

Močiutė pažvelgė ir įsakė:

– Greičiau vesk jį į viršų! Paguldyk ir duok išgerti konjako!

Paklusau. Padedama tarnaitės nutempiau savo pusbrolį į jo kambarį. Jis nesipriešino, buvo bejėgis kaip naujagimis. Leido nuauti batus ir atsegti diržą. Tarnaitė vilgė Olivjė smilkinius šlapia skepeta ir klausinėjo, ko pageidautų. Gal viskio? Ar konjako? Ar valerijono? Ar ramunėlių arbatos? Olivjė pasirinko viskį, ir aš juodu palikau. Olivjė tikrai nemirs.

Bet *aš* mirsiu, – bijodama dėdės Eduardo, jeigu Bonis jam grįžus vis dar tupės tarp kaštonų lapų. Paukštį žūtbūt reikėjo nuvilioti žemyn! Reikėjo skubėti, brangi buvo kiekviena akimirka. Bonis ant kaštono – vadinasi, dangus maišysis su žeme nuo grafo perkūnų.

Bonis – išauklėtas paukštis. Gelbėdavosi ant medžių gal kartą per metus ir tik tada, jeigu kuo nors pasibjaurėdavo iki širdies gelmių. Bet užskridęs niekaip nenusileisdavo. Žemyn jį nukrapštydavai tik su didžiausiu vargu. Pastarąjį kartą jis pusę dienos tupėjo ant pačios viršūnės, ir dėdė Eduardas kentėjo pragaro kančias, kad jo numylėtinis gali nuskristi už pilies sienų, o tada gaudyk vėją laukuose.

Reikėjo nuvilioti Bonį žemyn. Galvotrūkčiais nulėkiau tris laiptų maršus į didįjį pilies kiemą. Puoliau pro vartus – ir mažne pargrioviau grafą, kuris kaip tik grįžo iš dvaro. Pavėlavau! Nieko neišgelbėsi.

– Anete, kas nutiko?

– Kakadu kaštonuose.

– Viešpatie! – Grafas Eduardas Zilvesteris šoko bėgti, ir mudu pasileidome lenkčių per gurgždantį žvirgždą. Padėtis po kaštonais buvo pasikeitusi. Močiutė pasikvietė pagalbon Hansą, ir abu šūkalodami ir mosikuodami rankomis stovėjo po medžiais.

– Kopėčias, – baisiausiai susijaudinęs prašvokštė dėdė Eduardas, – greičiau, Hansai, kopėčias! Boni, gražuoli tu mano, Boni, paukščiuk, tučtuojau nusileisk žemėn! Ar girdi?

Jis pakėlė lęšių kerelį, numestą Olivjė, ir maldaujamai jį atkišo.

Bet Bonio apetitas buvo išgaravęs. Jis išsigando ir mūsų patrakusio lėkimo per kiemą, tad juo labiau artėjome, juo aukščiau jis kabarojosi. Jo proteliui toks jaudulys buvo nesuprantamas. O čia dar Hansas atbogino kopėčias. Šito tai jau tikrai per daug! Bonis pasipūtė ir rengėsi skristi ant viršūnės.

– Dėmesio! – subliovė iš baimės dėdė Eduardas. – Nė krust! Hansai, dėl Dievo, nejudinkite kopėčių! Anete, greičiau, tempk žarną, žarną! Tai vienintelė išeitis.

Kaipmat supratau ir nudūmiau. Šį triuką buvome išmokę iš gaisrininkų. Reikėjo tiek pilti ant paukščio vandens, kad jis pasidarytų per sunkus paskristi.

Jeigu jis peršlaps kiaurai, tada nesipriešins nuimamas nuo medžio.

Laimė, šįryt anksti Hansas buvo prijungęs žarną. Čiaupas buvo sienoje šalia didžiųjų vartų arkos, žalios žarnos ritinys irgi gulėjo tenai. Negaišuodama atsukau vandenį.

– Atsargiai! – išgirdau Hanso balsą.

Bet jis įspėjo per vėlai. Žarna pradėjo pašėliškai raitytis ir purkšti čiurkšles į visas puses.

Kaip tik tuo metu kieme pasirodė nieko nenutuokianti Lotė. Ji išėjo iš virtuvės, nešina ant sidabrinio padėklo arbata Olivjė. Čiurkšlė smogė jai tiesiai į kaktą. Virėja suspigo ir iš siaubo išmetė padėklą. Paskui sustingo kaip statula gaudydama kvapą.

Žarna sukosi vis greičiau, ir vanduo apšvirkštė pusryčių stalą. Kita auka buvo močiutė. Raudoną skrybėlaitę su saulutėmis jai tiesiog nuplovė nuo galvos.

– Gelbėkit! – šūktelėjo ji ir dingo už krėslo. Akimirksniu Hansas ir aš peršlapome iki paskutinio siūlelio ir turėjome trauktis.

Tik dėdė Eduardas nestypsojo išsižiojęs. Kol mes dar kvapstėmės, jis niekindamas pavojų šoko ant vandenį spjaudančios pabaisos ir vikriai kaip milžiniškų gyvačių gaudytojas ją sutramdė. Tada nutempė žarną po kaštonais, kad sukliudytų papūgai iškeliauti į platųjį pasaulį.

Laimė, kakadu tebetupėjo toje pat vietoje. Vandens žaidimai, į kuriuos mes įsileidome norėdami pralinksminti jo didybę, taip sudomino paukštį, kad jis pamiršo užskristi ant viršūnės. Sustingęs iš susižavėjimo jis kabojo galva žemyn ant šakos, kad tik nepražiopsotų nė judesiuko. Kai galop suprato, kad spektaklis baigtas, jį apliejo žarnos čiurkšlė.

– Garbė tau Viešpatie! – kaip nesavas iš džiaugsmo sušuko dėdė Eduardas ir padėjo močiutei išlįsti iš už priedangos. – Hansai, dabar lipkit aukštyn! Bet atsargiai, neįžeiskite jo! Elkitės taip, lyg keliautumėte pro šalį!

Hansas pastatė kopėčias ir mikliai įlipo į kaštoną. Kakadu nesipriešino ir leidosi sugaunamas. Tiesa, jis nelabai suvokė, kas atsitiko, bet pasidavė lemčiai.

– Papas! – pasakė jis, kai dėdė Eduardas paėmė jį apačioje. Paskui pasipurtė taip, kad grafo galva pasislėpė už lašų šydo.

– Vargšas padarėlis, – sušuko dėdė Eduardas ir pasitupdė varvantį paukštį ant peties. – O dabar – į virtuvę džiovintis! Anete, bėgte savo plaukų džiovintuvo! Antraip Bonis peršals.

Virtuvėje Bonį patupdė ant jo lipynės, ir grafas ėmė pats jį džiovinti. Paukštis iškart pamiršo pralaimėjimą. Šiltas oras įkvėpė jį krykšti iš susižavėjimo. Jis plakė sparnais, skleidė uodegą, strykčiojo nuo šakos ant šakos, bet vos išdžiūvęs iškart kietai užmigo. Vis dėlto jį nukamavo visas tas triukšmas.

– Taip, – atsiduso grafas ir su palengvėjimu atsisėdo, – ir šįsyk viskas gerai baigėsi. Gal paaiškintumėte man, kaip tai nutiko? – Kai papasakojome, jis tarė: – Tai bent bus linksmumėlio. O ką darysime su Olivjė? Turime kaip nors vėl pastatyti jį ant kojų. Žinote kodėl. Mama, tu gausi naują skrybėlaitę. O jūs, Lote, važiuosite į miestą ir mano sąskaita užsuksite į kirpyklą! – Grafas atsistojo ir apžiūrėjo savo šlapią švarką. –

Dabar siūlau visiems persirengti. Žinote ką? Pietums pasipuošime ypatingai. Ši diena įžymi, nepamirškite!

Lotė išpūtė akis iš smalsumo, bet buvo pernelyg netaktiška klausti, kuo ši diena tokia jau ypatinga, be Bonio skrydžio.

Grafas prajuko:

– Lote, žaviuosi jūsų laikysena. Jūs gyvas diskretiškumas. Bet aš ketinu jus pakankinti. Jeigu viskas vyks pagal planą, šįvakar galbūt maudysitės sidabrinėje vonioje.

Virėja, kuri kaip tik ketino lankstyti šlapią savo prijuostę, sustingo:

– Sidabrinėje *vonioje?*

Grafas jai pamerkė:

– Lote, palaukite staigmenos, daugiau nieko nesakysiu.

– Eduardai, – sušuko močiutė, – o kaip sekėsi pasišnekėti su Leopoldu?

Grafas pliaukštelėjo delnu sau per kaktą:

– Visai pamiršau per tą sąmyšį. Jis neateis aperityvo, turi pietauti namie, nes laukia svečio. Bet su džiaugsmu pranešu jums, kad jis suteiks garbę ateidamas išgerti kavos. Be to, atsives Valterį.

Pajutau, kaip man įškaito skruostai.

Dėdei Eduardui tai neprasprūdo pro akis.

– Tu neprieštarauji, vaike?

– Žinoma, ne, – atsakiau ir nusisukau, slėpdama raudonį.

– Tuomet tikrai bus linksma pasimatyti, bet tu nieko nesakai.

– O ką man sakyti? – Apžiūrinėjau šlapias dėmes ant suknelės.

– Žinai ką? – sušuko dėdė Eduardas. – Tu paiškylausi su Valteriu ir Olivjė. Bet *ne* tuo klaikiu sportiniu automobiliu, kurį Valteris parsigabeno iš Amerikos. Važiuosite daimleriu. Išvažiuosite po pietų, o grįšite vakare. Sutinki?

Man tai visai nepatiko.

– Maniau, močiutė pasirūpins Olivjė, o aš talkinsiu tau...

Grafas prisidėjo prie lūpų pirštą:

– Ša! Lote, ką valgysime?

Apvalutė virėja jau buvo užsirišusi švarią prijuostę.

– Įdarytų kiaušinių, ridikėlių ir šviežių raudonųjų paprikų užkandžiams, – paskelbė ji klusniai, – paskui špinatų, grybų ir *oseilles*, keptų su sūrio padažu pagal ponios grafienės receptą. Galop puikų ožkų pieno sūrį, kurį nupirkau Kronau turguje. O desertui patieksiu skanaus naminio persikų kremo.

– Labai gerai! – Dėdė Eduardas apkabino mane ir nuvedė prie durų. – Daugiau nė šnipšt, – sukuždėjo į ausį. Prie durų atsisuko: – Kad nepamirščiau, Lote: atšaldykite du butelius šampano, to, kuris skirtas ypatingoms progoms. Ar žinote, kur jis? Ne? Tada palūkėkite truputį. Palydėsiu abi ponias, o paskui *mes dviese* nulipsime į rūsį.

14

Olivjė per pietus nepasirodė.

Net ir tada, kai jam buvo pranešta, kad Bonis šįkart tupės virtuvėje. Bet liepė jam į kambarį atnešti viskio, o kai tarnaitė po ketvirto žygio raudonais žandais ir kiek susitaršiusiais plaukais nulipo žemyn, supratome, kad Olivjė ne taip greitai pamatysime.

Dėdei Eduardui knietėjo sužinoti smulkiau:

– Kiek jis kol kas išgėrė?

– Keturias dideles taures viskio su soda, regis, – droviai šypsodama pasakė tarnaitė, – ir sako, kad nori dar vienos.

Grafas nesvarstė.

– Nuneškite jam visą butelį ir dar kibirėlį su ledais.

– Nežinau, ar tai gera mintis, – tarė močiutė, kai tarnaitė nuėjo.

– Mintis netgi labai puiki. Dabar galėsime nebesukti galvos, kaip juo atsikratyti po pietų. Jeigu jis nieko nevalgys ir toliau plemps, galėsime sprogdinti šalia jo apvaliajame bokšte, o jis net nepajus. Tikrai *labai* vyriškai elgiasi su tuo viskiu. Niekad nebūčiau tikėjęsis.

– Tai ar galėsiu padėti tau ieškoti lobio? – šūktelėjau susijaudinusi. – Aš turėsiu laiko, jeigu man nereikės saugoti Olivjė. Meldžiu, dėde Eduardai, leisk man bent sargybą eiti!

– Žinoma, leisiu. Aš tik nenorėjau, kad pradėtum pasakotis Lotei virtuvėje. Jau šįryt nusprendžiau tave vestis, mums taip pat pagelbės Hansas. Šiandien priešpiet jam pasakiau, kad ketinu patyrinėti seną pabėgimo sistemą, ir jis kaipmat užsidegė. O lobį rasime tarsi atsitiktinai. Trečią valandą susitiksime apvaliajame bokšte, vidurinėje sarginėje, prieš akmeninį koridorių. Prašau labai šiltai apsirengti, Anete! Bokšte ledinis šaltis. Juk nežinia, kiek laiko užtruksime.

– Aš irgi eisiu! – staiga pasiryžo močiutė. – Pasaugosiu ir pakviesiu pagalbą, jeigu prireiks.

Dėdė Eduardas linksmai nusišypsojo ir paprašė antros špinatų su *oseilles* porcijos.

– Maniau, kad tu netiki pasakomis apie lobį, mama?

– Žinoma, netikiu, – nė kiek nesutrikusi pareiškė močiutė, – bet man labai parūpo sidabrinė vonia.

– Ką gi, tada tai bus šeimos verslas. Jei toks susidomėjimas, *negali* nepasisekti. – Grafas žvilgtelėjo į laikrodį. – Leopoldas ateis lygiai pirmą. Turėsime dvi valandas iššniukštinėti, kokie jo finansiniai ištekliai. Kaip manote, pakaks?

Močiutė pergalingai nusišypsojo:

– Pakaks *dviejų minučių.* Tu neįvertini mūsų nuovokos.

Šia proga močiutė buvo apsivilkusi elegantiška šilko suknele, o ant galvos užsidėjusi neįtikimą kūrinį iš rožių ir jazminų žiedų su baltu šydeliu, kuris koketiškai dengė kaktą ir viršunosę.

– Kad tavo žodžiai Dievui į ausį! – šūktelėjo grafas ir gurkštelėjo šampano.

Močiutė taip pat truputį nugėrė iš savo taurės:

– Visai nieko tas tavo šampanas. Bet tas, kurio atsivežiau, nepalyginti geresnis.

Dėdė Eduardas nutylėjo, ir mes papietavome rekordiniu greičiu.

Ir visai be reikalo taip skubėjome. Prie išorinių pilies vartų paskambino ne lygiai pirmą, o tiktai pusę antros. Mes kaip tik buvome pašlovinę Lotės kremą ir jau stebėjomės, kur pragaišo tas Leopoldas. Vos išgirdome skambutį, truputį susinervinome, nors nė vienas nebūtume prisipažinę. Dėdė Eduardas atsitiesė ir pasitaisė kaklaraištį. Močiutė pasikvepino savo dešinę ranką, nes žinojo, kad ją bučiuos. O aš keliskart smarkiai sukandau lūpas, kad jos paraudonuotų. Vos pasirengėme, atėjo tarnaitė ir pranešė, kad sulaukėme svečių.

Smalsiai pasukau galvą ir pro nukarusias kaštonų šakas pamačiau artinantis du vyrus. Pažįstami veidai, nors nebuvau jų mačiusi penkerius metus. Net ir po dešimties ar dvidešimties metų nesunkiai būčiau atpažinusi Leopoldą.

Mūsų kaimyną visa apylinkė vadino Lokenšteino milžinu. Jis buvo gerų dviejų metrų ūgio, stebėtino dydžio rankomis ir kojomis. Jo balsas buvo dar garsesnis už dėdės Eduardo, o tai šį tą reiškė. Valteris, vienintelis jo sūnus, tiesa, buvo kiek žemesnis, bet ir jis praaugęs mane visa galva, ir draugijoje visų akys kaipmat nukrypdavo į jį. Be to, dažniausiai jis būdavo gražiai įdegęs, plaukai šviesūs, o rudos akys labai išraiškingos. Tėvas ir sūnus atrodė įspūdingai, pamatęs negreitai pamirši šią porą. Didelės Leopoldo pėdos gurgždino žvyrą. Jis rėkalojo ir pašėliškai mostagavo rankomis. O paskui griausmingai nusikvatojo. Matyt, pasakojo vieną iš savo pokštų, kurių visi bijojo ir kurie pralinksmindavo tik jį patį. Ir Valteris prisivertė šyptelėti, regis, gerai net nesiklausydamas. Dėdė Eduardas atsistojo ir žengė pasitikti svečių.

– Sveiki atvykę į Kronegą! – riktelėjo žvaliai. – Seniai neturėjome tokios garbės. Valteri, kada čia lankeisi pastarąjį kartą? Prieš dvejus metus. Laikas pataisyti padėtį. Reikalauju, kad užsuktum dažniau. Anetė grįžo ir jai reikia draugijos.

– O, ponas baronas! – sušuko močiutė ir atkišo Leopoldui iškvepintą savo rankutę.

– Mieliausioji grafiene, aš sužavėtas.

Rankutė pranyko Leopoldo letenoje, buvo pabučiuota ir, kad ir kaip keista, vėl pasirodė nė kiek nenukentėjusi.

Atėjo mano eilė. Į mane atsisuko stambus, geraširdis, kiek paraudęs kaimyno veidas, man labai panašus į senbernaro snukį. Žinojau, kad visuomet patikau Leopoldui, bet dabar jį dar labiau pakerėjau. Rudos jo akys buvo sklidinos susižavėjimo, ir praėjo bemaž valandėlė, kol jis prakalbo.

– Na... Anete, – galop sududeno jis, – neįtikima. Visai kaip gražuolė mama. Valteri, ką pasakysi?

– Anetė visada buvo graži, – tarė Valteris, pasilenkė prie manęs ir greit pabučiavo į kaktą. Paskui žengtelėjo atgal ir nusišypsojo man.

Didžiausiai savo nuostabai, suvokiau, jog nebūčiau priešinusis, jeigu jis būtų palaikęs mane glėbyje ilgėliau.

– Ar tau gerai sekasi? – paklausė Valteris.

– Dabar taip, – atsakiau sutrikusi.

Smalsiai apžiūrinėjome vienas kitą. Nesimatėme penkerius metus. Daug laiko nutekėjo. Bet laikas mums nepakenkė. Valteris buvo man artimas kaip anksčiau, bet kartu jaudinamai svetimas. Danielis buvo neaukštas ir smulkus, tad mane glumino kaimyno ūgis, ilgos kojos, platūs pečiai. Anksčiau šito visiškai nepastebėdavau: Valteris buvo Valteris. O dabar priešais stovėjo aukštas išvaizdus vyriškis, ir jis man patiko.

Leopoldas tarė grafui:

– Edi, sveikinu tave, turi tokią žavingą dukterėčią! Kaip iš akies traukta gražioji tavo sesuo.

Jis atsisėdo šalia močiutės į pintą krėslą. Valteris prisėdo šalia manęs.

– Taip, pribloškianti Ana Luiza, – kalbėjo toliau Leopoldas, – ji sudaužė daug širdžių, tarp jų ir manišką. Kam čia slėpti? Kaip jai sekasi? Kada vėl ją pamatysime?

– Liepos 31-ąją, – paskelbė močiutė, – ji atvažiuoja į mano aštuoniasdešimtąjį gimtadienį. Bus nedidelės iškilmės, žinoma, kviečiu ir tave, suprantama, su šeima. Smulkiau dar sužinosite. Juk laiko turite?

Ši žinia, aišku, išmušė Leopoldą iš pusiausvyros. Jis net nesapnavo, jog kada nors vėl išvys savo jaunystės meilę, ir apipylė močiutę klausimais. Paskui ėmė žerti istorijas apie save ir mano motiną.

– Tik per plauką netapote broliu ir seseria, – pagrasino jis Valteriui ir man. – Ką *tu* būtum sakęs, Edi?

– Šitaip man labiau tinka, – atrėžė grafas. – Be to, Anetė panaši ne į motiną, o į savo tetą Emė.

Leopoldo veidas kiek apniuko.

– Ar tau *būtinos* šitos užuominos? Ką tu manai, mieloji grafiene, juk juodi plaukai ir mėlynos akys Anos Luizos.

Grafas neleido močiutei atsakyti:

– Liaukis meilikavęs Poldli! Antraip vaikas pernelyg pasipūs. Penkeri metai užsienyje atvedė ją į protą, ir aš nenoriu, kad ji vėl sugestų. Gyvenimas užsienyje duoda naudos. Anetė labai daug ko išmoko. Restauruoja, padeda tvarkyti man rinkinius ir sklandžiai kalba angliškai.

– Kaip ir mano Valteris, – išdidžiai sušuko Leopoldas. – Jis vienerius metus praleido Amerikoje ir kalba kaip tenykštis. Valteri, pasakyk ką nors angliškai Anetei!

Valteris sviedė man žvilgsnį, kuris bylojo, ką jis mano apie šį reikalavimą.

– Na, kas yra, Valteri? Pasakyk ką nors!

– Tėve, juk mes ne vaikų darželyje.

– Žinoma. Vaikų darželyje svetimų kalbų neišmoksi.

Atėjo Lotė ir atnešė kavos, konjako ir likerio. Leopoldas leidosi įkalbamas išlenkti taurę konjako, o tada pasiūlė visiems cigarų.

– Ačiū, *mes* nerūkome, – sušuko dėdė Eduardas. – bet jei *tu* užsimanei padūmyti kaip kaminas, labai prašom.

– Kaip malonu, – ramiai pasakė Leopoldas ir išpūtė aukštyn penkis dūmų ratilus. Paskui patogiai atsilošė krėsle ir nusišypsojo man. Atsakiau jam šypsena. Dėdė Eduardas neklydo. Leopoldas *neatrodė* nukamuotas piniginių rūpesčių. Priešingai – aš beveik nebuvau mačiusi mūsų kaimyno tokio atsipalaidavusio ir malonaus. Gal jis tikrai laimėjo pagrindinį loterijos prizą.

– Beje, Edi, – tarė jis, kai Lotė nuėjo, – kur tavo papūga? Valteris norėtų ją pamatyti. Jam patinka tie kvaili padarai.

Grafas pasisuko į mus.

– Tikrai norėtum jį pamatyti, Valteri? Anetė tau parodys Bonį. Anete, po kavos nuvesi Valterį į virtuvę...

– Į virtuvę? – pratrūko džiaugsmu Leopoldas. – Ką tu pasakei, į virtuvę? Ar jūs jį kaip tik sušveitėte? Prisipažink, Edi, sudorojote paukštį pietums, įdarytą kaštonais, it medžiotojų kepsnį. Cha cha cha, kaip tipiška. Brangus kepsnys! Kiek jis kainavo? Tūkstantį markių? Daugiau? Cha cha cha! Jūs iš Kronego visuomet buvote kilmingi žmonės.

Dėdė Eduardas pabūgnijo pirštais į stalą.

– Kiek kartų dar turėsiu tau sakyti, Poldli, kad mes neturime papūgos...

– Juk ką tik taip ir pasakiau.

– ...o turime kakadu! Supranti, kad tie paukščiai skiriasi? Kakadu turi kuodą, kurį gali pašiaušti, todėl jis pranašesnis už papūgą. Paprastai šito išmokstama mokykloje.

– Kiek laiko tu jį jau turi? – paklausė Leopoldas, nekreipdamas dėmesio į dėdės žodžius.

– Dvejus metus.

– Jis kalba?

– Dar ne.

– Nė žodžio?

– Nė žodžio. Bet raidžių jau išmoko, pavyzdžiui, nuostabiai aiškiai ištaria „o“.

Leopoldas išsiėmė iš burnos cigarą ir plačiai nusišypsojo:

– Nuostabiai aiškiai ištaria „o“? Nepaprastas laimėjimas. Kol jis išmoks abėcėlę, Anetė jau bus močiutė, cha cha cha! Bet nebijok, Edi, kai tau trūks kantrybė, galėsi kreiptis į mane. Pažįstu mieste patikimą iškamšų gamintoją, ir dar labai pigų, už iškamšą su stiklo akimis jis ima tik du šimtus markių. Ar duoti adresą?

– Visąlaik tie kvaili tavo pokštai, – vos tverdamas sušuko dėdė Eduardas. – Kodėl neiškemši savo takso?

– Cha cha cha, – sugriaudėjo Leopoldas ir delnu padaužė stalą. – Gerai pasakyta. Grįžęs pasiūlysiu žmonai. Padarysime takso iškamšą, bet *pirmiau* – tavo papūgos.

– Ar neprieštarautum, jeigu pakeistume temą? – šiaip taip išspaudė dėdė Eduardas.

– Gal dar konjako, mielas barone? – įsiterpė močiutė ir mostelėjo man, kad įpilčiau. – Beje, – kalbėjo ji toliau, žaviai nusišypsojusi, – sūnus man sakė, kad ketini įsigyti pirkinį prieš mūsų vartus. Ar būtų galima sužinoti kodėl?

– Žinoma, galima! – sušuko Leopoldas, ir jo veidas paraudonijo iš pasididžiavimo. Jis patraukė cigarą, parodė į Valterį ir paskelbė: – Mano sūnui reikia dirvos veiklai. Amerikoje jis praleido metus pavyzdiniame ūkyje, o dabar nori pasižiūrėti, kaip jam seksis čia. Valteris yra vejų specialistas.

– *Kas?* – vienbalsiai paklausė močiutė ir dėdė Eduardas.

– *Vejų specialistas!* Gatavų vejų specialistas, amerikietiškai *turf*. Esate girdėję?

– Ne, – neabejodama pareiškė močiutė.

– Taigi, – pasakė Leopoldas ir padėjo savo cigarą ant stalo krašto, – aš jums paaiškinsiu. Valteri, gal tu *man* leisi. Na, galvoje turima labai atspari žolė trumpomis šaknimis. Ji pasėjama ir užžėlus išrėžiama juostomis, paskui susukama į ritinius ir parduodama žmonėms, ką tik pasistačiusiems namus, arba miesto valdžiai, kuri ketina rengti parką. Žmonėms įkyrėjo betonas. Jie vėl užsimanė žalumos. Mes tikimės gauti didžiulį pelną. Mes *apžolinsime* visas plikas vietas didmiesčiuose, tiesa, Valteri? – Jis oriai apžvelgė mus visus: – Šį terminą aš sugalvojau. Vykusiai, argi ne? „Apžolinti" – puikus žodis, nes žolė auga greitai, o po kelių dienų įsišaknija. Veja atrodo taip, lyg seniai buvusi.

– Labai įdomu, – pritarė jam močiutė, – bet jei tikitės daugybės užsakymų – kur sėsite tą žolę?

– Apsėsime visą žemę, – pasakė Leopoldas ir pasigardžiuodamas patraukė dūmo. – Visą žemę, priklausančią dvarui.

Močiutė vos pastebimai krūptelėjo:

– Kaip? *Visą žemę?* O gražusis miškas? O laukai? O vynuogynas? Ką darysi su jais?

– *Visur žolė,* – svajingai tarė Leopoldas. – *Žalia žolė,* kiek aprėpia akys.

– Tu kalbi nerimtai!

– Aišku, rimtai, – tarė Leopoldas ir plačiai apvedė ranka. – Ketinu apžolinti visas apylinkes, nuo čia iki ten, kaip mane gyvą matot.

Iš siaubo močiutė neteko amo. Bet iškart atgijo jos kovingumas.

– Tai bent smagumėlis bus! Nei miško, nei vynuogyno, o vidury pampos – Kronegas! Štai ką jums pasakysiu. Šis kvailas žolės verslas *žlugs*. Liksite tupėti ant savo žolės. Juk negalėsite jos parduoti net kaip šieno. Kokia karvė ės stepių žolę trumpomis šaknimis?

– Mieloji grafiene, – atkirto pamokomu balsu Leopoldas, – verslas *klestės*. Viską apgalvojome iki smulkmenų. Pirmaisiais metais išnuomosime namą ir tvartus paršų augintojui. Jis mokės gerą nuomą, kol pradės duoti pajamas žolės verslas. Mes juk niekuo nerizikuojame, tiesa, Valteri? Beje, Eduardai, turiu tau pranešti, kad šįryt buvau dvare ir prie tavo pasiūlytos kainos dar pridėjau penkis procentus. Jeigu iki liepos 31-osios neturėtum pirmumo teisės, jau dabar prie savo stalo vaišintumei naująjį dvaro savininką.

Jis išpūtė per stalą ilgą virtinę dūmų ratilų ir įžūliai pasižiūrėjo į grafą.

Dėdė Eduardas irgi įbedė į jį akis.

– Dvarą matysi kaip savo ausis. Kiek dar turėsiu tą kartoti?

– Taip, tikrai? O kaip tu sukliudysi? – Leopoldas pasilenkė į priekį ir atkišo man tuščią kavos puoduką: – Gal malonėtum, gražusis vaike?

Dėdė Eduardas įsikarščiavo:

– Tu pamatysi, kaip aš sukliudysiu, mielasis. Gal tau kai ką pasakyti? Aš sukliudysiu taip, kad tai įeis į istoriją. Aš...

– Eduardai! – riktelėjo močiutė. – Nesijaudink šitaip, pakils kraujospūdis.

– Bet man *labai* įdomu, – karingai sušuko Leopoldas. – Į istoriją daugių daugiausia įeis tai, kad už dvarą, kuris anksčiau priklausė jums, tu sumokėsi beprotiškai didelę sumą.

– Beje, dėl tos beprotiškos sumos, – sukruto močiutė, – o kaipgi *tu* ją gausi, mielas barone? Juk neimsi kredito? Puikiai, kaip ir mes, žinai, kad pastaruoju metu pašoko procentai.

Leopoldas delsė atsakyti. Išgėrė kavą, paprašė įpilti konjako ir kruopščiai nukratė pelenus nuo cigaro.

– Apie kreditą negali būti nė kalbos, – tarė pagaliau.

Prie stalo staiga stojo grėsminga tyla. Niekas nepratarė nė žodžio. Močiutė, dėdė Eduardas ir aš bemaž nedrįsome kvėpuoti. Valteris atidžiai tyrinėjo savo nagus, tik Leopoldas patenkintas pūtė dūmus.

Galop grafas sutrikdė tylą:

– Juk netvirtinsi, kad savo banko sąskaitoje turi visą iki paskutinio pfenigo sumą dvarui pirkti!

– Ne banko sąskaitoje, mielas Edi, o pelningose akcijose. Mat *aš* nesu kolekcininkas. *Aš* net nesusapnuočiau investuoti pinigus į negyvus daiktus. Rinkiniai yra negyvas kapitalas. Argi niekas tau nėra sakęs? Tai, ką *tu* darai su savo pinigais, įkvepia provincialus mąstymas. Pinigus reikia įdarbinti. Reikia būti lanksčiam ir investuoti į dalykus, kurių kaina kyla. Būtina nuolat pirkti ir parduoti, tik šitaip praturtėsi.

Sulig šiais žodžiais man per nugarą perbėgo šiurpuliai. Kaip tik taip kalbėjo Danielis, tada, po pirmojo mūsų bučinio prieš penkerius metus po kaštonais. Leopoldo kalbą žodis žodin galėjo pakartoti Danielio lūpos. Pasižiūrėjau į močiutę ir grafą, ar juodu irgi atkreipė į tai dėmesį. Regis, abu nieko nepastebėjo.

– Vadinasi, nusipirkai akcijų? – paklausė dėdė Eduardas, lyg nelabai susidomėjęs. – Prašyčiau pasakyti, už ką tu nusipirkai akcijų?

– Kas tau darbo, – linksmai atkirto Leopoldas.

– Praėjusią vasarą pardavėme mišką, – pasakė Valteris.

Dėdė Eduardas atpalaidavo kaklaraiščio mazgą, kaip darydavo tik kraštutiniais atvejais:

– Prašyčiau nelaikyti manęs kvailiu. Miško kainos nieku gyvu nesulyginsi su dvaro. Žinote tai taip pat puikiai kaip aš.

– O ką aš sakiau? – linksmai sušuko Leopoldas. – Grynas provincialo mąstymas! Edi, tau trūksta drąsos rizikuoti. O *aš* esu drąsus. *Aš* rizikavau pinigais, kiekvienu pfenigu. Nusipirkau akcijų, kurios arba nieko neduos, arba neapsakomai pabrangs, *jeigu* jų vertė pakils. Galėtum kartais paskaitinėti Bibliją. Juk tenai juodomis raidėmis baltame popieriuje parašyta: naudokis savo gabumais.

– Vadinasi, tavo akcijų vertė kyla?

– Kyla.

– O kas garantuos, kad vėl nenusmuks?

– Šitos nenusmuks. Arba jos bus pigios, arba brangs, brangs ir brangs.

Akimirką stojo tyla.

– Man būtų įdomu, kokių akcijų tu pirkai? – nutraukė tylą dėdė Eduardas.

– Mielai tikiu. Bet tau pasakysiu tik tada, kai kišenėje turėsiu dvaro pirkimo sutartį. Valteri, prikąsk liežuvį! Tai įsakymas. Dar žodis, ir neteksi palikimo. Bet nurimk, mielas Edi, aš norėčiau tau pasakyti, jog kasdien iki liepos 31-osios aš vis turtėsiu. Tad išgalėsiu, vos tik tu kelsi kainą, pasiūlyti daugiau.

Močiutė nebesusitvardė:

– Tokių kvailysčių dar nesu girdėjusi per visą savo gyvenimą. Kas laisva valia gali šitaip kelti kainą? Leopoldai, ar tu žinai, kiek už dvarą gavo mano tėvas? Penktadalį sumos, kokios pirmąkart paprašė dvaro savininkas. O *tu* ne tik sutikai su tokiu plėšimu, ne, tu pats padidinai ją trisdešimt penkiais procentais!

Leopoldas patenkintas padėjo cigarą ir visus nužvelgė:

– Kai turi, negaila.

– Poldli, – tarė dėdė Eduardas, prisiversdamas likti malonus, – tiksliai žinau, kiek gavai pardavęs mišką. Stebuklingosios tavo akcijos turėtų būti pabrangusios keturiasdešimčia kartų, kad tu bent priartėtumei prie dvaro kainos. Teikis man nurodyti bent vieną akciją, kuri per metus būtų pabrangusi keturiasdešimčia kartų!

– Na, gerai. Jeigu jau taip trokšti žinoti, per dvylika mėnesių mano akcijų vertė pakilo *penkiasdešimt du* kartus.

Grafas giliai atsiduso:

– Kas tavim patikės.

– Prašau, juk pamatysi, ar aš įstengsiu sumokėti liepos 31-ąją, ar ne.

– Pažiūrėk man į akis!

– Su malonumu!

Abu pilių ponai minutę žvelgė vienas kitam į akis piktai tylėdami. Močiutė neteko kantrybės:

– Liaukitės kvailioję, dar suims traukuliai! Argi negalime susitvarkyti protingai?

– Ne, – karštai suriko Leopoldas, – nes Edžiui reikia dvaro, man irgi. Grafiene, viskas kur kas sudėtingiau, negu jūs manote. Gerai žinau, kiek gali mokėti Edis. Juk jokia paslaptis, kiek paveldėjo Anetė iš senojo Nestoro. Bet Edis nežino, kiek galiu mokėti aš. Todėl jis taip ir kelia kainą, nes tiki, kad neišgalėsiu mokėti. Kaltas Eduardas, grafiene. Aš esu auka.

– Ne! – sugriaudėjo grafas. – Kaltas tu, nes *tu* iškart sutikai tiek mokėti.

Leopoldas taip vožė kumščiu į stalą, kad susiūbavo taurės:

– Na, ir? Aš sutikau, bet *tu* kaipmat padidinai kainą dešimčia procentų.

– Nerėk šitaip, tėve! – įsikišo Valteris. – Norėčiau kai ko paklausti Anetę. Anete, ar tu rytoj po pietų laisva?

– Žinoma, laisva! – subliovė Leopoldas. – Kam tas kvailas klausimas?

Dėdė Eduardas paraudo.

– Nuo kada tu rūpiniesi *mano* dukterėčia? Anetė *neturi* laiko. Supranti, laiko ji niekuomet nebeturės. Niekam iš Lokenšteino ji neturės nė *sekundės* laiko, aišku?

– Ar aišku? – pašėlo Leopoldas. – Aiškiau nei manai. Valteri, stokis, mums metas!

Jis pašoko, dėdė Eduardas irgi. Abu kaip gaidžiai peštukai vėrė akimis vienas kitą per stalą.

– Tėve, dar truputį, – Valteris pasilenkė prie manęs. – Rytoj trečią prie upės, – sušnibždėjo ir greit spustelėjo man ranką. O paskui tarė močiutei: – Grafiene, širdingai dėkojame už vaišingumą. – Ketino atsisveikinti ir su dėde Eduardu, bet tas tyčia atsuko jam nugarą. Močiutė atsistojo.

– Eduardai, – suriko ji griežtai. – Aš palydėsiu *mūsų* svečius ligi vartų.

Grafas net nekrustelėjo.

Močiutė patraukė pečiais.

– Eikime. Aptarsime keletą mano gimtadienio šventės smulkmenų. Valteri, mudu dar užsuksime į virtuvę, aš tau parodysiu paukštį.

Dėdė Eduardas staiga atgijo.

– Anete, tu lieki čia! – Jis valdingai bedė pirštu į mano krėslą. Atsistojo šalia, lyg ketindamas, jeigu prireiktų, apginti mane nuo įsibrovėlių. – Dievaži, kol esu Kronego šeimininkas, – plūdosi patyliukais, – niekas iš Lokenšteino nebeperžengs pakeliamojo tilto. Jaunasis irgi, supratai? – O paskui, gana garsiai. – Valteris irgi! Viskas baigta.

– Bet, dėde Eduardai, juk nieko dar neprasidėjo!

– Įsikalk į galvą – viskas baigta! – Jis klestelėjo ant balto suolo ir taip grėsmingai suraukė savo vešlius juodus antakius, kad viršunosėje susidarė tiesus brūkšnys. Jis nervingai būgnijo pirštais stalą, kol grįžo močiutė.

– Žolė, kiek aprėpia akys, – tarė ji ir susmuko ant suolo šalia jo. – Ar tu žinojai, Eduardai?

Grafas papurtė galvą.

– Staigmeną jis pasaugojo šios dienos pietums. *Man* jis pasakojo tik apie kiaules.

Močiutė atsiduso:

– Vis dėlto tau nereikėjo iškart taip karščiuotis!

– Kodėl man? Juk *jis* pradėjo.

– Nesvarbu, katras pradėjo. Mums reikėjo išvilioti jo paslaptį, o ne tulžį išlieti.

Ji nusiėmė baltą skrybėlaitę ir pasidėjo ant laisvo krėslo šalia.

– Mama, – niauriai tarė dėdė Eduardas, – Leopoldas beprotis. Tik bepročiui gali ateiti tokių minčių. Kaip manai, gal mums pasitelkti psichiatrus. Šis žmogus pavojingas aplinkiniams. Tą įrodo tas „apžolinimo" šėlas. Paskambinsiu savo šeimos gydytojui ir pareikalausiu, kad jis būtų išvežtas.

– Verčiau palauk iki rytdienos! Jeigu *nerasime* lobio, galėsi tada pasirūpinti, kad Leopoldą paguldytų.

– Kad ir kaip ten būtų, aš uždraudžiau Anetei bendrauti su Valteriu. Nenoriu, kad šeimoje kas paveldėtų *šitokių* savybių. – Jis nepatenkintas pasižiūrėjo į motiną: – Tik dabar supratau, ką tu pasakei. Turiu išgarbinti jį tik rytoj, jeigu nerasime lobio? Tu dvejoji? Abejoji *mano* protu? Negalime daugiau delsti nė akimirkos. Žinote ką? Tuoj persirengsime ir po ketvirčio valandos susitiksime vidurinėje sarginėje. Anete, apsimauk tvirtas pirštines! Mama, tau tik mirties ieškoti su tokia šilkine suknele. Jei neatsivežei jokio šilto drabužio, duosiu tau du savo megztinius. Be to, apsiauk storesnius batus.

Močiutė pasiėmė skrybėlaitę ir vėl atsiduso:

– Dar šįryt sakiau Anetei, jog man vis viena, kokia bus ši diena. Rasime lobį ar ne, bus dvaras ar ne – juk prisimeni, vaikuti? Prisipažinsiu, jog per pastarąją valandą aš iš esmės pakeičiau savo nuomonę. Jei susigrąžintume dvarą, pasijusčiau gerokai lengviau.

– Ir aš, – pritarė jai grafas. – Todėl iškart tau pasakysiu, kaip gali mums padėti. Budėsi prie svečių koridoriaus durų, jeigu kartais Olivjė būtų atsispyręs alkoholiui.

Jo motina nusišypsojo:

– Prancūzai išgeria marias vyno, bet viskis juos išguldo.

– Vis tiek nerizikuosime. Jeigu jis pasijudins, tuoj užrakinsi duris. O mes pabaigę tau pabelsime.

Močiutė užsidėjo skrybėlaitę ir staiga sujudo sukruto:

– Imkimės darbo, vaikai! Nors vis dar abejoju aukso lobiu, niekas man nepriekaištaus, kad atsisakiau jus paremti kritinę akimirką.

– Šaunuolė, mama, tai aš aprašysiu giminės metraštyje.

– O dėl mūsų mielo kaimyno stebuklingųjų akcijų, – kalbėjo ji toliau, – tai pati didžiausia nesąmonė kada nors girdėta mano gyvenime.

Dėdė Eduardas pabučiavo jai rankutę. Paskui atsitiesė degančiomis akimis.

– O dabar, mielosios, – sušuko didingai pamojęs, – dabar išmušė teisybės valanda. Tai, ką dabar išgyvensime, yra didžiulės reikšmės istorinis įvykis. Mokslininkų kartos suko galvas dėl dingusio Vengrijos karalių lobio. O *mes* jį surasime. Auksą, brangenybes, perlus! Patikėkite manim, šią dieną negreitai pamiršime.

Dėdė Eduardas neklydo.

Aš dar ir *dabar* nepamiršau tos dienos.

15

Nors buvome sutarę susitikti vidurinėje sarginėje, visi be dešimt trečią nuskubėjome į mažąjį pilies kiemą. Karšta liepos saulė svilino ir varė prakaitą. Juk buvome taip apsitūloję, kad vos pajėgėme žiūrėti.

Prieš išsiskiriant dėdė Eduardas dar ilgai mums aiškino apie tuntus dulkių, kurios kyla, kai ardomos sienos. Galop smulkiai nupasakojęs, koks kenksmingas dulkių poveikis žmogaus plaučiams, taip įsiaistrino, kad iki smulkmenų primokė, kaip mums apsirengti. Išvada buvo stulbinama: dulkelę, įsiskverbiančią į *mūsų* plaučius, pirmiausia turėjo sukurti Dievulis. Močiutė mums visiems nušluostė nosį. Ji buvo taip juokingai apsirengusi, kad mums ko neplyšo pilvai kvatojantis. Du stori nebalintos airiškos vilnos vyriški megztiniai dengė jai kelius. Grakščias blauzdas buvo apsitempusi žaliomis megztomis kojinėmis ir apsiavusi senais kaliošais, kuriuos aptiko savo drabužinėje. Ji atrodė be galo keistai, juo labiau kad nuo kaklo buvo kaip visuomet elegantiška. Ant puikiai suraitytų garbanų pūpsojo žaisminga geltona skrybėlaitė su violetinėmis raktažolėmis, o kaklą dengė violetinė šilko skarelė.

– Pašėliškas derinys, – pasakė dėdė Eduardas ir pagarbiai apžiūrėjo motiną pro slidininkų akinius. – Iš pirmo žvilgsnio matyti – tavęs lengvai nesudorosi.

– Ačiū. – Močiutė nužvelgė sūnų, kuris stovėjo priešais, apsirengęs sportiniu kostiumu, apsiavęs alpinistų batais ir apsisiautęs ėrenų kailiniais. – Tu irgi ne iš kelmo spirtas. – Ir pratrūko kikenti kaip mokinukė.

– Visi paklausykite! – sušuko grafas ir ant kaktos užsismaukė raudoną vilnonę kepuraitę. – Džiaugiuosi, kad atsižvelgėte į mano nurodymus. Kepuraitės ant ausų, slidininkų akiniai, šlapiomis skepetomis pridengtos nosys ir burnos. Skepetas galite nusigaubti, apsirišime jas tik apvaliajame bokšte. Pirštines iškart apsimaukite. Liaukis kikenusi, mama! Žinau, kad esu buvęs ir elegantiškesnis; beje, tu – taip pat. Vis dėlto gali vesti mus į viršų. Ženk pirmoji, mes seksime tau iš paskos!

Pajudėjome vorele. Grafas ėjo paskui močiutę, aš – paskui grafą, o Hansas pėdino paskui mane, nešinas laužtuvais, plaktuku ir kastuvu.

Tylomis perėjome per mažąjį pilies kiemą su akmeniniu šuliniu ir ėmėme kopti aukštyn siaurais sraigtiniais laiptais, vedančiais į senovinį koridorių šalia apvaliojo bokšto. Ši pilies dalis buvo taip retai naudojama, kad niekam neatėjo į galvą įvesti elektros. Vienintelė graži patalpa čia buvo dirbtuvė. Visi kiti kambariai – siauri, žemi, su mažais langais ir metro storumo akmeninėmis sienomis. Haidno galerijos pavadinimas šioms patalpoms tiko kaip šuniui penkta koja. Bet, sakoma, kad garsusis kompozitorius kartą čia nakvojo, o kadangi niekam netoptelėjo įrodyti priešingai, galerijai taip ir liko garsus vardas.

Mažoje sarginėje stovėjo trys žibintai, kuriuos apdairusis Hansas čia atnešė po pietų. Dėdė Eduardas juos uždegė, išdalijo mums, o paskui atidarė žemas, geležimi apmuštas dureles į akmeninį koridorių. Jau ir sarginėje buvo šalta, bet čia, prie storos šiaurinės apvaliojo bokšto sienos, viešpatavo ledinis šaltis. Močiutė kaleno dantimis, nors ir buvo apsirengusi dviem storais megztiniais, šlapios skepetos, kurias laikiau, šaldė kaip ledas.

– Mama, svečių koridoriaus durys atrakintos, – sušnibždėjo dėdė Eduardas. – Tu verčiau eik pro jas ir užimk savo postą. Antraip tik persišaldysi.

Nors ir virpėdama nuo šalčio močiutė manė kitaip.

– Tuoj eisiu, – pareiškė ji, – bet pirma turiu pamatyti, kaip jūs visi pro skylę sulendate į sieną. Prašyčiau nedrausti man stebėti šio reginio!

– Žinoma, mielai prašom grožėtis!

Grafas pasidėjo žibintą ant žemės ir stebėtinai vikriai šmurkštelėjo į sieną. Paskui iškišo galvą ir nusijuokė:

– Patenkinta?

Močiutė apstulbo.

– Eduardai, šito nebūčiau iš tavęs tikėjusis. Nuoširdžiai gerbiu! – Ji pakėlė žibintą ir padavė jam. – Taip, o dabar pašviesk. Man rūpi, kaip čia viduje atrodo.

Dėdė Eduardas iškėlė žibintą. Jo motina pasilenkė prie skylės.

– Kaip koridorius, – pasakė ji. – Eina greta šito, matyt, susisiekia su senuoju tuneliu į Lokenšteiną. Kur nors turėtų būti laiptai žemyn. Ar radai laiptus?

– Dar ne, bet gal jie paslėpti už šios sienos. Anete, Hansai, lipkite vidun ir pašvieskite. Siena palyginti nauja. Ar matote?

Įlindau paskui Hansą pro skylę, kaip kvaiša susiplėšiau dešinę savo slidinėjimo kostiumo rankovę. Tai buvo dailus naujintelaitis kostiumas, pamuštas pūkais. Šiaip tokia nesėkmė man būtų sugadinusi dieną, bet dabar, apimta lobio ieškotojų jaudulio, kaipmat tai pamiršau.

Trimis žibintais apšvietėme sieną.

– Hansai, o jūs ką manote? – Dėdė Eduardas parodė į akmenį, kurį prieš kelias dienas buvo išlupęs iš sienos, ir į nuolaužų krūvą šalia. – Ar šiandien susidorosime?

Hansas patraukė pečiais ir smogė plaktuku į sieną. Ant žemės nukrito keli kalkių gabalai, mažėlesni akmenys ir keletas plytgalių.

– Nelabai tvirta, regis, ir nelabai stora.

– Užsiriškite šlapias skepetas, – paliepė grafas. – Hansai, kibkite į darbą!

Kol Hansas atsargiai beldė sieną, tikrindamas, kur geriau ją ardyti, aš apsidairiau. Stovėjome ilgoje siauroje patalpoje, kiek platesnėje už akmeninį koridorių, bet šiaip nelabai nuo jo besiskiriančioje. Sienos ir lubos – akmeninės, grindys – nelygių akmens plokščių.

Tuščia ir neįdomu – bet akis patraukė pats galas. Tas buvo išplatėjęs į pusapvalę nišą, apjuostą akmeniniu suolu. Priešais jį žema sienelė. Regis, atsidūrėme aklavietėje, paskutinėje slėptuvėje, kur būtų buvę galima prisiglausti senovėje, jeigu priešas jau būtų užėmęs slaptus pabėgimo kelius.

Hansas vis dar daužė sieną, kol staiga atšoko.

– Saugokitės! – riktelėjo jis, traukdamas mane ir grafą į šalį. Pačiu laiku. Aplinkui pasipylė akmenys ir plytos, pakilo dulkių stulpai, pasmirdo pelėsiais. Kai viskas nurimo, mes pasijutome bestovį iki kulkšnelių tarp šiukšlių ir nuobirų. Vienas žibintas buvo sugurintas, bet kiti du dar degė, apšviesdami vietą, kur ką tik stovėjo siena.

Vietoj jos dabar žiojėjo didelė juoda anga.

– Jūs dar gyvi? – susirūpinusi pašaukė močiutė iš koridoriaus.

– Valio! – sustaugė dėdė Eduardas ir nusiplėšė nuo burnos šlapią skepetą. – Biblijos stebuklas! Senojo Jericho sienos! Vienintelis smūgis, ir jos sugriūva! Šaunuolis, Hansai, meistriškas darbas!

– Noriu žinoti, ar jūs nesužeisti. Ar dar sveiki? Garsas buvo *grėsmingas*.

– Viskas tvarkoj, – sušukau, – nesijaudink!

Palaukėme, kol nusėdo dauguma dulkių, tada nusiėmėme akinius ir skepetas.

Hansas pašvietė į juodąją skylę. Dėdė Eduardas ištiesė kaklą.

– Mama, – riktelėjo susijaudinęs, – čia tie tavo laiptai!

Tyla.

Murmesys, o paskui dar labiau susijaudinusio grafo šūksnis:

– Bet jie veda ne žemyn, o aukštyn! Negirdėtas daiktas! Palaukite čia!

Jis mikliai perlipo per kalną griuvėsių ir žibintu pašvietė į tamsą. Išryškėjo seni akmeniniai laiptai. Pakopos buvo skirtingos ir šovė stačiai aukštyn, net jų galo nebuvo matyti.

– Paskui mane! – sušuko grafas ir atsisuko į mus. – Anete, tu būsi viduryje! Hansai, jūs prižiūrėsite, kad ji nenugriūtų. Mama, mes tuoj sugrįšime.

– Tikiuosi! – riktelėjo močiutė susirūpinusi. – Aš niekur nepasitrauksiu nė žingsnio, kol grįšite.

Besidaužančia širdimi ėmiau lipti paskui dėdę Eduardą. Džiaugiausi, kad man nereikia nešti žibinto. Pakopos buvo tokios nepatogios ir aukštos, kad turėjau abiem rankomis remtis į sieną, kad jas įveikčiau. Dar sunkiau buvo dėl siaurų slidininko kostiumo kelnių. Pavydėjau abiem vyrams. Jiems buvo lengviau, be to, jų ir kojos ilgumu gerokai pranoko manąsias.

Lipome ir lipome, regis, begaliniais laiptais. Grafas balsu skaičiavo pakopas ir įveikė penkiasdešimt, kol atsisuko pailsėti.

– Penkiasdešimt, – sušvogždė uždusęs. – Hansai, ką jūs manote? Sakyčiau, kad mes sulig viršutine sargine.

– Dar ne visai, – sunkai išdaužė Hansas, – trūksta keleto metrų.

Dėdė Eduardas iškėlė žibintą.

– Pala! – staiga linksmai sušuko jis. – Matau galą. Dar dešimt pakopų, ir būsime viršuje.

Jis nusisuko, ketindamas lipti toliau.

Tą valandėlę užgeso jo žibintas.

Pasijutau tarsi maiše, ir dėdė Eduardas žiūrėjo į juodą naktį.

– Ar man grįžti? – sušuko Hansas.

– Ne. Duokite savo žibintą! Aš eisiu pirmas, o judu pasilikite čia ir nė nekrustelėkite. Jeigu viskas bus gerai, jus pasiimsiu.

Po valandėlės jis grįžo.

– Viskas aišku, sekite paskui mane!

Laiptai nuvedė į siaurą akmeninį koridorių. Tas pasuko į kairę, paskui į dešinę ir galop baigėsi.

– Kas čia dabar? – pasipiktino dėdė Eduardas ir apšvietė aukštą akmeninę sieną, užtvėrusią mums kelią. – Negali būti, kad čia jau viskas! Štai, Hansai, imkite žibintą! Mes dar kartą grįšime.

Vėl vorele nuslinkome prie laiptų, šįsyk kiek lėčiau, nes Hansas turėjo apšviesti akmenines sienas. Nuoširdžiai troškau, kad jis ką nors aptiktų. Jeigu nepavyks, galas viltims rasti Vengrijos karalių lobį. Būsime aptikę tik seną koridorių, daugiau nieko. Staiga Hansas sušvilpė, pasilenkė ir dingo dešinėje sienoje. Sustojau kaip įbesta, nes staiga man po kojų taip sutemo, kad nebedrįsau net krustelėti. Nedaug trūko, kad dėdė Eduardas būtų mane pargriovęs.

– Kas nutiko? – suriko jis išgąstingai. – Ar mes apskritai nebeturime jokios šviesos?

– Hansas dingo! – sušukau susijaudinusi.

– Ar įkrito į skylę? Dieve gink, tai būtų...

– Aš čia! – atsiliepė Hansas.

– Ar jūs sveikas?

– Žinoma. – Trumpas juokas. – Na, *jūs* ir nustebsite!

Vėl nušvito, ir mes pamatėme, kad Hansas kalba su mumis iš po žemos apvalios arkos, kurios nebuvome pastebėję eidami pirmyn.

– Kas čia dabar? – linksmai sušuko grafas. – Šiaip ar taip, nieko keista. Anete, pasilenk! Noriu pamatyti, ką mums patėškė geraširdė lemtis. Lįsk vidun, vaike!

O tada jis neteko žado. Atsidūrėme didžiuliame kambaryje, kuris mus pribloškė kur kas labiau, nei atrastas siauras koridorius. Kambarys buvo apskritas, lubos skliautinės. Pasijutau lyg apvožta nepaprasto didumo sūrio gaubtu.

– Vadinasi, štai kas čia! – apstulbęs sušuko grafas. – Ar galėjote įsivaizduoti ką nors panašaus? Neįtikima, ko tik nerasi nuosavoje pilyje! – Jis paprašė Hansą žibinto ir apšvietė aplinkui. – Tuščias, – tarė tada nusivylęs, – bet architektūra pritrenkia. Kitados va tenai buvo durys. Matote? Kaip tik priešais. Eikšenkit, apžiūrėsime jas!

Prisiartinę pastebėjome antrą apvalią arką, lygiai tokio pat aukštumo ir platumo kaip ta, pro kurią įėjome, bet ji buvo tvirtai užmūryta akmeninėmis plokštėmis.

– Spėkite dukart, kas kitoje jos pusėje.

– Viršutinė sarginė, – tarė Hansas.

– Teisingai! – Grafas pasidėjo žibintą ant grindų ir apčiupinėjo akmenis. – Geras darbas, – pagyrė jis, – užmūryta kaip reikiant. Visuomet spėjau, kad kitados visos sarginės buvo sujungtos su slaptu pabėgimo tuneliu, ne tik apatinė. Štai įrodymas. Spėčiau, kad arka užmūryta po paskutinio turkų puolimo ir nuo tada net nepaliesta. Kaip manote?

– O kodėl ją užmūrijo, dėde Eduardai?

– Mat mes nugalėjome turkus, vaike. Išvijome juos iš Vidurio Europos, ir šalyje pasidarė saugu kaip rojuje! *Vieno* kelio į pabėgimo tunelį pakako, tad paliko tik patį apatinį, nes jis buvo trumpiausias. Supratai?

– Bet nuo čia tėra vienintelis kelias į apačią, ir jis veda ne į tunelį, o į aklą koridorių, iš kurio mes ką tik atėjome.

Grafas nusijuokė:

– Tai *tu* taip manai, bet aš geriau žinau. Lažinuosi, jog kur nors šiame kambaryje paslėpti dar vieni laiptai, ir aš juos rasiu, dedu galvą!

Jis pasilenkė paimti žibinto, bet taip ir sustingo.

– Kas nutiko? – sušukau susirūpinusi. – Dėde Eduardai, sučmė dieglys? Ar tau padėti?

Grafas nejudėjo. Sustingo pasilenkęs be žado.

Čiupau jį už dešinės pažasties.

– Hansai, prašau padėti!

– Paleisk mane! – įsakė dėdė Eduardas ir susmuko ant žemės. Tik dabar pamačiau tai, ką jis pastebėjo norėdamas paimti lempą: akmeninėse grindyse buvo įmūrytas rudų plytų keturkampis. Dėdė Eduardas staiga pašoko pergalingai švytinčiomis akimis.

– Anete, – suriko jis taip balsiai, kad nuaidėjo per visą kambarį. – Plytos akmeninėse grindyse! Ką tai reiškia?

– Kad jos buvo įmūrytos vėliau, – sušukau susijaudinusi.

– Teisybė! – nesitverdamas laime sugriaudėjo grafas. – Jos įmūrytos vėliau, ir jeigu aš neklystu, greitai jų ten nebus. Hansai, imkitės šito reikalo!

Ir jis laukdamas žengtelėjo atgal.

Hansas atsiklaupė, apčiupinėjo grindinį, padaužė plytas ir pirštais perbraukė siūles. Paskui trumpai drūtai pareiškė:

– Plytos suskeldėjusios, kalkės tarp jų sutrupėjusios.

Jis pasiėmė laužtuvą, plaktuką ir kibo į darbą.

Viena plyta išsijudino kaipmat. Kitą buvo galima lengvai išimti, trečią – po vienintelio smūgio plaktuku. Hansas dirbo kaip pašėlęs. Smūgiai atsimušdavo nuo lubų, o mes kaip pakerėti spoksojome į vis platėjančią skylę.

– Tuoj turėtų pasirodyti laiptai, – nervingai sukuždėjo dėdė Eduardas. – Hansai, pagraibykite apačioje. Ar jaučiate akmenines pakopas?

Hansas kyštelėjo ranką į skylę.

– Ai! – suriko ir kaip įgeltas ją ištraukė.

– Dieve, kas atsitiko? – susirūpinęs šūktelėjo jam grafas.

– Kažkas man įdūrė. – Hansas apžiūrėjo ranką. – Ne, ne įdurta, tik įdrėksta. – Ir plušėjo toliau, kol išėmė paskutinę plytą. – Viskas! – sušuko, pašoko ir pasitraukė šalin.

– Ačiū, Hansai! – Dėdė Eduardas atsiklaupė ir nuleido žibintą gilyn.

– Viešpatie! – Jo ranka pradėjo taip drebėti, kad šviesos atšvaitas vaiduokliškai šokčiojo ant sienų. Kas jį taip išgąsdino? Mudu su Hansu atsiklaupėme ir spoksojome į skylę. Buvo matyti siauri akmeniniai laiptai, panašūs į tuos, kuriais buvome čia užlipę. Bet grafo jaudulio priežastis stovėjo ant ketvirtosios pakopos, ją išvydę mes sulaikėme kvapą.

Taip gražu, kad beveik neįtikima.

Drebinamo žibinto šviesa krito ant juodos dėžės, meniškai iškalinėtos geležinėmis vinimis. Buvo galima įžiūrėti keletą spynų, o medinė skrynia sutvirtinta keturiomis geležinėmis juostomis. Viena iš tų juostų lūžusi, ir jos smailus galas styrojo aukštyn. Tai jis įbrėžė Hansui.

Pasižiūrėjau į dėdę Eduardą, o jis – į mane.

Jokių abejonių! Mes radome Vengrijos karalių lobį!

Hansas pirmas nutraukė tylą. Jis sušvilpė taip, kad persmelkė mus iki gyvo kaulo. Paskui smarkiai atsikosėjo ir galop paklausė trūkinėjančiu balsu:

- Kas čia?

Grafas irgi krenkštelėjo.

- Nenutuokiu, - tarė itin ramiai. - Bet iš pažiūros spėčiau, jog tai lobių skrynia.

Hansas vėl sušvilpė, bet šįkart vos girdimai. Paskui atsišliejo į sieną, ir aš pamačiau, kad jo keliai dreba. Mane staiga išpylė toks karštis, kad turėjau atsisegti kostiumo striukę. Dėdė Eduardas pasižiūrėjo į mane, o tada nusimetė kailinius. Hansas nusirengė storą megztinį ir graudžiai atsiduso.

- Man bloga, - tarė. - Ką dabar darysime?

Dėdė Eduardas jau spėjo susitvardyti:

- O dabar, mielieji, iškelsime lobį. Valio! - Jis taip audringai mane apkabino, kad iš akių pasipylė kibirkštys. – Valio! Mes radom lobį. Mes radom lobį! Kuo greičiau žemyn, dabar tai bus darbelio!

Abu vyrai sušoko į skylę ir pamėgino iškelti skrynią. Ji buvo sunki. Abu šnopavo, keikėsi ir dejavo, bet tik po keleto mėginimų pajėgė atplėšti nuo žemės vieną jos kampą. Labiausiai trukdė laiptai, tokie siauri, kad ant jų išsiteko tik vienas vyras.

– Šitaip nieko neišeis! – galop sušuko dėdė Eduardas. – Hansai, ką pasiūlysite?

– Reikia virvės, – atsakė tas ir nusišluostė prakaituotą kaktą.

– Gerai! Lipkite žemyn ir atsineškite viską, ko jums prireiks! Ir veskitės Anetę! Anete, tu su močiute palauksi mūsų dirbtuvėje! – Aš padaviau kailinius, jis apsivilko ir atsisėdo ant lobių skrynios. – Štai taip. Aš iš čia nė krust. Bet paskubėkite, Hansai, nelabai mėgstu sėdėti tamsoje.

Hansas linktelėjo galvą, ir mudu iškeliavome. Nors man ir buvo nemalonu palikti dėdę Eduardą vieną tamsoje, nieko kita nesugalvojome, nes teturėjome vieną žibintą. Kaip įmanydami greičiau nusikabarojome laiptais. Apačioje patys nustebome, kaip greitai nulipome. Matyt, mintis apie lobį suteikė mums sparnus. Aš juokais įveikiau šešiasdešimt aukštų pakopų, lengvai perlipau griuvėsius ir išlindau pro skylę sienoje. Akmeniniame koridoriuje įsitikinome, jog močiutė dingusi.

– Močiute! – džiugiai sušukau. – Kur tu? Mes grįžome!

Jokio atsakymo.

Hansas susinervino.

– Jei norite, padėsiu jums ją surasti, – tarė mandagiai, bet visas degė iš nekantrumo kuo greičiau grįžti prie lobių skrynios.

– Ne, ne, Hansai. Ačiū! Aš pati rasiu. Verčiau eikite virvės! Ir sėkmės iškeliant lobį!

Hansas man dar pašvietė iki vidurinės sarginės, o tada mudviejų keliai išsiskyrė. Kaipmat nukūriau į dirbtuvę ir radau močiutę, kuri susimąsčiusi sėdėjo dideliame, aksomu aptrauktame krėsle su liūtų letenų pavidalo kojomis.

Ji atsisuko išgirdusi mano žingsnius.

– Pagaliau! – sušuko. – Jau skaičiavau sekundes. Kur tiek laiko buvote? *Visą* valandą laukiau akmeniniame koridoriuje. Paskui užrakinau svečių koridoriaus duris ir atėjau čionai.

Močiutė tebebuvo apsiavusi kaliošais, bet nusimovusi žalias kojines ir nusivilkusi abu megztinius. Viskas tvarkingai sulankstyta gulėjo ant kėdutės šalia molberto.

– Valandą? – sušukau netikėdama. – Juk apvaliajame bokšte mes buvome daugių daugiausia dvidešimt minučių.

– Juokauji. Dabar penkios. Jūsų nebuvo *dvi* valandas.

Lyg patvirtindamas jos žodžius bokšto laikrodis išmušė šešias. Nusiplėšiau šiltą slidininko striukę, nes dirbtuvėje buvo klaikiai karšta, palyginti su bokštu. Paskui nusimoviau pirštines ir batus.

– Močiut, – surikau nesivaldydama ir susmukau ant artimiausios kėdės, – spėk, ką mes radome!

– Vengrijos karalių lobį! – nuskambėjo nelabai linksmas atsakymas.

– Ar tau tai nepatiktų? – paklausiau nustebusi.

– Vaikeli, mane siaubingai kamuoja sąžinė. Tris ketvirtadalius savo gyvenimo praleidau neigdama to lobio buvimą. O jūs ką padarėte? *Jį iškasėte!*

Nesitverdama linksmumu nusikvatojau ir pabučiavau jai rankutę.

– Žinoma. Bet pagalvok apie dvarą! Apie kiaulininką ir Leopoldą. Močiute, mes jį *turime!*

Ėmiau siautulingai šokti, kartu bandydama jai viską išpasakoti.

– Sėskis! Nė žodžio nesuprantu.

Paklusau, bet buvau taip susijaudinusi, kad pradėjau mikčioti.

Močiutė vėl nieko nesuprato. Nusijuokė ir paglostė man galvą:

– Pirma nusiprausk veidą. Atrodai kaip plėšiko nuotaka.

Pašokau ir nubėgau prie praustuvės, kuri stovėjo kampe šalia durų. Iš veidrodžio į mane žvelgė svetimas veidas. Pilkai rudas sluoksnis dengė burną, smakrą ir skruostus. Jie buvo aprišti šlapia skepeta, todėl dulkės prikibo itin tvirtai. Akis juosė juodi purvo ratilai. Buvo tiksliai matyti akinių žymės. Pratrūkau raičiotis iš juoko:

– Stebuklas, kad tu mane atpažinai.

– Balsas dar nepasikeitęs.

Prausdamasi pasakojau. Šįkart ėjo kaip iš pypkės, ir močiutė atidžiai klausėsi.

– O sidabrinė vonia? – galop paklausė susidomėjusi.

– Jos nematėme.

– O kambarys už viršutinės sarginės iš tikrųjų toks didelis?

– Didesnis už šią dirbtuvę. Ir apskritas!

– Vadinasi, mano tėvas buvo teisus. Jis visuomet tvirtino, kad apvaliajame bokšte ištisas koridorių ir laiptų labirintas. Žinoma, aš netikėjau, nes apskritai juo nebetikėjau. Bet jis dievagojosi, kad visos sarginės kitados buvo sujungtos su slaptu pabėgimo tuneliu.

– Kaip tik šitaip mano ir dėdė Eduardas.

– Be to, – kalbėjo ji toliau, – jis užsispyręs tvirtino, kad kažkur šiaurinėje sienoje yra apskritas kambarys, pakankamai didelis, jog jame galėtų pasislėpti keletas šeimų su tarnais. Sakė, kad per pirmąją turkų apsiaustį iš to kambario du šimtai žmonių saugiai pateko į tunelį, o juo pasiekė Lokenšteino pilį. Šiaip ar taip, visos moterys ir vaikai buvo saugūs, o vyrai gynė Kronegą.

Nesuskubau atsakyti. Koridoriumi nudundėjo žingsniai. Kažkas nukrito ant žemės, paskui stojo tyla. Po poros įtempto laukimo akimirkų, kurios truko ištisą amžinybę, durys atsilapojo. Pasirodė dėdė Eduardas ir Hansas apsalusiais žvilgsniais. Ant dviejų pagalių pririštą stipriomis virvėmis juodu įnešė lobių skrynią ir iškilmingai padėjo močiutei prie kojų. Dėdė Eduardas didingai pamojo ranka.

– Mama, – sušuko jis entuziastingai. – Vengrijos karalių lobis! Leisk padėti jį tau prie kojų.

Močiutė nieko neatsakė, nes jai sutrukdė nustebęs Hanso šūksnis:

– Kaip, tai jūs žinote, kas viduje?

– Tikrai. Bet kad pernelyg ilgai nesikankintume, prašau nubėgti į mano kabinetą ir atnešti štai ką: mano lupas, magnetą ir senąjį konjaką. Paskui atsinešite įrankių, kad galėtume sudoroti šias spynas. Ir ramiai persirenkite, tiek galėsime ištverti.

Hansas išlėkė, ir grafas nusirengė kailinius.

– Mama, – sušuko jis pergalingai, – ką dabar pasakysi? Ar mes turime karalių lobį, ar neturime?

Močiutė tylėjo.

Dėdė Eduardas nusišypsojo kaip išminčius ir nusiplovė veidą ir rankas. Tada atsisuko.

– Na? Laukiu atsakymo. Ar prisimeni, kokios klastos tu čia, šioje vietoje, prieš keletą dienų griebeisi? Gal norėtum maldauti atleidimo?

– Daili skrynia, – pamėgino atitraukti jo dėmesį močiutė.

– Jokių atsikalbinėjimų! Prisipažink, kad klydai! *Vis dėlto* karalių lobis Kronege.

Močiutė irgi nusijuokė:

– Atsiimsiu atgal kiekvieną žodį, bet tik tada, kai žinosiu, kas skrynioje.

– Tuoj sužinosi. Po poros valandų, gal net anksčiau, tu maudysiesi aukse. – Jis pasilenkė prie skrynios ir atidžiai ją apžiūrėjo. Paskui parodė vinis, kurias aš laikiau geležinėmis. – Matote! Raštas iš sidabrinių vinių. Nuostabaus darbo! Ar žinote, kas čia? Ne? Tai Vengrijos karalystės herbas. Kuriam galui, paklausiu, būtų iškaltas Vengrijos herbas sidabrinėmis vinimis ant juodmedžio skrynios, o ji paslėpta seniausiame šios senovinės riterių pilies bokšte? Už sienų ir slaptų laiptų? Kuriam galui šitaip galuotis? Atsakysiu, mama, nes juk tu trokšti pati pamatyti, kad lobis skrynioje. Bet prašau spėti, kas daugiau, tavo galva, joje galėtų būti?

- Šiaudai.

- Skrynia pernelyg sunki.

- Akmenys.

- Liaukis, maldauju! Skrynioje auksas; auksas ir brangakmeniai, ir... o, Hansas. Matyt, lėkė kaip ant sparnų.

Įėjo Hansas, taip uždusęs, kad bemaž nepajėgė kalbėti. Buvo persirengęs languotais marškiniais trumpomis rankovėmis, bet kakta vis dar išpilta prakaito. Buvo nusiprausęs, tačiau taip negrabiai, kad palei plaukus teberudavo dulkės.

- Ką gi, mielosios, - sušuko grafas ir paėmė iš Hanso įrankius, konjaką, magnetą ir lupas, - tai istorinė akimirka. Sėskitės šalia mūsų, dabar baigsime darbą.

Visi susėdome ant grindų aplinkui skrynią. Dirbtuvę užtvindė kapų tyla. Langai buvo plačiai atidaryti, tad kada ne kada įskrisdavo kokia smalsi musė ir pazvimbaudavo mums virš galvų. Šiaip tebuvo girdėti tyliai dzingsint įrankius.

- Prancūziškos spynos, - pradėdamas linksmai tarė grafas. - Kiek sudėtingesnės už vokiškas, bet apskritai paprastos. Turėtume susitvarkyti per dvidešimt minučių.

Bet sekėsi anaiptol ne taip, kaip norėjom. Bokšto laikrodis mušė vieną ketvirtį valandos po kito, o skrynia tebebuvo užrakinta. Hansas, einąs namo lygiai penktą, pradėjo nerimauti. Ir dėdė Eduardas tai pastebėjo:

– Jaudinatės dėl žmonos?

Hansas linktelėjo galvą.

– Bet, jei pageidaujate, mielai liksiu ilgėliau.

Dėdė Eduardas padėjo įrankį.

– Ne, ne! Galėčiau priimti jūsų pasiūlymą, jeigu namie turėtumėte telefoną. Padarysime pertrauką iki rytojaus. – Jis atsistojo. – Sakykite, ar jau lankėtės pas Aną „Įžeisto kurtinio" viešbutyje? Ne? Tad apsilankykite šįvakar su žmona, skaniai pavakarieniaukite ir dar išgerkite gerokąšlaką už Vengrijos karalių lobį.

Ir jis įspraudė Hansui į delną keletą banknotų.

– Ačiū! – Hansas sumišo ir ilgai grūdo pinigus. – Labai ačiū!

– O ryt į darbą ateikite valanda vėliau!

Hansas vėl padėkojo ir žengė prie durų. Jau suėmęs už rankenos atsisuko ir mostelėjo į lobių skrynią:

– Sakykite, pone grafe, ar tai didelė paslaptis?

– Visiškai jokia paslaptis! – perdėtai linksmai sušuko dėdė Eduardas. – Tegu visi sužino. Paskleiskite šią džiugią naujieną! Išpasakokite žmonai, nuolatiniams svečiams, šykštuolei Anai. Visiems, kas tik panorės, papasakokite, ką mes nuveikėme šiandien po pietų. Tai įsakymas.

Kai Hansas išėjo, dėdė Eduardas kaipmat vėl kibo į darbą, prieš tai nusirengęs sportinio kostiumo viršų.

– Kodėl jis turi išpliurpti apie tavo lobį visam pasauliui? – paklausė močiutė. – Turi rimtesnių priežasčių?

– Aišku! Jeigu pirma sužinos šykštuolė Ana,

netrukus žinos visa apylinkė, taigi ir ponas fon Lokenšteinas. O *tas* man labiausiai rūpi.

– Mat kaip! – tarė močiutė ir pasižiūrėjo į grafą, kuris knebinėjo spynas. – Kiek laiko tai dar truks?

– Nebeilgai. Daugių daugiausia kelias minutes.

Šįkart dėdė Eduardas neklydo. Didžioji akimirka atėjo lygai septintą, kaip tik tada, kai Lotė paskambino ir paklausė, kada jai patiekti vakarienę.

– Valgysime aštuntą, – linksmai sušuko grafas į ragelį, – ir vėl gersime šampaną. Atšaldykite *tris* butelius, turime keletą progų atšvęsti.

O tada sustingo priešais skrynią ir įsistebeilijo į ją.

– Kas yra? Nenori atidaryti?

Dėdė Eduardas giliai atsiduso. Pašokau ir atsistojau šalia jo.

– Baimė paskutinę akimirką, – supratingai tarė močiutė, – bet tau nėra ko prarasti. Jeigu joje būtų tik akmenys, bent turėsi gražią, sidabru kaustytą senovinę lobių skrynią.

Dėdė Eduardas pamojo man. Mudu kartu suėmėme sunkų dangtį ir atsargiai atvožėme. Močiutė vikriai kaip katė pašoko iš savo krėslo ir kartu su mumis pasilenkė prie atidarytos skrynios. Dirbtuvėje įsiviešpatavo kapų tyla.

Dangčio vidus buvo išmuštas žaliu aksomu, o skrynios turinį dengė tokios pat spalvos audeklas. Grafas suėmė jį už vieno kampo ir lėtai pakėlė aukštyn. Kaip pakerėti spoksojome į tai, kas pasirodė iš po audeklo.

– Valio! – sustaugė dėdė Eduardas. – Ką jums sakiau? Vien auksas. Vien tik auksas valdo mus! Mama, tu sutriuškinta. Pažvelk į tai, tu netikinčioji!

Iš po žalio audeklo tikrai pasirodė auksas. Ne brangakmeniai, briliantai, perlai ar rubinai, kaip mes iš teisybės tikėjomės, bet krūvos aukso. Grandinėlių, apyrankių, diademų ir segių raizgalynė pramaišiui su krūva monetų kūpsojo priešais mus, lyg tikėdamasi, jog bus sutvarkyta ir išgarbstyta.

– Mm! – mykteléjo močiutė ir pasitaisė skrybėlaitę.

– Kiek čia aukso? – paklausiau nedrąsiai.

– Bent dvidešimt kilogramų. Kad ir kiek jo būtų, dvarui nupirkti pakaks. – Dėdė Eduardas panardino pirštus į aukso kalną ir perleido per juos grandinėles. – Gera spalva, – pagyrė, – senas lydinys, gal dvidešimt dviejų karatų.

Močiutė susirado nedidelę diademą ir atidžiai ją apžiūrėjo. Tada perdavė ją grafui.

– Daili, – pasakė, – bet argi ji neturėtų būti su brangakmeniais? Kaip manai, gal juos kas nors išlupo?

Dėdė Eduardas paėmė papuošalą.

– Tiesa. Keistas daikčiukas. Tuoj patyrinėsiu ją pro lupą. Bet pirma, mama, prašyčiau pasigrožėti šita! – Jis ištraukė iš skrynios labai ilgą grandinėlę. Ji buvo iš didelių, bemaž penkių centimetrų skersmens aukso rutulių. – Ar esi kada nors turėjusi tokią sunkią aukso grandinę?

Močiutė ją paėmė ir pasvėrė rankoje, pirma dešinėje, paskui kairėje. Tada keistai pasižiūrėjo į grafą, pauostė auksą ir grąžino.

– Eduardai, – tarė ji reikšmingai. – Niekuomet gyvenime nesu turėjusi tokio sunkumo aukso grandinės.

– Tikrai tikiu tavimi, – sutiko grafas ir jau ketino dėti grandinę į skrynią.

– Jeigu pati nebūčiau laikiusi jos rankoje, – toliau įtaigiai kalbėjo močiutė, – abejočiau, ar *iš viso* būna tokio sunkumo aukso grandinių.

Suklusau.

– Ką tu turi galvoje? – šūktelėjau ir paprašiau grafą grandinės. Jis man perdavė, ir aš su nuostaba įsitikinau, kad šis auksas nusvarino man rankas.

– Neįtikima, – riktelėjau, – ji sunki kaip švininė!

– Ką tu pasakei? – susijaudino grafas. – *Sunki kaip švininė?* Duokš!

Jis išplėšė grandinėlę man iš rankų ir atidžiai apžiūrėjo.

– Lupą! – paliepė.

Atnešiau lupą ir stebėjau, kaip jis kruopščiai apžiūrinėja auksą, centimetras po centimetro. Paskui padėjo lupą ir pradėjo lankstyti grandinę. Keliskart pakraipė galvą, kažką bambėdamas po nosimi, ir vėl čiupo lupą.

Močiutė, kilnodama kelias apyrankes, nutraukė jo tyrinėjimus:

– Kam tau lupa, Eduardai? Pirmiausia patikrink su magnetu.

Grafas išbalo:

– Tu nejuokauji? – paklausė maldaujamai.

– Deja. Visko gali būti, kai *toks* svoris. Anete, paduok savo dėdei magnetą! Jis ant palangės.

Paklausiau.

Dėdė Eduardas atsiduso taip, kad net griebė už širdies. Tada padėjo grandinę ant skrynios dangčio ir lėtai prikišo prie jos magnetą.

Iš pradžių nieko nenutiko. O paskui staiga grandinė atgijo ir šoko ant magneto kaip išbadėjusi gyvatė ant pelės. Dėdė Eduardas pakėlė magnetą aukštyn. Grandinė taip ir liko prilipusi. Grafas nuleido ranką ir susmuko ant artimiausios kėdės.

– Paauksuota geležis, – sumurmėjo trūkčiojančiu balsu ir sustingo.

Nusiminusi pasižiūrėjau į močiutę.

Ta gūžtelėjo pečiais ir sumetė apyrankes atgal į skrynią. Paskui vėl atsisėdo į krėslą, pasitaisė skrybėlaitę ir pasūpavo kojas.

– Na, tai kas buvo teisus? – paklausė po deramos tylos. – Žinoma, aš. Karalių lobio Kronege *nėra*. Tavo radinys irgi senovinis, bet jis buvo panaudotas paslėpti pėdsakus. Tikrasis lobis, kaip ir buvo, tebėra Vengrijoje.

Dėdė Eduardas įniršo. Pašoko ir trenkė magnetą ant grindų.

– Netikiu, – sustaugė jis, – negali būti!

Tada jis čiupo savo kėdę abiem rankomis ir sviedė pro langą. Išgirdome, kaip ištiško vanduo – vadinasi, kėdė nukrito į akmeninį šulinį.

– Eduardai, – griežtai tarė močiutė, – turi susitaikyti su faktais!

– Ne! – paraudonijęs iš pykčio suriko grafas. – *Neturiu*. Juk negali viskas būti vien geležis!

Jis panardino rankas į skrynią ir išvertė ant grindų blizgančią krūvą. Tada atsisėdo priešais ją ir daiktą po daikto patikrino magnetu. Tas pats ir tas pats. Aukso sluoksnelis buvo plonas, o po juo – geležis. Grafas niekinamai numetė paskutinę apyrankę, atsistojo ir priėjo prie lango.

– Vien šlamštas! – sušuko pasipiktinęs ir pasilenkė pro langą: – Kodėl kėdė šuliny?

– Kad tu ją įmetei. Eduardai, susiprotėk! Sėskis šalia ir pasikalbėkime!

Grafas atsisuko.

– Mama, ką dabar darysime? – paklausė jis graudžiai.

– Dabar lipsime žemyn, išgersime atšaldytą šampaną ir atšvęsime atrasto Vengrijos karalių lobio radybas.

Dėdė Eduardas papurtė galvą.

– Mama, tavo logika viršija mano proto galias. Atleisk, kad pasakysiu taip šiurkščiai, bet kartais aš abejoju tavo protu.

– O aš tavo! Eduardai Zilvesteri, kelio atgal nebėra. Hansas jau seniai viešbutyje, o šykštuolė Ana išsijuosusi plaka liežuviu. Ar nori, kad iš tavęs juoktųsi?

Grafas nenorėjo.

– Na, matai! Leopoldas vėlių vėliausiai rytoj jau žinos, juk tu šito ir norėjai. Išgąsdinti Leopoldą šio „aukso“ pakaks.

Dėdė Eduardas nieko nepasakė. Jo žvilgsnis klaidžiojo nuo dailios sidabru kaustytos skrynios prie blizgančių monetų ir grandinėlių ant grindų.

– Atrodo visai kaip tikros, argi ne? – paklausė paskui ramiai. – Gal pamėginti ir už tai gauti iš savo banko kreditą?

Močiutė atsitiesė kaip žvakė.

– Ne, tik ne tai! Šitaip netenkama pilių ir žemių! Prisimink savo tėvą ir senelį. Ar tau visai suskystėjo protas?

– Bet už kreditą galėčiau nusipirkti dvarą ir įsiutinti Leopoldą.

– O kai paskui paaiškės, kad auksas netikras?

– Dvaras atiteks bankui. Vis geriau negu Lokenšteinui, apimtam „apžolinimo" manijos.

– Dvaras priklausys bankui, bet neilgai. Mat bankas jį išvaržys, ir jeigu tau nesiseks, jį nusipirks Leopoldas už varžytynių kainą. Ar tau tai labiau patiks?

– Aišku, ne. Atleisk, mama, paprastai šitokia mintis man net nebūtų toptelėjusi. Supranti, esu galutinai išmuštas iš vėžių. – Jis atsisėdo ant močiutės krėslo ranktūrio, paėmė jos ranką ir pabučiavo. – Na, tai ką mes darysime?

– Iš pradžių sutvarkysime čia. Auksą dailiai sukrausime į skrynią, nes jo norės pasižiūrėti Lotė ir tarnaitė, Olivjė irgi. Olivjė vėl atsigavo. Bemaž prieš valandą ėjo per kiemą. – Ji atsistojo: – Gal man padėsite?

Kartu kibome į darbą. Išpainiojome grandinėles, atskyrėme apyrankes ir žiedus, sukrovėme į stulpelius monetas, o seges prisegėme prie žalio aksomo skrynios dangčio vidinėje pusėje. Kai baigėme, lobio skrynia atrodė kaip brangus kino filmo „Tūkstantis ir viena naktis" rekvizitas.

– Nuostabu! – patenkinta tarė močiutė ir apžiūrėjo mūsų triūsą. – Jiems nutįs seilės. O kai pamatys Leopoldas! – Tada močiutė surinko aplink paskleistus megztinius, striukes, kojines ir padavė grafui. – Nunešk viską į apačią ir užrakink dirbtuvės duris!

– Taip, – tarė ji jau koridoriuje, – o dabar džiaugsiuosi, galėdama nusiauti šiuos senus kaliošus. Na, dar pakartosiu: mes radome Vengrijos karalių lobį ir nežinome kur dėtis iš laimės. Supratote? Dabar persirengsime, pasigardžiuosime skania vakariene, kvatosimės ir linksminsimės. – Ji įsakmiai mudu nužvelgė: – Tiek aktorinių sugebėjimų gal vis dėlto turėsite?

– Žinoma, – atsakė dėdė Eduardas, – bet kaip mes gausime dvarą?

Močiutė pasitaisė geltoną skrybėlaitę su violetinėmis raktažolėmis.

– Skubėk lėtai, – tarė ji ir veržliai nulipo laiptais žemyn.

16

Kita diena lėkte pralėkė. Hansas buvo kaip reikiant pasistengęs „Įžeistame kurtinyje", ir žinia, kad radome Vengrijos karalių lobį, pašėlišku greičiu apskriejo visą apylinkę. Nuo pat ankstyvo ryto telefonas nesiliovė skambėjęs.

Vos sėdome pusryčiauti ir nurijome pirmąjį gurkšnį kavos, paskambino šykštuolė Ana, nes norėjo pasveikinti ir pakviesti iškilmingų pietų. Ji nė kiek nenustebusi, sakė, kad mes radę lobį, mat visą tą laiką, kai gyveno Kronego pilyje, ji vis jautusi, jog pilies sienos prigrūstos aukso. Be to, bemaž du kartus ji sapnavusi atvožtas lobių skrynias.

Vos ji padėjo ragelį, paskambino jos vyras pranešti, kad iškilmingi pietūs, žinoma, nemokami. Jis viliasi, kad Ana įspėjusi. Bet jis turįs prašymą. Ar ponios negalėtų pasidabinti viena kita brangenybe iš karalių lobio? Gal vėriniu? Ar diadema? Kad kiti svečiai pasižiūrėtų. Be to, jis mielai nufotografuotų prisiminti šiam istoriniam momentui, kuris išgarsins visą kraštą. Jeigu mes leistume, nuotraukas jis įrėmintų ir pasikabintų salėje.

Vos padėjome ragelį, paskambino dvaro savininkas ir trumpai pasišnekėjo su grafu. Paskui paskambino Leopoldas ir perdavė, kad užsuks prieš pietus. Ar grafas malonėtų jį priimti?

Dėdė Eduardas liepė jam paskambinti ir pasakyti, kad apie malonėjimą negali būti nė kalbos. Jis jo nepriimsiąs ir su niekuo nekalbėsiąs. Tada šypsodamasis iš pasitenkinimo vėl atsisėdo šalia mūsų ir susivertė vieną po kito du puodelius kavos pakaitalo.

Tai buvo pirmoji grafo šypsena šįryt. Dėdė Eduardas praleido sunkią naktį. Po vakarienės, kuri prisivertus praėjo gana smagiai, jis neištvėręs vėl užlipo į apvalųjį bokštą, norėjo sužinoti, kur veda antrieji slapti laiptai. Kai įsitikino, kad jie eina giliai po žeme, toli už pilies sienų, į slaptą tunelį Lokenšteinan, liovėsi ieškojęs, juolab kad niekur nė akies krašteliu neišvydo sidabrinės vonios. Tai, ką mes radome, tikriausiai buvo atvežta į Kronegą 1849 metais, bet tik tam, kad būtų atitrauktas Habsburgų dėmesys nuo tikrųjų pėdsakų. Auštant dėdė Eduardas pasipiktinęs užrakino visas apvaliojo bokšto duris, o raktus padėjo į saugią vietą. Per pusryčius jis nusivylusiu veidu atidavė močiutei medinį plaktuką.

– Paimk jį pasaugoti, mama, man praėjo noras.

Tada įniko peržiūrinėti paštą ir daugiau nebepratarė nė žodžio.

– Eduardai, – įspėjo jį močiutė, apžiūrinėdama kiaušinį. – Ateina Olivjė. Prašyčiau susitvardyti ir šypsotis! Nepamiršk, kad esi naujai iškeptas multimilijonierius!

– Ateina Olivjė? – staiga pažvalėjo dėdė Eduardas ir nuleido skaitomą laišką. – Gera žinia. Man įdomu, ką jis mums pasakys.

– O ką jis turi mums pasakyti? – nusistebėjo močiutė. – Spėju, kad tą patį, ką sakė vakar. Kad gaila išleisti lobį dvarui ir kad verčiau įkurk kelionių biurą, o jis bus to biuro direktorius.

– Palūkėk, – nusiviepė grafas ir meiliomis akimis pasitiko mano pusbrolį.

Olivjė ėjo per žvyrą vilkdamas kojas. Jis buvo elegantiškas kaip paprastai, šįkart su smėlio spalvos vasarine eilute ir baltu kaklaraiščiu, bet susimetęs į kuprą ir lyg sumuštas. Paaiškėjo ir rimta jo laikysenos priežastis: jam buvo pakeista lova.

– Mieliausiasis dėde, – prašneko jis įsižeidęs, prieš tai palinkėjęs mums labo ryto, – pasirodė kažkas siaubingo. Mano lova! Įsivaizduokite – ji pakeistas. Vakar vakare noriu gulti, o tenai stovi visai maža lovelė. Jūsų tarnaitė pasakė, kad tai jūsų paliepimas. Paklusau ir atsiguliau, bet tikra tiesa, ji per kieta. Mano nugara sužalota, mieliausiasis dėde, visos užpakalinės dalys dėmėtos, labai mėlynos, *maldauju jus!* – Jis piktai nužvelgė visus. – Aš prancūziškas, ir aš visą savo gyvenimą įsikurdavau *tiktai švelniose lovose!*

Grafas elgėsi be galo maloniai.

– Olivjė, – tarė jis rūpestingai, – juk kietos lovos daug sveikiau. Argi tau niekas nesakė? Iškart, kai tik atvažiavai, aš atkreipiau dėmesį į tavo laikyseną. Ji anaiptol ne be priekaištų. Tavo stuburas susilpnėjęs, tą kaipmat pamačiau. Tik iš meilės tau liepiau pakeisti lovą. Patikėk, mielasis, po dviejų mėnesių tokiame kietame guolyje įvyks stebuklas. Kai grįši į Prancūziją, vaikščiosi kaip princas.

Olivjė jo žodžiai neįtikino.

– Atleiskite daug kartų, brangiausiasis dėde, turiu jums prieštarauti. Mano stuburas neturi ydos, gydytojai visuomet man tą gyrė.

– Kas šiais laikais dar tiki gydytojais, – pasipiktino grafas. – Olivjė, tavo laikysenai būtina kieta lova. Aš liepiau tau kambaryje pastatyti kiečiausią Kronego lovą, ir tai didelė garbė. Joje miegojo imperatorius Pranciškus Juozapas. Na, ką dabar pasakysi?

– Greičiausiai jis niekuomet nebegrįžo, – sušuko Olivjė ir graudžiai pasižiūrėjo į močiutę, kuri valgė kiaušinį. – Mieliausioji teta, prašau paaiškinti grafui, kad mano miegas *neįsikuria akmeninėje lovoje!*

Jis bemaž verkė, ir močiutė kaipmat susijaudino.

– Eduardai, – tarė ji griežtai ir padėjo šaukštelį. Bet grafas nieko nenorėjo girdėti.

– Jokių prieštaravimų, – paliepė jis. – Tu paklusi ir gulėsi joje savaitę. Paskui ir pakalbėsime. – O man tarė: – Anete, ar tarnaitė jau sutvarkė tavo kambarius? Taip? Tad mudu trumpam dingsime, turime apsvarstyti svarbų reikalą. Olivjė, tu tuo tarpu papusryčiausi. Kai pilvas bus pilnas, pamatysi, kaip nuostabiai pasijusi. – Jis atsistojo: – Lik sveika, mama! – Jis atkišo man ranką, ir mudu nuėjome.

Tarnaitė jau buvo sutvarkiusi kambarius ir pervilkusi šilkines sofos pagalvėles. Bet dėdė Eduardas atsisėdo ne šalia manęs, kur buvo labai patogu, o ant kieto suolo, priešais kurį stovėjo mano klavesinas. Jis susinėrė ant krūtinės rankas, suraukė vešlius juodus antakius ir be žodžių stebeilijo į mane, kol pagaliau neišlaikiau jo žvilgsnio. Perkračiau sąžinę. Ką aš iškrėčiau, kuo nusikaltau? Rodos, niekuo. Tai ko jam reikėjo iš manęs?

– Mielas vaike, – galop sutrikdė tylą grafas, – vakar nutiko tragedija. Visą naktį sukau galvą, iš kur mums gauti pinigų. – Tyla. – Yra vienintelė menka viltis: dykuma Australijoje. Jeigu ir tenai mums nepasiseks, liks tik viena išeitis.

Ir jis vėl įbedė į mane akis, tik šįkart ne tokį baisų žvilgsnį.

– *Tu* privalėsi mus išgelbėti.

– Žinoma, mielai, – sušukau palengvėjusia širdimi. – Ką aš turėsiu padaryti?

– Vaike, ar tikrai galiu tavimi pasikliauti?

– Tikrai.

– Juo geriau. Šį tvirtumą tu paveldėjai iš Emė. Juk ji visuomet buvo tau pavyzdys, argi ne?

– Žinoma, – sutikau ir prisiminiau gražųjį žiedą, kurį bemaž jau turėjau. Paskui pakėliau galvą ir pasižiūrėjau į didelį paveikslą sunkiuose auksiniuose rėmuose, kabantį ant sienos priešais: mano antros eilės teta Emė. Štai ji! Geltonplaukė, liekna, elegantiška, raudonomis lūpomis, su vėduokle rankoje.

Apsirengusi ilga vakarine suknia, o jos šypsena aiškiai bylojo: „Aš galiu viską".

– Šį žiedą tu jau atpažinai, – kalbėjo toliau dėdė Eduardas ir parodė į nupieštą ranką, ant kurios žaižaravo briliantas su rubinais. – Netrukus jį gausi. Ar jis tau patinka?

Atsargiai linktelėjau galvą.

Kur jis suka? Sukirbėjo neaiški nuojauta. Neramiai pasimuisčiau ant sofos. Ne! Tai pernelyg absurdiška. Kuo greičiau nukreipti mintis kitur!

– Tu jį mūvėsi?

– Žinoma. Kai tik leisi.

Grafas krenkštelėjo.

– Tikiuosi, kad jį mūvėdama ir galvosi kaip *ji*, – parodė grafas į paveikslą, – o man svarbiausia, kad gelbėdama dvarą ir mūsų šeimos garbę tu sutiktum pasielgti taip, kaip būtų pasielgusi Emė.

– Ką tu turi galvoje? – paklausiau kaip reikiant sunerimusi. – Gal malonėtum paaiškinti tiksliau?

– Žinoma, – tarė grafas, patvirtindamas baisiausius mano lūkesčius, – tu ištekėsi *iš išskaičiavimo*.

Tai bent smūgis! Spoksojau į dėdę nedrįsdama net krustelėti.

– Na, kaip? – nekantriai sušuko tas. – Ką pasakysi?

Nieko neatsakiau.

Grafas grėsmingai suraukė juodus antakius:

– Ar tavo tylėjimas reiškia, kad tas ponas Žaliaakis vis dar susukęs tau protą?

– Ne, ne, anaiptol! – skubiai riktelėjau.

– Tai kodėl nieko nesakai? – dėdė Eduardas taip sugriaudėjo, kad tikrai buvo galima girdėti ir didžiajame kieme. – Kodėl neklausi už *ko?*

Atsidusau:

– Ką gi, tai už ko aš turiu tekėti?

Dėdė Eduardas atsistojo nuo kieto suolo ir dramatiškai išskėtė rankas.

– Žinoma, už princo, – sušuko karštai ir priėjo prie manęs, – už princo, vaike. Visiems kitiems tavęs gailėčiau. – Jis atsisėdo ant sofos ir laukiamai pasižiūrėjo: – Ar tekėsi už jo?

– Kaip galiu pasakyti, ar tekėsiu, jei net nenutuokiu už ko, – tariau suglumusi. – Nežinau jokio princo iš tavo pažįstamų, kuris būtų viengungis.

– Taip? Nežinai? O aš žinau.

– O aš ne!

Grafas, lyg daug žadėdamas, nusišypsojo:

– Vienas žodis: Rotenhauzas.

Ir vėl smūgis į pačią širdį.

– Tu kalbi apie Engelbertą? – pasibaisėjau. – Tikriausiai nerimtai!

– O taip, kalbu kuo rimčiausiai.

– Bet Engelbertas buvo *keturiskart* vedęs, o jam tik trisdešimt treji. Jis turi *septynetą* vaikų nuo *keturių* moterų!

Grafas atsitiesė:

– Engelbertas *nebuvo* vedęs, bent ne Dievo ir žmonių akyse.

– Man gana ir žmonių akių, – šūktelėjau. – Septynių vaikų niekaip nenuneigsi.

– Jis nė karto nebuvo susituokęs bažnyčioje, – toliau kalbėjo dėdė Eduardas, lyg manęs neišgirdęs. – Jis neskubėjo vesti *iš tikrųjų*, ieškojo tikrosios meilės.

– Ir tai *aš*?

– Be abejo!

Pro atvirą langą pasižiūrėjau į kaštonus. Tenai, tik per keletą metrų nuo mūsų, jaukiai šalia Olivjė sėdėjo močiutė. Gal ją pašaukti? Visa tai nesąmonė. Bet tada prisiminiau:

– Dėde Eduardai, Engelbertas greičiausiai joks princas. Jo genealoginis medis – klastotė.

– Jo medis geras. Gandai kvailystė. Pagalvok apie keturias jo lentpjūves! Keturias didžiules lentpjūves! Ar žinai, kiek jos duoda pelno?

– Bet kaime kalbama, kad jis laiškanešio vaikas.

– Nesąmonė! Tegu žmonės kalba kiek jiems telpa. Tai tik pavydas. *Aš* išsiaiškinau. Pirma – jo motina grafienė. Antra – jo tėvas princas. Jo genealoginis medis yra seniausias visoje Europoje. Ar žinai, iš kokių laikų jis kildinamas? Atspėk!

– Nežinau.

– Spėk!

– Iš plėšikaujančių riterių, – tariau kandžiai.

Dėdė Eduardas pranašiai nusišypsojo:

– Kur kas toliau. Bandyk dar kartą!

Bejėgiškai gūžtelėjau pečiais.

– Iš hunų! – entuziastingai sušuko dėdė Eduardas. – Na, ką dabar pasakysi?

– Kaip? Iš hunų? Juokauji!

– O ne, iš hunų, dedu galvą. Leisk man atnaujinti tavo istorines žinias. Hunai penktame amžiuje užėmė Aukštutinę Italiją, bet pirma vyskupas su bažnytiniais lobiais ir bendruomene paspruko į Grado salą. Kad ir kaip ten būtų, vargšė princesė pabėgo nepakankamai greitai, nežinia kodėl, bet nebebuvo laivo, ir Atila ją –

kaip čia pasakius – paėmė į žmonas. Vėliau ji paspruko, ir vaikas pasaulį išvydo Grade. – Grafas reikšmingai patylėjo. – Engelberto tėvas yra jo įpėdinis.

– Ir man tuo tikėti?

– Kodėl ne? Čia juk tiesa.

– Na, ir?

Grafas nusivylė:

– Ką reiškia tas tavo: na, ir?

– Kuo tie hunai tokie nuostabūs, kad būtinai nori su jais susigiminiuoti?

– Man rūpi ne giminystė, – atvirumu nuginklavo mane dėdė, – o keturios lentpjūvės. Bet hunai – mielas priedas.

Nutylėjau.

– Ką gi, o dabar rimtai! Ar tau patinka Engelbertas?

– Ne, nė trupučio.

– Kodėl ne?

– Pirma – jis pernelyg netašytas, antra – per storas, trečia – per daug geria, ketvirta – jis medžioja, o penkta – jis man iš viso nepatinka.

– Tai gal leistumei paklausti, kodėl jis tau nepatinka? Kad akys ne žalios?

Atsidusau.

– Kodėl stambus gyvybingas vyras, turintis keturias lentpjūves, tau nepatinka? Gali man paaiškinti?

– Turbūt ne.

– Ką gi, man metas į dvarą. Savininkas ryt išskrenda į Kanadą, ir aš dar turiu pateikti jam paskutinį pasiūlymą. Tiesa, jis tenai bus trumpai, tik apžiūrės fermą, kurią jam surado brolis, bet noriu, kad jis ir tenai galvotų apie *mano* pasiūlymą.

– Dėde Eduardai, – sušukau verksmingai, – o kada mes vėl pasikalbėsime?

– Apie ką? – paklausė grafas, jau įnikęs į savo verslo reikalus.

– Apie hunus.

– Kaip? Turi galvoje lentpjūves – pardon – Engelbertą? Taip... taigi... gal vakare. Pietų važiuosime į „Įžeistą kurtinį", paskui aš užsuksiu į miesto banką pasidomėti tavo aukso akcijomis. Vaike, o gal *tavo* auksas *tikras*. Tada mums nebereikės net minėti pono fon Rotenhauzo. – Jis atsistojo: – Taip, o dabar metas spektakliui, išsidabinsime nuo galvos iki kojų. Lipsime prie savo lobio skrynios ir trupučiuką pasirausime aukse. Paskui jūs išsirinksite papuošalus, kuriais apsikarstysite šiandien per pietus. Olivjė irgi vesimės, tiesa, vokiškai jis nemoka, bet jo skonis geras. Na, eime!

Pakilau maudžiančia širdimi.

– Kuo tu apsirengsi?

– Gal raudono šilko suknia iš Londono, kuri tau taip patiko.

– Puiku! Raudona spalva ir auksas dera. Atrodysi kaip Vengrijos princesė. Parinksime tau diademą, šįkart galėsi paleisti plaukus. Patenkinta? – Linktelėjau galvą. Grafas pasitrynė rankas: – Vaike, mes jiems visiems užkimšime gerkles auksu. Akys iššoks iš kaktos. O kai tą išgirs Leopoldas, sprogs iš pavydo. Ir šitaip juo atsikratysime. Amen!

17

„Įžeistas kurtinys" buvo vienas geriausių apylinkės restoranų. Pastatas stovėjo prie siauro kelio iš Lokenšteino į Kronegą, jame anksčiau buvo pašto stotis. Čia prieš šimtą metų keisdavo arklius, čia keliauninkai, atsidusę iš palengvėjimo, lipdavo iš savo nepatogių karietų ir nakvodavo. Per pastaruosius penkiasdešimt metų užeiga buvo keliskart padidinta, bet taip sėkmingai, kad istorinis jos fasadas išliko. Dešinėje ir kairėje prie pagrindinio įėjimo buvo jauki dengta veranda, priešais ją - sodas su senais riešutmedžiais. Po mediniu frontonu švytėjo didžiulis pieštas kurtinys, o pačioje apačioje rėkė raudonos raidės: „Jozefas ir Ana Zeideliai".

Įėjus į restoraną ant ypatingos raižytos pakylos šalia iškilmių salės durų pasitikdavo „tikras" kurtinys. Daugiau kaip metro aukščio be galo puiki iškamša, galėjai pamanyti, jog paukštis gyvas. Nugara žvilgėjo juodai, krūtinė žaliai, gurklio plunksnos papūstos, galva iškelta; atrodė, jog jis išsijuosęs švenčia tuoktuves - ir žiūri į visus įžeistu žvilgsniu.

Niekas nežinojo, kokio senumo tas kurtinys, bet jis buvo užeigos puošmena. Vienas savininkas perduodavo jį kitam. „Už jį mums siūlė labai daug pinigų, - išdidžiai pareiškė šykštuolė Ana, - bet apie pardavimą negali būti nė kalbos!"

Šiandien „Įžeistas kurtinys" buvo pilnut pilnutėlis. Kronau miestelio seniūnas su žmona sėdėjo verandoje. Šalia jo – veterinaras su motina ir žmona, priešais juos – pašto viršininkas su šeima, o šalia jų – teniso aikštės savininkas su drauguže. Buvo ir vietinio laikraščio vyriausiasis redaktorius, atsivedęs gal net keturis fotografus. Mus pasitiko garsiais valiavimais ir blykstėmis, o paskui dvi valandas gausiai vaišino.

Skaidriu sultiniu, vėliau šparagais su olandišku padažu. Paskui atnešė kiaulienos kepsnį su keturių rūšių daržovėmis ir salotomis. Sūrio nepatiekė, vietoj jo gavome puikaus slyvų kompoto ir gardutėlio torto su marcipanais ir šokoladiniu kremu. Prie kavos buvo naminių saldainių, o desertui močiutė, dėdė Eduardas, Olivjė ir aš gavome po marcipaninę lobių skrynutę.

Tai buvo labiausiai varginantys pietūs mano gyvenime. Mes kuo prašmatniau išsipustėme, močiutė užsidėjo plačiakraštę baltą skrybėlę su gėlėmis ir apsirengė elegantiška balta pikė suknia, Olivjė puikavosi baltu kostiumu, aš – raudona šilko suknia iš Londono. Patiekalai buvo nepriekaištingi, bet kamavo sunkios geležinės grandinės, kuriomis mus apkarstė Olivjė ir grafas.

Juodu negailėjo mūsų ir neklausė jokių maldavimų. Močiutė gaudė kvapą po milžinišku vėriniu, kuris dengė visą jos krūtinę, o jo kabučiai siekė net bambą. Man uždėjo centnerio svorio diademą, tad jau po šparagų aptemo akys. Be to, pusbrolis užsispyrė, kad apsimaučiau dvi masyvias apyrankes, tad vos galėjau pakelti prie burnos šakutę. Sunkūs papuošalai nuolat traukė mano ranką žemyn, lyg būtų svėrę kelias tonas.

– Gana zyzti! – paliepė dėdė Eduardas, kai įsėdome į automobilį. – Kokia iš to nauda? Ir įsidėmėkite: kad ir kas nutiktų, *nenusiimkite* papuošalų! Jei kas nors įsigeis pasigrožėti, tegu žiūri prisikišęs, net paliečia, bet *nieku gyvu* nenusiimkite! Girdi, Anete? Net ir apyrankių. Juk žinote kodėl.

Olivjė, nenutuokdamas, kad čia ne auksas, sukluso.

– Kodėl? – paklausė susidomėjęs.

– Todėl, kad ištiks nelaimė, – žaibiškai susigriebė dėdė Eduardas ir padėjo įsėsti motinai į automobilį.

Olivjė pasižiūrėjo į mane.

– *Labai* elegantiška, pussesere! – šūktelėjo susižavėjęs. – Sunkus auksas ir raudonas šilkas, tikrai *labai* elegantiška. Patikėkite manim, visos ponios kratysis iš pavydo.

Tada susėdome į automobilį ir iškilmingai pajudėjome.

Olivjė buvo teisus. Visų ponių ir ponų žvilgsnius brangenybės tiesiog pakerėjo. Visi atrodė apakinti šitiekos „aukso" ir be paliovos klausinėjo, kaip mes radome lobį. Nuotaika darėsi vis smagesnė, visi kirto valgius nesivaržydami, o gėrė dar daugiau, tik močiutė ir aš kentėjome. Kai buvo atneštas slyvų kompotas, močiutė nebeištvėrė.

– Sunkus valgis, – sukuždėjo sūnui ir reikšmingai pamerkė.

– Argi, – nusistebėjo grafas, – juk viskas taip gardu ir lengva.

– *Tau* taip, – įgėlė ji ir vogčiomis žvilgtelėjo į vėrinį, spaudžiantį jai plaučius. – Bet *aš* nebegaliu kvėpuoti. O jeigu nusiimsiu šitą daiktą?

– Tai neįmanoma! – pašnibždomis atkirto grafas. – Ar nori mus galutinai apjuokti?

Močiutė atsiduso ir sukaupė jėgas.

Užtat ugnis nukrypo į mane. Teniso aikštės savininko draugužė, prisiplempusi vyno, įsigeidė žūtbūt pasimatuoti diademą, ir tik vargais negalais pavyko suvaldyti, kad nenuplėštų papuošalo man nuo galvos. Mažai trūko, kad būtų nusičiupusi diademą, mat sėdėjo kaip tik prieš mane. Kai aš dėdei Eduardui gyriau marcipaninį tortą ir praradau budrumą, ji staiga pasilenkė virš stalo ir vos nenumovė man diademos. Ačiū Dievui, grafas suskubo nutverti ją už rankos ir suspausti kaip replėmis.

– Tai atneš nelaimę, ponia! – sušuko jis. – Papuošalas ypatingas. Jį užsidėjo Kronege, tad nuimti galima *tik* pilyje. Argi šito nežinojote?

Ta vargšė pradėjo kūkčioti ir liovėsi tik tada, kai grafas leido iš arčiau apžiūrėti mano apyrankes. Laiminga stumdė jas pirmyn ir atgal ir, nors buvo įkaušusi, pastebėjo, kad brangenybės labai sunkios.

– Jergutėliau, na, *jos* ir sunkios! – sušuko išsigandusi. – Niekuomet savo gyvenime nesu turėjusi šitokių sunkenybių.

– Nieko keista, – šūktelėjo grafas, kuo greičiausiai vėl dėdamas mano ranką šalia lėkštės. – Jos labai masyvios, ne ta pigi auksinė skarda, kuri naudojama šiandien. Tuo Vengrijos karalių lobis ir puikus, kad jis *visas* masyvus.

– Tai kiek kilogramų aukso radote? – paklausė teniso aikštės savininkas, stengdamasis nuraminti draugužę, kuri balsingai reikalavo tokios apyrankės. – Ar jau pasvėrėte?

– Dar ne, – maloniai atsakė dėdė Eduardas, – bet greičiausiai bus kokia keturiasdešimt.

– Keturiasdešimt kilogramų aukso! Jergutėliau! – klykė drauguže, – galėtumėte man iškart padovanoti šiuos abu daikčiukus! Ką pasakysite, pone grafe? Užtat pamokyčiau jus žaisti tenisą.

Ir kaipmat įsiplieskė karštas ginčas dėl aukso kainos ir teniso pamokų skaičiaus, kurio dėdė Eduardas galėtų pareikalauti už vieną apyrankę. Po ilgo svarstymo buvo suskaičiuota, kad reikėtų dviejų tūkstančių pamokų, ir tai, regis, pribloškė vyriausiąjį vietinio laikraščio redaktorių. Jis pasisuko į mane.

– Mieloji panele, – suriko, – dar iškelkite rankutę priešais kamerą, būtina įamžinti šias apyrankes! Du tūkstančiai teniso pamokų! Mano skaitytojams bus įdomu.

Šykštuolė Ana nesnaudė. Tučtuojau patiekė fotografams degtinės, šypsodama iki ausų. Jos „Įžeistas kurtinys" bus aprašytas laikraštyje, grafienė išgyrė jos valgius, be to, jai tiesiog buvo žarstomi komplimentai, kad dailiai atrodo. Ana tikrai buvo išgražėjusi. Tiesa, vis dar aukšta ir liesa, bet veido bruožai pašvelnėję ir dailesni. Raudoni tautiniai drabužiai su balta palaidine jai puikiai tiko. Jos vyras, stambus kaip lokys ir dudenąs bosu, regis, karštai ją mylėjo. Abu puikiai tiko į porą.

Pietūs, be abejo, būtų trukę iki pat vakaro, jeigu nebūtume užsimanę važiuoti namo iškart po kavos.

Dėdė Eduardas buvo išėjęs anksčiau, tuoj po torto, nes veterinarui irgi prireikė į miestą, tad jis pavėžėjo ir dėdę. Mus, vos leido padorumas, parvežti turėjo Hansas.

Lygiai antrą atsistojome. Buvo pats metas.

Vos nulaikiau tiesiai galvą, o dešinė ranka, dingojosi, pusmetriu pailgėjo.

Močiutė bemaž gaudė kvapą, lenkiama priekin žvilgančio kaip auksas krūtinės papuošalo. Susiėmusi iš paskutiniųjų ji pasakė trumpą padėkos kalbą. Paskui atsisveikino su vaišingais šeimininkais.

– Ką gi, Ana, puiku! Ir toliau šitaip darbuokis, jaunoji verslininke! Jeigu neprieštarausite, mes būsime nuolatiniai jūsų klientai.

Galop ji įsikibo į Olivjė ir mane, ir mudu nutempėme ją prie automobilio, kur jau laukė Hansas. Visas svečių būrys palydėjo, fotografai blykčiojo aparatais, mes atsisveikindami mojavome, ir tik tada, kai niekas nebegalėjo matyti, mudvi aimanuodamos atsilošėme ant sėdynių.

Nusiplėšiau nuo galvos diademą. Koks palengvėjimas!

– Anete, padėk man atsisegti, – graudžiai sušuko močiutė, – viena nepajėgiu. Nebegaliu pakelti šio pabaisos ilgiau nė akimirkos. Ačiū Dievui! – Ji giliai atsiduso ir palaimingai išsitiesė. – *Dabar* vėl pasijutau žmogumi.

Padaviau Olivjė diademą, apyrankes ir vėrinį. Jis pasidėjo brangenybes ant kelių ir pagarbiai į jas žiūrėjo.

Močiutė užjausdama žvilgtelėjo į mane.

– Skauda galvą?

Linktelėjau.

– Taip ir spėjau. Niekuomet gyvenime nesileisime įkalbamos tokiai nesąmonei! Ačiū Dievui, kad nebuvo Lokenšteinų, tie kaipmat būtų įtarę, jog čia kažkas negerai. – Ji atsiduso. – Šiaip ar taip, dabar žinau, kaip jautėsi vargšai mūsų protėviai su šarviniais marškiniais. Tikrai *nėra* ko pavydėti!

– O ne, grafiene, jūs nežinote, – pasipiktino Olivjė, – jausmas skirtingas. Geležis – ne auksas, šis toks prašmatnus.

– Sakai? – išsiblaškiusi paklausė močiutė ir pasirausė rankinėje.

– Iš tikrųjų! Auksas labai deramas.

– Aha, – tarė močiutė, daugiau nebekreipdama į Olivjė dėmesio. Rado, ko ieškojusi, išėmė ir atkišo man. – Štai, – tarė, lyg skelbdama nelaimę, – šiandien tau atėjo. Aš perėmiau.

Žvilgtelėjau į popierių, ir tas svoris, kurį ką tik nusimečiau nuo galvos ir rankos, rodos, staiga padvigubėjęs užgulė man krūtinę. Į delną buvo įsprausta telegrama.

Žinojau, ką ji reiškė.

Dusdama išlanksčiau lapą: *Džiugi staigmena taškas Ką tik atvykau taškas Amžinai Tavo Danielis.*

Nuleidau telegramą. Kas čia dabar? Ar Danielis vėl sugalvojo džiugią staigmeną, kuri dabar trenks man į galvą? O gal jis pats toji staigmena?

Pakėliau akis ir pamačiau, kad Olivjė susidomėjęs mane stebi.

– Močiute, – tariau, – ar Danielis atsiuntė man dovaną?

Atidaviau jai telegramą.

Ji perskaitė ir apgailestaudama papurtė galvą.

– Būtų puiku. – Ji išlankstė blanką ir atkišo man: – Žiūrėk, kokiame pašte ji išsiųsta! Kas čia parašyta?

– Kronau, – perskaičiau.

– O kokiu laiku?

– Šįryt, pusę aštuonių.

– Taigi, – pabrėždama pasakė močiutė, sudraskė telegramą į smulkias skiauteles ir išmetė jas pro langą.

– Vadinasi, – prašnekau virpančiu balsu, – jis čia buvo jau vakar. Kaip manai, ar jis gyvena Kronau viešbutyje?

– Namie iškart sužinosime. Pakaks vieno skambučio. Jeigu jis tenai, liepsime tučtuojau suimti.

Olivjė išpūtė akis, bet nutylėjo. Laikė aukso vėrinį rankoje ir žaidė su kabučiais. Elgėsi, lyg apskritai mūsų negirdėtų.

Nebežinojau, ką daugiau sakyti. Buvau visiškai sutrikusi. Iš tikrųjų man reikėjo papasakoti apie dėdės sumanymą su hunais, bet Danielio atvažiavimas trenkė kaip perkūnas iš giedro dangaus.

– Močiute, – tariau, – prisiekiu, kad jo nekviečiau.

– Tikiu tavimi. Tu neturi nieko *man* įrodinėti. Bet supranti, jog turime tuo įtikinti tavo dėdę?

Linktelėjau galvą.

– Anetėle, mes susidorosime. Visa popietė apmąstymams. Tikrai ką nors sugalvosime.

Tikiuosi, pamaniau ir ėmiau spoksoti pro langą. Važiavome siauru keliu. Dešinėje traukėsi vešlus eglynas, kairėje kaip tik iškilo pilies kalnas. Dar nedidelis posūkis, ir štai Kronegas, aukštai aukštai virš slėnio - nepamirštamas vaizdas.

- Žinai, - pasakiau balsiai, - šiandien popiet aš ketinau nusileisti į paupį.

- O! Ką ketini tenai veikti, ar tik maudysiesi?

- Susitikti su Valteriu. Tiesa, dėdė Eduardas man uždraudė, bet aš pažadėjau Valteriui trečią valandą būti maudykloje.

Močiutė susijaudino:

- Tai ir eik, vaikeliuk. Aš visuomet padedu širdies reikalams. Jeigu grįši namo arbatai penktą, nieks nesuuos. Žinai? Iškart pasiimk maudymosi reikmenis, Hansas nuveš tave žemyn. Tada prieš pasimatymą dar galėsi pusvalandį paplaukioti.

- O jeigu ateis Danielis ir teirausis manęs?

- Tada aš jį paglobosiu. - Močiutė nusijuokė ir nusiėmė didelę baltą skrybėlę su gėlėmis.

Užvažiavome ant pilies kalno ir lėtai nuriedėjome per pakeliamąjį tiltą. Tarnaitė tuoj atvėrė plačius geležinius vartus, greičiausiai ji mūsų jau laukė.

- Pas panelę Anetę buvo svečias, - sušuko susijaudinusi, - jaunas ponas.

- Neaukštas geltonplaukis žaliomis akimis? - paklausiau virpančiu balsu.

Tarnaitė linktelėjo galvą.

- Sakė, kad po pietų dar užsuks.

- Puiku, - sušuko močiutė ir išlipo iš automobilio, - kai jis pasirodys, iškart atveskite pas mane! Anete, skuosk maudymosi kostiumėlio! Dink kuo greičiau! Nenoriu, kad būtum pilyje, kai jis pasirodys. - Ji įsikibo Olivjė į parankę ir širdingai mane pabučiavo.

– Taip, dabar padėsime brangenybes, o tada tegu tas vyrukas ateina. – Ji linksmai nusijuokė pati sau. – Esu pasirengusi *bet kokiai* niekšybei.

18

Maudykla paupy buvo ypatinga vieta: seni gluosniai prie pat vandens, vanduo skaidrus, švarus ir kvepiantis. Tas vanduo ne tik viliojo, jis turėjo ir gydomųjų savybių, nes jame buvo gausu geležies. Jeigu įgeldavo bitė, tereikėdavo paplaukioti penkias minutes, ir ištinimo bei skausmų kaip nebūta.

Mano proprosenelis buvo užtvenkęs upę ir pastatęs nedidelę kiniškos pagodos pavidalo jėgainę. Riestą jos stogą dengė tamsiai mėlynos žvilgančios čerpės. Durys ir langai taip pat buvo kiniško stiliaus. O virš užtvankos buvo maudykla. Vanduo idealus plaukioti. Užtvankėlės apačioje upė buvo sekli, vanduo ramiai čiurleno virš plokščių apskritų akmenų. Jie žvilgėjo tamsiai raudona, geltona kaip auksas, žalia kaip samanos arba ruda spalva.

Norėdamas patekti į maudyklą, pirmiausia turėjai nusileisti nuo pilies kalno, o paskui perkirsti pievą, priklausančią dvaro karvėms. Čia jos ir gulėdavo gluosnių pavėsyje: didelės, ramios žalmargės, visą dieną uoliai žiautarodamos ir gamindamos vakarui nuostabų pieną. Pamačiusios mane ateinančią, karvės atsistodavo: vis šiokia tokia permaina.

Karvės protingos, ir nevalia to pamiršti. Mūsiškės kaipmat pamatydavo, turiu aš laiko ar ne. Jeigu per pievą eidavau greitai, jos ramiai nurisnodavo man iš paskos iki pat vandens. Jeigu sustodavau, žinodavo: aha, dabar pasiausime. Jos nulenkdavo didžiules galvas, ir aš turėdavau pakasyti joms garbanėles tarpuragiuose. Jos šiurkščiais liežuviais meiliai laižydavo man kojas ir rankas. Pamažėle tie liežuviai pasiekdavo ir mano drabužius: o, medvilnė. Ji ypač gardi. Storos lūpos įnikdavo tampyti sijoną ir palaidinę. Jeigu užsižiopsosi, drabužiai, galima sakyti, bus praryti tiesiai nuo kūno. Bet ne iš piktumo - priešingai! Karvės trokšta tau gero. Kam reikia šitokios daugybės skarmalų ant odos? Juk karvės irgi plikos, kokias jas sukūrė Dievas. Be to, vasarą be apdarų kur kas patogiau.

Kai buvau vaikas ir maudydavausi, dvaro karvės džiugiai sušlemšdavo mano drabužius. Didžiausia rajūnė buvo trimetė žaloji, vardu Lorinda. Kartą ėjau maudytis su naująja aukle, kurios Lorinda dar nepažinojo. Kai išlipome iš vandens, iš didžiulio karvės snukio karojo tik balta mano suknelės rankovė. Puikiai prisimenu.

Auklė suspigo, čiupo už rankovės ir patraukė. Lorinda piktai patempė į priešingą pusę, ir jiedvi tąsėsi kokią valandėlę, kol įsižeidusi karvė išspjovė suknelę - greičiau jos liekanas. Nustebusios pakėlėme jas aukštyn: suknelė buvo neatpažįstama. Ploną medvilnę Lorinda buvo išmarginusi sudėtingu kiauraraščiu, suknelė atrodė kaip nėrinių užuolaidos gabalas.

Kadangi nebebuvo įmanoma ja apsirengti, grąžinome karvei. Tegu gardžiuojasi!

Kai vien su maudymosi kostiumėliu užlipau į pilį, visi iškart suprato, kas nutiko. Dėdė Eduardas gan maloniai pakraipė galvą.

– Ir vėl nugraužė iki nuogumo, – tepasakė ir paprašė auklę būti atidesnę.

Šiandien paupio pievoje karvių nebuvo. Jos ganėsi aukštėliau, nedidelio ąžuolyno pakrašty, ir aš nekliudoma nusigavau į maudyklą už užtvankos. Tenai augo milžiniškas gluosnis svyruoklis, kurio šaknys siekė upę. Rankos storumo šaknis per skardį buvo nusiraičiusi į vandenį, tad ja buvo galima patogiai įbristi į upę ir vėl išlipti.

Puiku, kai viską teberandi lygiai taip, kaip penkerius metus klaikiai ilgėdamasi namų vaizdavaisi už dviejų tūkstančių kilometrų. Nenukirstas nė vienas senas gluosnis, o pilies vaizdas aukštai toks stulbinamas, kad valandėlę iš laimės nepajėgiau net krustelėti. Paskui greitai numečiau po gluosniu drabužius ir įlipau į upę.

Ramus, vėsus, švarus, kvapus vanduo. Mane užliejo neapsakoma palaima. Argi svarbu, kad radome netikrą karalių lobį, kad turėsiu ištekėti už Engelberto, kad atsibeldė Danielis? Niekas nebegalėjo manęs sukrėsti. Iš medžių šešėlio nuplaukiau į šiltą saulę, o paskui beveik be pastangų upe aukštyn. Paskui atsiguliau aukštielninka, užsimerkiau ir leidausi nešama atgal į maudyklą. Galvojau apie Valterį. Dažnai čia ateidavome vaikystėje. Abudu nebijojome vandens ir galėjome plaukioti valandų valandas.

Staiga išgirdau variklio gausmą. Vėl atsimerkiau. O! Greičiausiai amerikietiškas sportinis automobilis, kokių itin nemėgsta grafas. Pernelyg krinta į akis. Raudonas chromas blizga, viršus baltas. Iš teisybės, tikrai puikus!

Skubiai priplaukiau prie kranto ir išlipau iš vandens. Nenorėjau pusnuogė sutikti Valterio. Skubėdama apsivilkau maudymosi chalatą. Atsisukau ir iškėliau ranką. Automobilis sustojo, vairuotojas man irgi pamojavo. Kraujas gyslose sustingo. Dievulėliau, negali būti! Iš automobilio išlipo ne Valteris. Tai buvo Danielis.

Pirmoji šovusi mintis: kaip Danielis atsidūrė Valterio automobilyje? Antroji: kuo greičiau pabėgti, kuo toliau nuo šito vyro!

Bet likau stovėti, tik dar labiau susisiaučiau chalatą. Aš namie. Jeigu kas nors turi pasipustyti padus, tai tik *jis!*

– Sveika, *darling!* – sušuko tas, kuris vos netapo mano sužadėtiniu, ir lėtai prisiartino. – Kaip sekasi?

Jis buvo su tropikų eilute, greičiausiai geriausio Londono siuvėjo kūriniu, su didelėmis auksinėmis rankogalių sąsagomis, ik šiol dar nematytomis. Rudi krokodilo odos batai, irgi nauji, žvilgėjo taip, lyg būtų nusiblizginęs juos prieš išlipdamas.

– Labas, princese, – pasakė priėjęs. Norėjo mane pabučiuoti. – Ar netekai žado?

Nusukau veidą, ir jo bučinys kliudė man ausį.

Danielis atlaidžiai nusišypsojo ir nusiėmė akinius nuo saulės. Jo akys buvo žalios kaip pieva, žalios kaip žolė, be menkiausio švytėjimo. Kokia nyki spalva toks žalumas! Ir kodėl anksčiau niekuomet to nepastebėjau?

Regis, Danielis atspėjo mano mintis.

– Bet *kaip* tu atrodai, – sušuko niekinamai ir bedė į šlapius mano plaukus, – Londone buvai elegantiškesnė.

Jo žodžiai paveikė. Kaipmat pasijutau bjauri, nuskurusi, neišvaizdi pelytė. Tokia pat taktika kaip Anglijoje, pamaniau. Vienintelis sakinys, ištartas su ta ypatinga gaidele, ir tavo sveiko proto kaip nebūta. Bet keistas daiktas: poveikis trumpalaikis. Vos pasijutau esanti pelytė, išvydau, jog Danielis atrodo kaip kaliausė. Ta liesa figūra, apkarstyta brangiomis medžiagomis, anaiptol ne vyriška.

– Tu sublogai, – pasakiau svarstydama, kas sumokėjo už jo batus.

– Žinoma, – sušuko Danielis, ir jo balse nuskambėjo meldimas. – Manai, labai malonu, kai tave pameta?

– Kas nupirko tau sąsagas?

– Anete, liaukis!

– Lena?

– Kas per kvailas klausimas! Nesulauksi atsakymo.

Jis staiga nusisuko, nužingsniavo prie automobilio, ir aš pamaniau, kad jau sės į jį ir nuvažiuos. Bet jis grįžo nešinas paklode ir atsisėdo po gluosniu.

Aš stovėjau.

– Ar nesisėsi šalia?

– Ne. Negavai mano laiško? Išsiunčiau skubiu paštu į Ženevą. Be to, pasakiau Lenai, kad nieku gyvu čia nevažiuotumei.

– Bet aš tave myliu! – sušuko Danielis ir ištiesė į mane savo išpuoselėtas rankas. Niekuomet negalėjau atsispirti šiam mostui. Pykdama pati ant savęs nejučia atsisėdau šalia jo.

– Slinkis arčiau, *darling!*

– Ne! – pasitraukiau į patį paklodės kraštą.

– *Darling!* – Danielis įsmeigė į mane katiniškas akis, – *darling*, juk tu grįši pas mane?

Prisiminiau paskutinę naktį Ženevoje. Iki ryto šešių laukiau jo mažame svečių kambarėlyje, kai jis buvo išsidanginęs su Lena.

– Niekuomet gyvenime! – tariau.

Danielis pamėgino pasiekti mano ranką.

– Gana! – Užsikišau ranką už nugaros.

– *Darling*, aš tau kai ką atvežiau. Žiūrėk! – Jis išsiėmė iš švarko kišenės mažą dėžutę ir neatidaręs pakišo man panosėn. – Žinau, kad niekuomet nieko tau nedovanojau. Bet tai, kas joje yra, verta tiek pat, kiek tu kada nors išleidai dėl manęs.

Jis atvožė dangtelį. Joje buvo žiedas su briliantu. Akmuo mažne tokio pat dydžio kaip Emė, bet darbas skubotas, apsodas pigus. Vos metusi akį supratau, kad briliantas netikras.

– Štai, – pasakė Danielis ir įspraudė žiedą man į delną. Kaip ir tikėjausi, jis buvo gana sunkus. Aha, pamaniau, tipiška klastotė: netikri briliantai visuomet dvigubai sunkesni už tikrus.

– Atiduok jį Lenai!

– *Darling*, šis akmuo dešimties karatų!

– Daugių daugiausia pustrečio karato, – atkirtau ir atidaviau jam žiedą.

– Dešimties! – primygtinai pakartojo Danielis. – Nuo kada nusimanai apie briliantus?

Anksčiau būčiau pradėjusi ginčytis, o dabar net neketinau:

– Nusipirkai jį Australijoje?

Danielis linktelėjo galvą ir pagarbiai apžiūrėjo žiedą. Laikė jį prieš šviesą, kad ir aš galėčiau pasigrožėti, bet akmuo buvo toks prastas, kad net gražiausi saulės spinduliai nepajėgė įkvėpti jam bent kibirkštėlės.

– Ar tau patiko Australijoje?

Danielis užsimovė žiedą ant mažojo pirštelio ir meiliai apžiūrinėjo savo ranką.

– Patiko? – sušuko, – *Australijoje?* Taip klausti gali tik visiškas neišmanėlis. – Jis pasidėjo ranką su žiedu ant kelio. – Ar nenori pasimatuoti? Užsakiau apsodą specialiai tau. – Jis vėl čiupo mano ranką. – Noriu įsitikinti, ar tau tinka.

– Duok man ramybę! – sušukau ir atsitraukiau dar toliau. – Kodėl tau nepatiko Australija? Kad tenai nerado aukso?

Danielis pasipiktino:

– Australijoje aukso daugiau negu visoje Pietų Afrikoje. Mačiau savo akimis. Bet žmonės be jokios kultūros. Per didžiausią karštį jie tau patiekia „Arklio kaklą“ *be* ledo.

– Ką?

– „Arklio kaklą“. Tai toks gėrimas. Iš brendžio ir imbierinio alaus. – Jis atlaidžiai nusišypsojo, o paskui išdidžiai sviedė: – Tu tikra tamsuolė!

– Danieli, ko tau čia reikia? – paklausiau ryžtingai. – Ar atvežei mano pinigus?

Staiga jis atsiklaupė priešais mane.

– Anete, meldžiu! – Jis apkabino mano kelius. – Norėčiau paprašyti tavo dėdę tavo rankos.

– Pakvaišai? Vos tave pamatęs, jis iškart lieps suimti.

– *Darling!* – šūktelėjo Danielis slopiu balsu ir staiga taip smarkiai puolė ant manęs, kad pargriovė aukštielninką. – *Darling!* – Ir kaip pakvaišęs įniko bučiuoti. Priešinausi kiek pajėgdama, bet jis nepaleido. Stūmiau jį šalin, drėskiau, kandau, bet veltui. Susikabinę persiritome per paklodę ir atsidūrėme ant pievos. Tenai galų gale išsivadavau.

– Liaukis! – surikau ir pašokau. – *Aš nebenoriu!* Argi taip sunku suprasti?

Danielis švogždamas sėdėjo žolėje, suspaudęs man kulkšnį.

– Per tave mus užgriuvo didžiausi sunkumai. Nebegalime nupirkti dvaro, ir dėdė Eduardas įsiutęs. Kai tik tave pamatys, tuoj skambins policijai. Garbės žodis, jis tave uždarys į cypę.

Danielis paleido mano kulkšnį.

– Bet kodėl? – suriko maldaujamu balsu. – Kad padarysiu tave turtingą? Juk investavau tavo pinigus į tikrai patikimą verslą, bet tam reikia laiko. Supranti, juk skubos darbą velnias gaudo? Be to, galiu jam kai ką pasiūlyti, jis *turi* pasinaudoti mano pasiūlymu. Kaip manai, kuriam galui trenkiausi į Australiją?

Jis atsistojo ir pasilygino švarką. Paskui išsitraukė nosinę ir nusivalė batus. Baigęs apsižiūrėjo, kad ant piršto nebėra žiedo.

– Žiedas!

Puolėme abu ieškoti. Radome paklodės klostėje. Danielis iškėlė jį kaip deimantų saują, bet akmuo atrodė lyg stiklo gabalėlis.

– Matai? – sušuko išdidžiai ir pakišo žiedą man po nosimi. – Jį aš radau Australijoje. Kur kas geriau negu auksas. Patikėk manimi paskutinį kartą, Anete, ir pamėgink įtikinti savo dėdę. Man tereikia tik dviejų šimtų tūkstančių dolerių. Dabar, kai iškasėte Vengrijos karalių lobį, jums tai skatikai. Esate turtingi kaip niekad anksčiau. Anete, aš radau deimantų kasyklą, kuri netrukus duos dvidešimt penkis milijonus karatų kasmet. Ar įsivaizduoji? Bemaž septyni tūkstančiai štai tokių žiedų kasdien. Ar suvoki, kiek pelno galėtumėt gauti iš šio verslo? Per keletą mėnesių taptumėte milijonieriais. Kasykla duoda du šimtus milijonų dolerių per metus, *darling*. – Jis pritildė balsą ir prikišo veidą man prie ausies. – Du šimtai milijonų, – jo lūpos virpėjo, – du šimtai milijonų dolerių, – ir jis pamėgino pabučiuoti mane į kaklą. – Argi tai ne džiugi staigmena?

– Žinoma, – pratariau ir vėl atsisėdau ant paklodės, – tikrai nežinojau, kad yra kalnų kasyklų, kur iškasami netikri deimantai.

Danielis labai įsižeidė:

– Tu manimi netiki.

– Taip. Mat ką tik gavau žiedą su tikru brangakmeniu ir matau skirtumą.

Danielis pakraipė galvą.

– Ką gi, spėju, kad nieko čia nepadarysi. Tu visiškai pasikeitei. Dėl tavęs per visą pasaulį nuskridau į tą prasčiokų žemyną, kepinant didžiausiam karščiui.

Važiavau į dykumą ir kentėjau, miegojau aborigenų kaime Kununura, tenai viskas iš plastiko, o aplinkui vien smėlis.

Jis pasipiktinęs įbedė į mane akis.

– Ei, jūs abu, – staiga nuskambėjo Valterio balsas. – Na, Anete, ar tau tai staigmena? Danieli, nusirenk! Einame maudytis.

Valteris stovėjo priešais mus, aukštas ir linksmas. Su mėlynais džinsais ir baltais marškinėliais. Apsiavęs sandalais.

– Koks šiandien vanduo? – paklausė mane.

– Labai malonus.

– Na, eikš, Danieli! – Valteris ėmė rengtis.

– Dėkui, man jau metas, – įsižeidęs sušuko Danielis ir atsistojo. Buvo visa galva žemesnis už Valterį ir atrodė kaip užsispyręs vaikas.

– Iki Kronau eisi mažne valandą, o toks karštis! Ar nenori atsivėsinti?

Danielis papurtė galvą ir be žodžių užsidėjo akinius nuo saulės:

– Palauksiu tavęs viešbutyje.

Valteris pasisuko į mane.

– Iš Lokenšteino atvažiavome į Kronau, – paaiškino. – Danielis norėjo padaryti tau staigmeną. Sutarėme, kad čia automobiliu atvažiuos *jis*, užtat atgal vairuosiu *aš*.

Atsisveikindamas Danielis pakėlė ranką.

– Rakteliai įkišti spynoje.

Ir nieko daugiau nepasakęs nuspūdino.

– Ar jis gyvena pas jus? – paklausiau, kai Danielis nebegalėjo girdėti.

– Taip. Atvyko vakar per pietus. Todėl su jumis ir nepietavome. Manau, kad čia jau bus rimta.

Valteris klestelėjo šalia manęs ant paklodės ir nusišypsojo.

– Kas bus rimta?

– Na, su mano seseria. Juodu penkerius metus susirašinėjo, bet tėvas nepritarė vedyboms, nes Danielis neturi jokios profesijos.

– O dabar jau turi? – paklausiau, kai atsigaivelėjau po šitos žinios. Penkerius metus jis susirašinėjo su Marija! O aš nieko nežinojau! Penkeri metai meilės laiškų!

– Jis dirba tą patį, bet dabar jam sekasi. Ar prisimeni ginčą apie akcijas? Jų mano tėvas prisipirko per Danielį. Aukso kasyklos Australijoje akcijų. O dabar jis dar rado ir deimantų. Darbštus vaikis. Visur skrenda pats, kad asmeniškai įsitikintų. Australijoje rasta daug aukso, todėl akcijų kursas taip ir šovė dangop.

Staiga man ėmė daužytis širdis. Dieve, kad tai būtų tiesa.

– Ar tikrai, Valteri?

– Pasak Danielio, taip. Jis atvežė firmos dokumentus. Firmos „Aurelius". Geras pavadinimas, labai daug žadąs, argi ne? Pastaraisiais metais akcijų vertė pakilo penkiasdešimt du kartus. – Jis nusijuokė. – Faktas, kad Australijoje yra aukso, urano, geležies rūdos ir deimantų. Be to, nugali teisingumas. – Jis paėmė mano ranką: – *Jūs* randate Vengrijos karalių lobį, o *mes* išsikasame auksą dykumoje.

Nieko nesakiau, nes galvojau. Jeigu dėl to aukso tiesa, kodėl Danielis man net neužsiminė? Ar ketino pataupyti šią gerą žinią dėdei Eduardui, kai prašys mano rankos? O kaip Marija? Ar norėjo ir ją vesti?

– Pasakok! – nutraukė mano mintis Valteris. – Kaip ten su tuo lobiu? Kaip apskritai jums atėjo į galvą, kad lobis Kronege? O kur jis buvo paslėptas? Ar tu irgi buvai kartu?

– Vėliau tau papasakosiu.

Valteris mane nužvelgė:

– Kaip nori. Eikš! – Jis padėjo man atsistoti. – Paplaukiosime!

– Eisiu su tavimi, Valteri, bet palauksiu ant kranto. Aš dar nesušilau. Gana ilgai plaukiojau, kol tu atėjai.

– Gerai.

Valteris įsibėgėjo ir puolė galva žemyn į upę taip, kad vanduo ištiško aukštyn du metrus. Tada išniro paviršiun, pamojo man ir vėl panėrė.

Laukiau ant kranto.

Jo ilgai nebuvo. O paskui galva išlindo tiesiai man prie kojų. Valteris kažką laikė rankoje.

– Čia tau.

Širdies formos raudonas akmenėlis, kurį jis išgriebė nuo dugno.

Valteris išlipo iš vandens.

– Taip, atsivėsinau.

Mudu sugulėme ant paklodės, jis – gluosnio šešėlyje, aš – saulėje.

– Danielis pasakojo, kad Londone dažnokai susitikdavote, – tarė jis, nežiūrėdamas į mane.

Trupučiuką sumenkino faktus, pamaniau, bet atsakiau:

– Taip, tikrai.

– Juk nesupykai, kad jis atvažiavo vietoj manęs?

Pailgas gluosnio lapas nuo medžio sukdamasis nusklendė tarp mūsų ant paklodės.

– Nesupykau, bet... man jis nelabai patinka.

Valteris atsisėdo:

– Atsiprašau. Aš nežinojau.

– Tiek to. Sakyk, Valteri, ar tavo tėvas žino, kad mes matomės?

– Ne. O grafas žino?

– Irgi ne. Kaip manai, ar juodu nekenčia vienas kito?

– Eik jau! – Valteris vėl atsigulė ir susidėjo po galva rankas. – Kai buvai išvažiavusi, visąlaik taip buvo. Tai lyg koks viešas žaidimas. Vienas pykdo kitą, o galop susitaiko.

– Dėdė Eduardas man uždraudė su tavimi matytis.

– Gerai, kad rimtai paisai draudimo.

– Sakyk, Valteri, o kaip dėl tos žolės? Ar tavo tėvas tikrai iškirstų mišką, nusipirkęs dvarą?

– Niekuomet gyvenime! Tik norėjo jus paerzinti. Tos pievelės smulkus gretutinis verslas. Iš tikrųjų aš domėjausi biologine žemdirbyste. Amerikiečiai gerokai mus pralenkę šioje srityje.

– O kaip amerikietės? – paklausiau kiek patylėjusi.

– Jos mielos, žavisi kilmingais europiečiais. – Jis pasižiūrėjo į mane: – Bet meilės tenai neradau. O tu?

– Taip pat ne.

Valteris atkišo man ranką.

Aš net nesujudėjau.

– Eikš! – tarė jis tyliai. – Kodėl jos neimi?

Užsimerkiau.

– Nežinau.

Valteris pasislinko artyn, bet staiga išgirdau tyliai kikenant. Kaipmat atsisėdau.

– Kas tau?

– Pažįstu tą balsą. Mūsų tarnaitė.

Valteris pašoko ir apsidairė. Dabar ir jis išgirdo.

– Ji tenai. Matai? Kitapus upės. Ar ji su mėlyna suknia?

Linktelėjau galvą.

– Po krūmais matau mėlyną sijoną, visa kita už krūmų. O kas tas vyras?

Taip pat atsistojau.

– Nežinau. Gerai nematau. Gal jos draugas. Jis tarnauja kariuomenėje. Gal gavo atostogų?

Valteris atsisuko į mane. Priėjo arti arti.

– Jūsų tarnaitė man visiškai nerūpi.

Jis išskėtė rankas ir tvirtai priglaudė mane prie krūtinės. Pajutau jo stiprų kūną, išgirdau besidaužančią širdį. Nuostabu.

O Dieve, galvojau, nepalyginti geriau kaip... Tada jis pradėjo mane bučiuoti, ir lobis, dvaras, palikimas, hunai ir Danielis, viskas, kas taip jaudino pastarosiomis dienomis, išgaravo man iš galvos.

19

Į pilį sugrįžau gana vėlai. Dangų jau buvo nutvieskusi rožinė spalva, o kregždės karpė orą ieškodamos vakarienės. Lipdama aukštyn stebėjau jas. Skraidžiojo nelabai aukštai. Ar rytoj lis? Nusiskyniau tako pakraštyje žolės stiebelį ir linksmai lanksčiau jį tarp pirštų. Lis ar ne – man nė motais. Tokia laiminga nebuvau jau daug metų. Net antro pasaulinio tvano grėsmė nebūtų manęs sukrėtusi. Suėmiau stiebelį dantimis ir kąstelėjau minkštą jo galą. Saldoka. Paprašiau, kad Valteris manęs nelydėtų. Nenorėjau, jog grafas pamatytų mudu drauge. Troškau pamąstyti apie visą šią nuostabią popietę viena. Valteris ir aš. Kas būtų pamanęs? Nesilioviau šypsotis net tada, kai paskambinau prie pilies vartų. Nustebau, kad vartai kaipmat atsilapojo. Prieš mane stovėjo Olivjė. Su patogiomis rudomis kelnėmis ir sportiniu megztiniu. Rankoje laikė pintinę. Pasižiūrėjo į mane ir lyg palieptas išsišiepė.

– Ateinate, mieliausioji pussesere, o aš einu.

Jis palaikė man vartus ir netgi nusilenkė. Kas jam nutiko? Nebuvau mačiusi jo tokio malonaus.

– Kur tu eini? – nusistebėjau.

– Į dvarą, parnešti kiaušinių. Mums jų reikia vakarienei. Gaila, kad pavėlavote arbatai. Pusvalandį skausmingai jūsų laukėme. Grafienė buvo labai pikta.

Nusišypsojo man. Kodėl jis taip puikiai nusiteikęs? Gal atvažiavo sužadėtinė? Greičiausiai. Šiuo metu į Kronegą veržėsi patys nepakenčiamiausi žmonės.

– Sulaukei svečių? – paklausiau ir išmečiau stiebelį.

– Ne, – patenkintas atsakė Olivjė. – Mano Roza skambino, kad atvyks daug vėliau. Žiemos kolekcija labai perkrauta.

Spoksojau į pusbrolį. Paskui pašnairavau į bokšto laikrodį. Jis rodė pusę aštuonių.

– Pusė prieš septynias, – tarė Olivjė. – Jūs labai vėlai, pussesere. Septintą valgoma visai lengvai, *œuf à la crème** ir salotos.

– Puiku, – pasakiau išsiblaškiusi. – Ar dėdė Eduardas jau grįžo?

Olivjė reikšmingai linktelėjo galvą.

– Kaip jis nusiteikęs?

Olivjė vyptelėjo:

– Visai juodai! Tuoj dingo į savo kambarius!

Atsidusau:

– Ką gi, kol kas. Sudie!

Olivjė nukulniavo sau linksmas. Susimąsčiusi pro virtuvės duris ir kiemelį nužingsniavau į didįjį pilies kiemą. Jį jau bemaž dengė šešėlis, bet viršutiniai svečių kambarių langai spindėjo kaip nuauksinti paskutinių saulės spindulių. Pro savo kambarius ir prieškambarėlį įžengiau į svetainę.

Suglumusi sustojau. Kažkas buvo pamerkęs didžiulę rožių puokštę, tokią didžiulę, kad ji mažne dengė sofą. Iš karto suvokiau, kad rožės ne iš mūsų sodo. Mes neauginome ilgastiebių „Baccara", nebuvo nė vieno tokio ryškumo oranžinio žiedo. Nuo ko tos gėlės? Nuo Danielio? O gal jos kaip nors susijusios su pernelyg laimingu Olivjė?

Persirengdama galvojau. Vakarieniaujant sužinosiu, kas man atsiuntė puokštę. Na, greičių greičiausiai paaiškės, jog ir aukso akcijos apgaulė. Antraip kodėl grafas būtų taip blogai nusiteikęs?

---

* Įdarytas kiaušinis su grietinėlės padažu (pranc.).

Apsivilkau siuvinėta indiška suknele ilgomis rankovėmis ir apsijuosiau siuvinėtu diržu. Tada išsiėmiau iš spintos derančią skarą, jeigu vėliau atvėstų. Ne itin jaudinausi. Jeigu aukso iš tikrųjų nerasta, galėjau pranešti grafui džiugią naujieną – Leopoldas irgi įkliuvo į spąstus. Priėjau prie veidrodžio ir susisukau ant pakaušio plaukus. Paskui pasišlaksčiau kvepalais už ausų ir vėl pradėjau galvoti apie Valterį. Šiandien popiet paupyje buvo puiku...

Lygiai septintą po kaštonais buvo patiekta vakarienė. Močiutė mūsų jau laukė. Žaliu vasariniu kostiumėliu ir tinkančia skrybėlaite, prie kurios baltavo didžiulis bijūno žiedas. Olivjė irgi visas buvo žalias, su žalia elegantiška aksomine eilute.

Tik dėdė Eduardas nebuvo persirengęs. Vis dar su tuo pačiu rudu tautiniu švarku, kuriuo buvo pasipuošęs per pietus „Įžeisto kurtinio" užeigoje. Grafas buvo surukęs kaip velnio močia ir nė nesistengė slėpti savo nuotaikos.

– Ar čia medžiotojų draugija? – pasveikino mus ir atsisėdo į savo pintą krėslą, pirma numetęs ant žemės visas pagalvėles. – Kodėl visi žali? Ar kaštonų žalumos jums nepakanka?

– Pasižiūrėk, kaip dailiai Lotė patiekė salotas, – sušuko lyg nieko neišgirdusi močiutė. – Primygtinai siūlau tau paragauti salierų padažo, Eduardai. Paprašiau jo sutaisyti pagal mano receptą.

Tarnaitė atnešė vyno ir jau ketino įpilti. Dėdė Eduardas paėmė jai iš rankų butelį:

– Ačiū, šiandien susitvarkysime patys. Galite eiti. Pašauksime, jeigu jūsų prireiks.

– Mama, – tarė pripylęs jai taurę vyno, – tavo skrybėlė akibrokštas. Tas baltas kupstas šaukiasi dangaus keršto. Ar tau *būtina* ją nešioti?

Močiutė tvardėsi.

– Nebūtina, Eduardai, bet aš taip *noriu,* – pasiteisino ji. – Bijūnas ypač švelnina veidą, be to, išryškina kilmingą mano nosį.

Pilstydamas vyną grafas delsė, ketino kažką sakyti, bet paskui prikando lūpą ir pasisuko į mane:

– *O tu kur buvai šiandien po pietų?*

– Maudytis, dėde Eduardai.

– *Iki pusės septynių?*

Linktelėjau galvą.

Grafas pervėrė mane skvarbiu žvilgsniu ir atsisėdo.

– Neklauskite, ką sužinojau banke, nes man dings apetitas, – sušuko jis, bet gausiai prisikrovė valgio. – Nors galiu pranešti jums *vieną* džiugią naujieną: Engelbertas kuo puikiausiai prisimena Anetę ir nelabai kratosi vedybų.

Močiutei iškrito iš rankos šakutė ir sudzingsėjo ant lėkštės.

– Kas čia dabar? – suriko ji pasibaisėjusi. – Ką tu pasakei? Anetė ir *Engelbertas?* Kada Anetė įsimylėjo Engelbertą?

– Šiandien priešpiet, – kuo linksmiausiai atkirto dėdė Eduardas, – ir aš reikalauju, kad tu nesikištumei! Engelbertas – princas, be to, jis turi keturias milžiniškas *lentpjūves.* Jam nepaprastai patinka Anetė, tad iškart atsiuntė jai gėlių. Tikras džentelmenas. – O man grafas tarė: – Yra tik viena kebeknė. Engelbertui labai patinka apkūnios moterys. Tokia, kokia esi dabar, Anete, tu jam per liesa. Tu tučtuojau imsi kaip reikiant valgyti, supratai? Pradėsi nuo ankstyvo ryto. Pusryčiams vietoj vieno du kiaušiniai, duoną storai apsitepsi sviestu ir marmeladu,vietoj kavos gersi karštą šokoladą su plakta grietinėle. Aišku?

– Bet, dėde Eduardai! – paprieštaravau. – Pusryčiams aš negaliu gerti šokolado. Man reikia kavos, antraip neišsiblaivysiu.

– Na, gerai, pirma kava, o paskui šokoladas. Bet šokoladas būtinas, jis labai kaloringas. Džiaukis, kad nesi arabė. Jos prieš vestuves visiškai kitaip tukinamos. Ištisą dieną kremta saldainius, o kasnakt žadinamos du kartus ir turi išgerti litrą kupranugarės pieno.

Ir jis linksmai pats sau nusišypsojo.

– Ačiū Dievui, kad dvare nėra kupranugarės, – leptelėjau.

– Nagi, kas čia per nesąmonės? – supyko močiutė. – Gal malonėtumėt man paaiškinti? Ar vienintelę mano anūkę reikia pripiršti Engelbertui, kad jis parduotų ją arabams? Iš jo visko galima tikėtis. Jo sąžinę slegia jau keturios moterys, viena daugiau ar mažiau nebesvarbu.

Grafas numojo ranka:

– Anetė tikrai atves Engelbertą į protą, nė akimirkos neabejoju. Mane tedomina *keturios to berno lentpjūvės* ir dideli užsakymai, net iš užsienio. Lentpjūvės...

– Eduardai Zilvesteri, – nutraukė jį močiutė, – jei dar bent kartelį ištarsi „lentpjūvė“, mane ištiks priepuolis.

– Tavo valia. Kad ir kaip ten būtų, Anetė pamilo Engelbertą.

– Tą gali pasakoti kam kitam.

– Bet tai tiesa, mieliausioji teta, – staiga įsikišo Olivjė. – Anetė labai įsimylėjusi. Labai *labai* įsimylėjusi.

Įsistebeilijau į savo pusbrolį, kuris išdidžiai man palinksėjo.

Dėdė Eduardas irgi įsistebeilijo į jį.

– O ką *tu* apie tai žinai?

Olivjė nusišypsojo:

– Viską, mieliausias dėde. Mat įžvalgiau princą ir kitą didelį vyrą. Princas turi labai ypatingą automobilį, raudoną su baltu viršum, *Chevrolet Corvette 1957*, viskas perdirbta ranka.

Dėdė Eduardas staiga *labai* susidomėjo:

– Olivjė, prašyčiau kalbėti aiškiau! Kur tu matei princą su raudonu automobiliu?

– Upėje, – pareiškė mano pusbrolis.

– Tu nori pasakyti – *prie* upės, – pataisė jį grafas. – O kur? Prie užtvankėlės?

Olivjė uoliai linkčiojo galvą.

– Kada? – susijaudinęs šūktelėjo grafas ir grėsmingai suraukė vešlius antakius.

– Šiandien popiet. Einu į promenadą, visai vienas, žemyn kalnu ir noriu apstebėti kinišką pagodą. Tenai mano graži pusseserė vandenyje. Greit atvažiuoja raudonas automobilis, ir ji iššoka. Princas...

– Palauk! – sušuko dėdė Eduardas rūsčiai nudelbdamas mane akimis. – Ar princas buvo geltonplaukis ir labai aukštas?

– Ne, mieliausias dėde, labai mažas.

Grafas suglumo:

– Mažas? Tikrai?

Olivjė linktelėjo:

– *Labai mažas.* Jis iššoka iš automobilio ir atneša paklodę. Visi du tuoj po medžiu, o paskui pašėliškai apsikabinę raičiojasi per pievą, per paklodę ant žolės, pilnos rankos ir kojos, *be pertrūkio.*

Dėdė Eduardas sėdėjo lyg perkūno trenktas.

– Ant žolės be pertrūkio, – kiek balsiau pakartojo Olivjė.

Grafas taip išraudonijo, kad būtų išgąsdinęs net kalakutą.

– *Ką* ji darė? – pašėlo jis. – Anete, kas ten buvo ant žolės? Ką tu *išdarinėjai* ant žolės? Kalbėk!

– Be apdarų, – įsiterpė Olivjė ir nutaisė nekaltas akis.

– Be apdarų? – taip garsiai sustaugė dėdė Eduardas, kad net prarado balsą. – Kuo toliau, tuo gražiau! *Kur buvo tavo apdarai?* Kur tu padėjai apdarus?

– O tada, – entuziastingai klojo Olivjė, – ateina *didelis* vyras. Gal kamerdineris? Jis pabučiavo! Jis sugavo ją, taip, ir stovi kaip statula. Irgi be apdarų.

Dėdė Eduardas prasižiojęs spoksojo į Olivjė.

– Abudu be apdarų, – pakartojo pastarasis patenkintas.

Grafas giliai įkvėpė. Paskui taip pratrūko šaukti, kad net abu bokštai sudrebėjo:

– Tu paupy visų akyse atsidavei *kūno geiduliams? Su dviem vyriškiais?* Atimu iš tavęs palikimą!

Jis numetė ant stalo peilį ir šakutę, susiėmė už širdies, krito į krėslą ir pradėjo taip siaubingai aimanuoti, kad išsigandome, jog numirs.

Močiutė vikriai kaip žebenkštis pašoko, čiupo stiklinę vandens ir prikišo grafui prie lūpų.

Aš nepajėgiau net krustelėti. Koks niekšas, galvojau, dabar žinau, kas trynėsi po krūmais su tarnaite.

– Taip, – pasakė močiutė, kai dėdė Eduardas išgėrė stiklinę. – Dabar visi labai ramiai išsiaiškinsime, kas tenai buvo. Na, Anete...

– Nenoriu nieko girdėti! – suriko grafas ir užsiėmė ausis.

– Žinoma, nori. Sakyk, Anete, tu maudeisi nuoga?

Grafas nusvarino rankas ir piktai pažvelgė į mane.

– Aišku, *ne!* – surikau. – Buvau apsirengusi savo baltu maudymosi kostiumėliu, o vėliau ant jo užsivilkau chalatą.

Dėdė Eduardas pasilenkė per stalą. Paklausė nelaimę pranašaujančiu balsu:

– *Kas buvo tas mažas vyras?*

Prasižiojau, bet neišspaudžiau nė žodžio.

Močiutė irgi pasilenkė prie manęs.

– Na, vaikuti, kas?

– Princas! – vėl riktelėjo įsiterpdamas Olivjė. – Buvo labai brangiai aprengtas. Labai labai brangiai.

– *Ramiai!* – paliepė dėdė Eduardas. – Taigi, Anete, mes laukiame! – Jis barbeno pirštais stalą ir žiūrėjo į motiną.

Giliai įkvėpiau.

– Danielis, – pratariau vos girdimai.

– *Kas?* – sustaugė dėdė Eduardas ir pašoko lyg tarantulo įkąstas. – Tas išpera drįsta sukiotis netoli manęs? Kur jis? Aš jį nušausiu!

Močiutė irgi nebesivaldė:

– Tu su Danieliu pievoje...

– Ne! – surikau nusiminusi gana garsiai. – Aš tik...

– *Ji tik!* – nepalyginti garsiau subliovė grafas. – Žinoma! Olivjė matė, kaip juodu ritosi per pievą!

– Ne! – surikau visa gerkle. – *Netiesa!*

– Mano šautuvas, – šėlo dėdė Eduardas, – kur mano šautuvas? Nupilsiu tą bjaurybę...

– Nieko tu nenupilsi, – sušuko močiutė. – Dažniausiai juk prašauni. Eduardai Zilvesteri, sėskis ir *užsičiaupk!*

Visų nuostabai, grafas tikrai užsičiaupė. Tada, lyg nieko nebūtų atsitikę, atsisėdo į savo krėslą.

– Ką gi, – su palengvėjimu šūktelėjo močiutė, – Anete, o dabar sakyk, ką ketinai. Ar tu su Danieliu raičiojaisi pievoje?

– Taip. Ne. Aš...

– Taip ar ne? Prašyčiau neišsisukinėti!

Mane staiga išpylė baisus karštis.

– Jis nelauktai išdygsta priešais, lyg nukrinta iš dangaus, – riktelėjau susijaudinusi, – o tada puola ant manęs ir nori pabučiuoti. Ginuosi, kiek pajėgiu, bet jis juk už mane stipresnis. Ritamės per paklodę, ir tik pievoje galiu iš jo išsivaduoti. Niekuomet nebūčiau palietusi jo laisva valia, prisiekiu. Daugiau nebegaliu jo pakęsti.

– Tikrai?

– Prisiekiu.

Dėdė Eduardas gręžė mane akimis.

– Tu jam parašei, kad atvažiuotų?

– Ne, tikrai ne. Parašiau jam, kad viskas baigta ir kad niekuomet nebenoriu jo matyti.

– Šit kaip? – kiek švelniau paklausė grafas. – Tai ko jam dar prireikė?

– Nepatikėsi, bet jis ketina prašyti tavęs mano rankos, o paskui dviejų šimtų tūkstančių dolerių.

Dėdė Eduardas grėsmingai nusišypsojo:

– Spėju, kad dėl deimantų Australijos dykumoje.

Netekau amo.

– Kaip sužinojai? – paklausiau atsikvošėjusi.

Grafas nusišypsojo dar grėsmingiau:

– Savo banke. Gavau tiek informacijos, kiek pageidavau. „Aurelius" firma tikrai buvo. Ji ne apgavystė. Bet vis tiek liūdna, ji nerado aukso. Paskui ji bankrutavo, tada įkūrė naują firmą, kuri toliau vakaruose šalia aborigenų kaimo Kununura ieško deimantų. Tiems deimantų kasinėjimams jie ieško naujų investuotojų.

– O ką tai reiškia? – paklausė močiutė. – Ar liko bent truputis Anetės pinigų?

– Vargu, bet, žinoma, mes nesėdėsime sudėję rankų. Mes ginsimės. Teisimės, kiek leis mūsų jėgos.

– O Leopoldui atiteks dvaras?

– Ne! – sugriaudėjo dėdė Eduardas. – Kaip tau šovė į galvą tokia mintis! Anetė ištekės už Engelberto, ir jis paskolins man pinigų.

– Dėde Eduardai, – skubiai riktelėjau, – dar nepasakiau tau, ką sužinojau apie Leopoldą.

– Luktelėk, – nutraukė mane močiutė. – Eduardai Zilvesteri, tas Engelbertas nepakenčiamas. Nenoriu su tokiu giminiuotis. Jis laiškanešio pavainikis, girtuoklis kaip ir jo tėvas. Jis turi septynis vaikus ir yra paklaikęs medžiotojas. Šaudo viską, kas pakliūva. Ar žinai, kodėl jis paskolins tau pinigų? Mat tiki, jog radai Vengrijos karalių lobį.

– Močiute, – sušukau, – aš sužinojau nepaprastą naujieną.

– Engelbertas turi keturias lentpjūves. O viena lentpjūvė verta tiek pat kiek dvaras.

– Dėde Eduardai, prašau!

– Ir jis niekada nebuvo susituokęs *bažnyčioje*. – Grafas pasisuko į mane: – Na, kas yra?

– Ar banke tau sakė, kokios tos stebuklingos akcijos, kurių nusipirko Leopoldas? – paklausiau piktdžiugiaudama.

– Ne. Kodėl klausi?

– Mat aš žinau. Gal tau pasakyti?

Pratrūkau juoktis, džiaugdamasi, jog aplinkui matau sutrikusius veidus.

– Kalbėk! – sušuko grafas. – Ko jis nusipirko?

– „Au-re-li-us“ firmos akcijų, – išskiemenavau lėtai ir aiškiai. Valandėlę tvyrojo tyla.

– Tu tikrai žinai? – suabejojo močiutė.

– Šimtu procentų!

Dėdė Eduardas nedrąsiai šyptelėjo:

– Ar tikrai, vaike?

– Visiškai! Leopoldas *neturi* pinigų!

– Valioo! – sušuko grafas springdamas kvatojimu. – Jau seniai negirdėjau tokios geros naujienos. Vaikai, koks gražus gyvenimas! Už tai dabar išgersime. – Jis atsistojo ir iškilmingu mostu pripylė sklidinas taures. – Mielieji – už Lokenšteino pilies savininko verslą! – Tada atsisėdo ir patrynė rankas. – Na, vaike, klok! Kaip tą sužinojai?

– Jo sūnus pasakė! Valteris. Mat jis irgi atėjo į papį, jis buvo tas *didelis* vyras, kurį matė Olivjė. Bet dabar pati geriausia naujiena. Ar žinote, kur apsistojo Danielis? Jis vieši Lokenšteino pilyje. O žinote, ką jis tenai veikia? Merginasi vargšelei Marijai. Penkerius metus rašė jai meilės laiškus. Iš Londono, slapčiomis nuo manęs.

– Trūksta žodžių! – Kaip visuomet, kai kalba nukrypdavo į meilės istorijas, močiutė labai susidomėjo. – Ir tu net nenutuokei?

– Taip. Žinojau, jog apgavo mane su Lena, bet man staigmena, kad visąlaik dar buvo ir trečia moteris.

– Na, dėl Leopoldo, – atsitokėjo dėdė Eduardas, – tai tikrai naujienos, kurias malonu išgirsti. Anete, tu pilna staigmenų, turiu pripažinti. Tiktai nesuprantu vieno dalyko. Ko reikia Danieliui iš Marijos? Juk sakei, kad jis ketino mane prašyti *tavo* rankos.

– Tu ir meilė, – linksmai sušuko močiutė. – Tarp tavęs ir meilės nepaliaujama kova. Tu nieko nesupranti. Užtat aš iš karto susiprotėjau. Tad leisk tau paaiškinti. Tas bernas siekia abiejų ir ims į žmonas tą, kurią gaus.

– Tada turės be galo nustebti. – Grafas smagiai trūktelėjo didoką vyno gurkšnį. – Jis gaus visai ką kita, o ne dvi kilmingas jaunas moteris. Gaus šratų užtaisą į pasturgalį, ir tai mano rūpestis. Sakyk, – paklausė jis mane, – Leopoldas juk neturi pinigų! Ar jis jau žino?

– Dar ne. Nieko nesakiau Valteriui, nes nežinojau, kaip yra su akcijomis. Šiaip ar taip, Danielis atsivežė suklastotus dokumentus, kurie liudija sėkmę, ypač tai, kad akcijos pastaraisiais metais pabrango penkiasdešimt du kartus.

Gerokai pralinksmėjęs grafas atsilošė pintiniame krėsle. Paskui pasilenkė, pakėlė nuo žemės pagalvėles, nupurtė ir užsikišo už nugaros. Regis, vis dėlto taip buvo patogiau.

– Anete, – sušuko jis paskui, – atleidžiu tau už viską. Net ir už pasimatymą su Valteriu. Spėju, kad ten norėjai apginti šeimos interesus, visai kaip Emė. Todėl atleidžiu tau ir už bučinius. – Jis pagalvojo: – O kiek jų buvo?

Močiutė pratrūko juoktis:

– Maldauju, tai juk nesvarbu, kiek kartų ji pasibučiavo – vieną ar dešimt. Svarbiausia, kad sužinojome, jog Leopoldas neturi pinigų.

– Tavo tiesa, be to, daugiau tai nepasikartos. Bet žinai, kas mane siutina? Kad dvarininkas Kanadoje. Kitaip tučtuojau skuosčiau tenai ir nusiderėčiau kainą.

– O kada jis grįš?

– Lyg ir po keturių dienų. Na, *tas* tai stebėsis.

– Įsivaizduoju, – užjaučiamai pasakė močiutė. – Bet dabar galų gale paragauk salierų. Jie tokie pat skanūs kaip Prancūzijoje.

Dėdė Eduardas paragavo ir perdėtai išgyrė. Paskui tarė Olivjė:

– Matai, Olivjė, tu suklydai dėl Anetės. Tai buvo tik šeimos reikalai – *ne* kūno geiduliai ir *ne* princas. Tu viską supainiojai, mielasis, mažai trūko, kad būčiau nesusivaldęs. Bet dabar viskas vėl gerai, sužinojome, ko mums laukti.

– Dar ne visai! – Močiutė šėrė per uodą, kuris nutūpė jai ant dešinio smilkinio. – Dar ore pakibę reikalai su Engelbertu. Ką tu su juo sutarei?

– Aš jį pasikviečiau.

– Tada atsakyk kvietimą.

– Taip nedera. Jis apsilankys poryt po pietų. Arbatos.

Graudžiai pasižiūrėjau į močiutę. Ji ramindama man linktelėjo.

– Žinai ką? Atsakysi savo princui kvietimą atvykti poryt, bet pakviesi į mano gimtadienio šventę. Ir štai ką jam išklosi: rudenį Anetė važiuos su manimi į Prancūziją ir anksčiau nieku gyvu netekės.

Grafas sunkiai atsiduso:

– Kaip baisu, kai neturi pinigų.

– Bet, mieliausiasis dėde, – įsikišo Olivjė, kuris visą laiką nenoriai knebinėjo salotas. – Juk turite sunkų auksą. Žinau, manęs niekas neliečia, tai *jūsų* verslo gyvenimas, bet jeigu parduosite Kronego lobį, tada žaibiškai bus didžiausias *biznis*.

Grafas paskersakiavo į mano pusbrolį, kuris laukdamas žiūrėjo.

– Ką tu turi galvoje? – paklausė nepatikliai.

– Mieliausiasis dėde, – entuziastingai sušuko Olivjė, – siųskite mane į Prancūziją, aš pažįstu žmones, viską vadovausiu į gatves, ir mes sutiksime su greičiausiu pasiūlymu. Jei norite, keliaukime kartu. Einame į muziejų, į didžiausias juvelyrines, į daugelį naftos šeichų, jie visi Paryžiuje, visai be marškinių. Jokios rizikos!

Olivjė išraudo skruostai, jo akys švytėjo.

– Tikrai? – susidomėjęs paklausė dėdė Eduardas. – Manai, kad galėtumei parduoti lobį kokiam nors naftos šeichui?

– Parduodu jį, mieliausiasis dėde, pasiutusiai kaip žaibai. Grįšiu po dešimties dienų, o jūs susižeriate dvarą.

– Eduardai, – įspėdama sušuko močiutė, – tik jokių nedorų sandėrių! Karalių lobis liks šeimoje.

– Bet jeigu Olivjė mano, kad naftos šeichai...

– Naftos šeichai labiau mėgsta madingesnius papuošalus, iš lengvesnio aukso. Abejoju, kad jiems patiktų Vengrijos karalių lobio lydinys.

Grafas pagalvojo.

– Vis dėlto galimybė patraukli, – tarė pagaliau. – Bet reikalas su Engelbertu patikimesnis.

– Prašau! – sušuko jo motina. – Pagaliau mesk iš galvos tą Engelbertą! Verčiau aš įsiskolinsiu, negu paguldysiu į šio medžioklių fanatiko sutuoktuvių guolį savo vienintelę anūkę.

Grafas apstulbo.

– Ką gi, jeigu jau tu taip kalbi, tai ir man šis sumanymas nebepatinka. – Jis čiupo savo vyno taurę. – Turbūt reikia dar pasvarstyti. – O žvilgtelėjęs į mane paskelbė: – Na, gerai, mes atsakysime jam kvietimą.

Atsikvėpiau su palengvėjimu, močiutė man pamerkė.

– Šaunu! – sušuko ji. – Greitas sprendimas. Patikėk manimi, tu nesigailėsi.

Buvo jaukus vakaras. Sėdėjome iki dešimtos ir svarstėme, kaip galėtume be naftos šeichų ar Engelberto atpirkti dvaro žemes. Paskui tarėmės, kaip būtų galima sužlugdyti Danielį ir kaip pakišti Leopoldui panosėn tiesą apie stebuklingas jo akcijas. Protarpiais atsargiai mėgindavau nukreipti šneką – norėjau pakalbėti apie Valterį.

Močiutė kaipmat susivokė.

– Ne dabar, – sukuždėjo nutaikiusi akimirką, kai niekas mūsų nestebėjo. – Rytoj užtarsiu jus geru žodeliu. – Ir nuvaikė uodą, betupiantį jai ant rankos. – Eduardai, uodai baisiai įkyrūs.

Grafas pašoko.

– Tuoj pat sutvarkysiu, – sušuko jis. – Jums leidus naktį paversiu į dieną.

Jis žaismingai nusilenkė mums ir nuėjo prie akmeninių vartų, apaugusių erškėtrožėmis, į mažąjį pilies kiemą. Tenai buvo šviesos jungiklis. Jau pradėjo temti. Violetinis dangus pasidarė tamsiai mėlynas, o vakarinė žvaigždė spinduliavo šalia apgailėtinos mėnulio delčios.

– Tebūnie šviesa! – sušuko grafas ir pasuko jungiklį.

Ir valgomasis po kaštonais tučtuojau pavirto į pasakišką sodą. Prie medžių kamienų buvo pritvirtinti žibintai, kurių šviesa sklido aukštyn romantiškai nutvieksdama lapus. Vos grafas įjungė šviesą, uodai, naktinės peteliškės ir vabalai ėmė sukti ratus aplink žibintus, o mus paliko ramybėje. Mes ramiai suvalgėme desertą – riešutų pudingą su romo boba, paskui vėl išjungėme šviesą ir patamsyje užlipome ant gynybinės sienos kaip kasvakar pasižiūrėti žvaigždžių. Dėdė Eduardas ėjo pirmas ir žibintuvėliu švietė kelią motinai. Aš sekiau jiems įkandin, o paskui mane trepsėjo Olivjė.

Ant akmeninių laiptų atsisukau į pusbrolį.

– Olivjė, – pratariau tyliai, – pasielgei labai niekšingai. Aš irgi mačiau tave šiandien po pietų, bet nieko nesakiau. Tu buvai su tarnaite paupy. Ji vilkėjo mėlyną suknelę. Jeigu dar bent žodeliu užsiminsi apie mane ir Valterį grafui, pasakysiu jam, kad miegi su tarnaite.

– O ne! – pasibaisėjęs sukuždėjo Olivjė. – Niekuomet, mieliausioji pussesere. Labai jus prašau! Niekuomet daugiau nepasakysiu nė vienintelio slaptažodžio. – Ir jis atkišo man ranką.

– Ką tenai veikiate patamsy? – pasigirdo dėdės Eduardo balsas. – Lipkite aukštyn, kuo greičiau! Jau seniai nebuvo tokio gražaus dangaus kaip šiandien.

Kai visi pamatėme po krintančią žvaigždę, grafas įsileido pasakoti mums apie Paukščių Taką.

20

Kitas rytas atnešė daugiau jaudulio, negu norėjome. Dangų virš Kronego pilies aptraukė lengvi debesys, o gaivus vėjas privertė pusryčiauti mažame, mediena išmuštame valgomajame.

Lotė, grafo paliepta, buvo karališkai padengusi stalą. Kava, arbata, šviežios raudonųjų apelsinų sultys ir greipfrutų kompotas. Dailiose pintinėlėse, išklotose damasto servetėlėmis, mūsų laukė geltoni kaip auksas skrebučiai, juoda kaimiška duona ir pyragas su razinomis. Šalia močiutės mėgstamo persikų marmelado stovėjo stiklo dubenėliai su paprastų ir skiepytų vyšnių drebučiais. Sviestas, pienas, kiaušiniai ir kumpis kaip paprastai buvo švieži patiekti iš dvaro.

Stalo viduryje, aukštoje sidabrinėje vazoje, margavo didžiulė gėlių puokštė, kurią rytą suskyniau ir suderinau. Ji man puikiai pavyko. Dėdė Eduardas pareikalavo iškilmingų pusryčių. Reikėjo deramai atšvęsti žinią, kad Leopoldas neturi pinigų.

Paskutinįkart nužvelgiau stalą tikrindama. Viskas tobula. Močiutei padėtas jos saule, mėnuliu ir žvaigždėmis ištapytas puodelis, grafui - jo raguotasis kipšas, o man - povas. Olivjė buvau parinkusi dailų, įmantraus pavidalo puodelį su auksinėmis varpomis. Nuostabu! Viskas kaip turi būti. Gėlės kvepėjo, iš virtuvės sklido gardus ką tik išvirtos kavos aromatas. Su palengvėjimu atsidusau ir išėjau. Buvau pažadėjusi dėdei Eduardui jį pakviesti, kai stalas bus padengtas. Vos priėjusi vidinius vartus pamačiau, kad į viršų lipti neprireiks. Grafas, įsikūnijęs elegantiškumas - angliškas sportinis švarkas ir šviesios kelnės, - jau buvo perkirtęs didįjį kiemą ir žygiavo tiesiai į mane.

- Kuo skubiau prieik rytiniam bučiniui! - sušuko jis linksmai ir širdingai išbučiavo mane į abu skruostus. - Taip, o dabar traukiame į virtuvę pasisveikinti su Lote ir Boniu.

Neradę Lotės nusivylėme. Mažosios virėjos niekur nebuvo matyti. Bet papūgą išgirdome iš karto. Ji tupėjo ant savo karnizo ir stengėsi perkapoti jį per patį vidurį. Ant grindų jau pūpsojo atplaišų krūva, o paukštis taip uoliai darbavosi, kad mūsų net nepastebėjo. Bet vos išgirdęs, liovėsi per patį puikumo įkarštį ir įsižeidęs pasižiūrėjo į mus.

Bonis turėjo rimtą priežastį įsižeisti. Po skrydžio ant kaštonų jam nebebuvo leista nė kartelio dalyvauti per pietus, ir nuo to laiko jis nebepasitikėjo mumis ir pasauliu. Vis dėlto paukštis leidosi nuviliojamas žemyn ir vikriai nutūpė ant savo lipynės papūtęs kuodą ir išskleidęs sparnus. Greičiausiai mes atėjome jo atsiprašyti. Gerai, jis suteiks mums dar *vieną galimybę.*

– Vargšas mano paukščiuk, – riktelėjo užjausdamas grafas, net nepažvelgęs į apkapotą karnizą, – be tavęs man net valgis nebegardus. O šiandien vėl negalėsime kartu pusryčiauti, nes Olivjė taps girtuokliu.

– Krrkst! – karktelėjo Bonis ir švelniai nuėmė dulkelę nuo grafo plaštakos. Paskui žaismingai kaptelėjo auksinę rankogalių sąsagą, paskui, pagelbėdamas sau snapu, per dėdės Eduardo rankovę užsikorė jam ant peties. Ten pasipurtė ir laukdamas atsitūpė. Neabejojo, jog dabar kaip paprastai bus nuneštas į valgomąjį.

Grafas maldaujamai pasižiūrėjo į mane.

– Kaip manai, gal įsidrąsinti? Ar tavo pusbrolis nesusivaldys jį išvydęs?

– Labai gali būti, dėde Eduardai.

Grafas graudžiai atsiduso ir vėl patupdė papūgą ant lipynės.

– Vargšas vargšas paukščiukas, – pasakė ir meiliai paglostė jam nugarą.

Bonis nebesuprato pasaulio. Dar *vieni* pusryčiai be jo? Juodomis it sagutės akimis jis priekaištingai pasižiūrėjo į grafą, paskui į mane. Nė vienas nesujudėjome. Šit kaip! Jis išskleidė uodegą, pašiaušė kuodą ir nurepečkojo ant grindų. Tada kreivomis kojytėmis nusvyravo į artimiausią kampą, atsitūpė ir liko niūroti tenai kaip varganas gniužuliukas. Dėdei Eduardui mažne plyšo širdis.

– Aš su savo paukščiuku pusryčiausiu virtuvėje, – sušuko jis ir atsiklaupė šalia numylėtinio.

– O ne, nepusryčiausi! – Kaip tik įėjo močiutė, elegantiška ir žvali su rožine, gėlėmis išdabinta skrybėlaite. – Lotė ir Anetė nuostabiai padengė stalą, tu turi juo pasigrožėti. Eduardai, stokis! Paukštis tai išgyvens.

Tada ji paėmė mane už rankos ir nusivedė į valgomąjį, kuriame mūsų jau laukė susirūpinęs Olivjė.

Iš karto pastebėjau, kad mielasis mano pusbrolis sukeitė puodelius, manišką povą į savo varpas. Bet nutylėjau, Olivjė irgi dėjosi, kad nieko neatsitiko. Jis skundėsi, kad praleido siaubingą naktį ir kad turįs tarti grafui rimtą žodį. O paskui pareikalavo medaus, nes rytą marmeladas per sunkus valgis jo lepiam skrandžiui.

Tarnaitė išpildė jo pageidavimą. Kai dėjo medų priešais Olivjė ant stalo, taip išraudo, kad net močiutė pastebėjo. Ji pravėrė burną, bet susitvardė ir tepaklausė:

– O kur Lotė, vaike?

– Už vartų. Kalbasi su laiškanešiu. Tas kaip tik atnešė laikraštį.

– Žinoma, – pasakė močiutė, – juk kasryt atneša. Ką ten dar kalbėti?

– Bet šiandien juk jame *mes!* – susijaudinusi šūktelėjo tarnaitė. Tuo metu įėjo grafas mosuodamas vietos laikraščiu:

– Visi paklausykite! Mes šios dienos leidinio pažiba. Didžiulės nuotraukos keturiuose puslapiuose! Mama ir Anete, judvi tituliniame. Štai žiūrėkite! Dabar esate garsenybės.

Jis sviedė mums laikraštį, atsisėdo ir užsisakė tris kiaušinius su lašiniais, paskui išlankstė servetėlę ir pasidėjo ant kelių:

– Lažinuosi, kad ponui baronui fon Lokenšteinui kaip tik dingo apetitas.

Ir jis ėmė gardžiai šveisti pyragą.

Močiutė perskaitė straipsnį „Kronego pilyje surastas dingusiu laikomas Vengrijos karalių lobis".

– Eduardai, – pasakė baigusi skaityti, – čia parašyta, kad radai penkiasdešimt kilogramų aukso ir kad pastatysi Kronego bendruomenei šildomą baseiną. Aš nieko apie tai nežinau!

– Aš taip pat nežinau, – kuo ramiausiai atkirto grafas. – Spėju, kad tai sugalvojo vyriausiasis redaktorius. Paskambinsiu jam po pusryčių ir pasiskųsiu.

– O čia, – šūktelėjo močiutė, – Anete, abi tavo apyrankės. Nuotraukoje padidintos. Apačioje parašas: „Viena iš šių auksinių apyrankių verta tiek, kiek du tūkstančiai teniso pamokų". Olivjė, pasižiūrėk, čia tu.

Ji ketino perduoti Olivjė laikraštį, bet mano pusbrolis numojo ranka:

– Ačiū, mieloji teta, neturiu matyti. Laikraštyje stovėti labai vulgaru.

– Aš taip nemanau, – pasakė močiutė ir vis tiek pakišo laikraštį jam po nosimi. – Pasižiūrėk, kaip gerai aš išėjusi šiose nuotraukose. Kas čia vulgaru?

Olivjė užrietė savo dailią nosį, o jo ūsų galiukai niekinamai sukrutėjo.

– Mieliausiasis dėde, – tarė jis grafui, – turiu skubiai jus maldauti.

– Kokiu reikalu? – paklausė tas ir įsipylė kavos pakaitalo. – Šiandien tavo kostiumas gražus. Jeigu neklystu, iš natūralaus šilko.

Olivjė nesileido išmušamas iš vėžių.

– *Merci*. Jūs neklystate. Tai natūralus šilkas, taip pat kaklaraištis ir marškiniai. Bet aš *turiu* jus maldauti, brangiausiasis dėde, mano lova nebegalima. Visiškai be pokšto! Nebe...

Tą valandėlę sugrįžo tarnaitė, atnešė grafui kiaušinius ir pasakė, jog atėjo svečias.

– Svečias? – šūktelėjo grafas, džiaugdamasis nutraukta kalba. – Taip anksti? Matyt, klaida. Visi, kas mane pažįsta, žino, kad nieko nepriimu iki vienuolikos.

Tarnaitė tūptelėjo:

– Bet jis sakė, kad labai skubu. Ir nesitrauks nuo vartų, kol įleisite.

– Mielas vaike, kiek kartų esu jums sakęs, kad pirmiausia būtina pranešti *vardą*. Vien „jis" negana. Kaip aš sužinosiu, kas apgulęs mūsų vartus, jeigu jūs sakysite tik „jis"?

Tarnaitė iškaito kaip žarija:

– Ponas baronas fon Lokenšteinas, pone grafe.

– Kas? Leopoldas? Pasakiška! Kuo greičiau kvieskite jį vidun! Ir padenkite stalą dar vienam asmeniui. Aišku?

Tarnaitė tūptelėjo ir dingo. Netrukus ji grįžo su Leopoldu, kuris šiandien atrodė dar stambesnis negu paprastai. Dėdė Eduardas linksmai jį pasitiko:

– Sveikas, Poldli, malonu tave matyti! – Tada pristatė jam Olivjė ir pasiūlė sėstis tarp manęs ir močiutės. – Ką gi, mielasis, – sušuko grafas perdėtai džiaugsmingai ir pats įpylė jam kavos, – smagu tave matyti.

– Šit kaip? – Mūsų svečias vargais negalais pakišo po stalu ilgas kojas. – O dar vakar atsisakei mane priimti.

– Vakar buvo vakar, o šiandien yra šiandien.

– Tiesa, – sutiko Leopoldas ir pasimuistė ant kėdės. Jo veidas, kupinas rūpesčio, palinko prie kavos puodelio.

– Mielas barone, – linksmai šūktelėjo močiutė, – ar turi bėdų? Tada *būtinai* paragauk mūsų pyrago, tai pasaka.

– Labai ačiū, – tarė Leopoldas, leisdamasis aptarnauti. – Vėl gerosios Lotės tobulas kūrinys?

– Visiškai taip! – sugriaudėjo grafas. – Ji pati save pranoko.

Leopoldas išgėrė juodos kavos be cukraus, vieną po kito du puodelius. Paskui pasisuko į Olivjė.

– Vadinasi, jūs iš Prancūzijos, – prašneko jis, – labai graži šalis. Nuostabios pilys, bet mažne nė vienos tvirtovės. Tikiuosi, kad čia jums patinka. Ar jau apsipratote?

Olivjė mandagiai nusišypsojo:

– Ačiū, mielas barone, aš labai gerai instaliavausi.

– Mat kaip! – sutriko Leopoldas ir ieškodamas pagalbos pasižiūrėjo į močiutę. – *Ką* jis instaliavo?

– Pats save, – maloniai paaiškino ši. – Žinai, Prancūzijoje taip sakoma. Olivjė visuomet verčia tiesiai į vokiečių, todėl kartais pasako šiek tiek kitoniškai negu įprasta. Bet reikia pagirti, kad jo labai graži tartis, argi ne? Gramatika irgi gera. Visai nedaro atsitiktinių klaidų, o dažniausiai netgi pataiko teisingai pavartoti artikelį.

– Šit kaip! – Leopoldas supratingai linktelėjo galvą ir vėl pasisuko į Olivjė: – Vadinasi, jums patinka senovinėje riterių tvirtovėje.

– Iš tikrųjų, – sušuko šis. – Kultūra čia pilnutinė, – jis nurijo seilę, – tik ne lovoje.

– Kaip? – Leopoldas apstulbęs spoksojo į Olivjė.

– Tik ne lovoje, – pakartojo tas ir priekaištingai pasižiūrėjo į grafą.

Leopoldas išsiviepė:

– Ką gi, Edi, iš tikrųjų gerai! Cha, jokios kultūros lovoje? Labai įdomu.

Dėdė Eduardas niauriai stebeilijo savo kavos puodelį ir įsidėjo dar daugiau cukraus.

– Aš tau paaiškinsiu, Poldli. Olivjė kalba apie savo lovos *būklę*, o ne apie tai, apie ką tu vėl pamanei.

– Labai tikra teisybė! – sušuko Olivjė. – Tai pernelyg blogai.

– Jūs teisus, – šyptelėjo Leopoldas. – Man irgi būtų blogai, pernelyg blogai. Bet taip yra nuo tada, kai Edis čia šeimininkas. Tad labai nenusiminkite, mielasis.

Olivjė ūsų galiukai iš susijaudinimo suvirpėjo:

– Taip, brangus barone, bet čiužiniai vis dėlto *per-nelyg* tragiški. Jie kieti kaip akmenys. Būni laimingas dieną ir instaliuojiesi naktį, o paskui užpakalis visas mėlynas. – Jis skausmingai pasigraibė nugarą: – Nuo viršaus iki apačios viskas skausminga.

– Kaip? – smaginosi Leopoldas. – Dabar jau nebe-susigaudau. *Kas* mėlyna ir skausminga? Edi, kaip tu elgiesi su savo svečiais? Ar kasvakar prieš gulantis juos aptalžai?

Grafas prasižiojo, bet močiutė užbėgo jam už akių:

– Sūnus liepė vargšeliui į kambarį pastatyti imperatoriaus Pranciškaus Juozapo žygio lovelę. Dabar viską žinai. Mat Eduardui Zilvesteriui Olivjė laikysena pasirodė nekokia. Jis tikras, kad tai sugadinta Prancūzijoje ir išgydoma tik kietais čiužiniais.

– Teisybė! – pritarė dėdė Eduardas, – man rūpi jo *laikysena*, visais atžvilgiais! Nori jis to ar ne – aš ją ištaisysiu. Ir tai būtina padaryti kuo skubiau. Supranti?

– Suprantu. – Leopoldas dar plačiau išsiviepė. – Vargšelis neturi stuburo.

Olivjė apstulbęs pasižiūrėjo į baroną.

– Aš prieštarauju iš savo aukščiausio! – sušuko jis pasipiktinęs. – Mano stuburas tvarkingas. Galite suskaičiuoti šonkaulius. Jie visi.

Jis pašoko, nusivilko švarką, pasikėlė šilkinius marškinius ir atstatė mums nugarą.

– Atrodo visai normaliai, – kuo rimčiausiai tarė Leopoldas. – Edi, aš nesuprantu, ko tau trūksta.

– *Merci!* – Olivjė susikišo marškinius į kelnes. – Taip yra. Bet mano brangus dėdė *nenori*. Prašau jus visiškai, mieliausioji teta, mieliausiasis barone, aš *privalau* atsikratyti lovelės. Aš *privalau* susigrąžinti švelnią lovą, išskyrus esu ligonis. – Ir jis maldaujamai pasižiūrėjo į Leopoldą.

– Tai kas yra, Edi? – linksmai sušuko tas. – Ar tu savo pilyje neturi padorių lovų? Jeigu tokia bėda, galėčiau keletą atsiųsti.

– Lovų čia kiek nori, – įsiterpė močiutė, – bet tu juk pažįsti Eduardą, jis toks užsispyręs. Eduardai! Gal tu kiek persistengei? Juk dviejų nemigos naktų gana, argi ne?

– Brangiausiasis dėde, aš meldžiu! – Olivjė maldaudamas iškėlė rankas.

– Edi, – juokėsi Leopoldas, – ar tavo širdis tokia pat kieta kaip čiužiniai?

– Gerai jau gerai, – skausmingai atsiduso grafas. – Aš pagalvosiu.

– *Merci*, mieliausiasis dėde, *merci merci!*

– Bet nieko nepažadu. – Grafas paėmė pyrago, atsilaužė gabalėlį, užsidėjo sviesto ir vyšnių drebučių ir susigrūdo į burną. – Nuostabu, – pasakė ir nugėrė kavos pakaitalo. – Ką gi, Poldli, grįžkime prie tavo reikalų. Kodėl suteikei mums garbę apsilankydamas iš pat labo ryto?

Geraširdiškas, panašus į senbernaro snukį barono veidas dar labiau paraudo:

– Edi, apie tai kalba visa apylinkė. Tu iškasei Vengrijos karalių lobį. Tiesa?

– Tiesa, – susijaudinęs sušuko Olivjė. – Auksas virš pasaulio. Tokio *sunkaus* aukso niekada nesu išgyvenęs...

Dėdė Eduardas jį nutraukė.

– Štai, – išdidžiai sušuko jis ir padavė Leopoldui laikraštį, – pats įsitikink! Ar norėtum pamatyti ir originalus?

– Žinoma! – Baronas permetė akimis straipsnį. – Prašyčiau kartu su lobio skrynia.

– Na, gerai, po pusryčių tave nusivesiu. Spėju, jog dėl šito ir atėjai?

– Ne tik, – iškilmingai paskelbė Leopoldas. – Atėjau kaip geras kaimynas pasveikinti tavęs su radiniu. Nuo Emė santuokos mes juk dar ir giminės. Ką gi, Edi, kuo nuoširdžiausiai tave sveikinu! – Jis atsistojo, pasilenkė per stalą ir atkišo grafui didžiulę ranką. Tas stipriai ją pakratė. Abu pilių savininkai pasižiūrėjo vienas kitam į akis ir atsisėdo.

Leopoldas susidėjo ant krūtinės rankas.

– Bet dvaro tu vis tiek negausi.

– Įdomu. O kaip, prašyčiau pasakyti, tu priėjai prie šios kvailos išvados?

Leopoldas išgėrė trečią puodelį karčios juodos kavos ir patenkintas atsiduso:

– Mano akcijų vertė per pastarąsias dvi dienas dar padvigubėjo. Nuo tada, kai pastarąjį kartą matėmės, aš praturtėjau keletu milijonų.

– O ne, – itin meiliai nusišypsojo dėdė Eduardas. – Ar tu visai tikras?

– Ką čia kalbi? – Leopoldas išsiėmė cigarą iš liemenės kišenaitės. – Ar leisite?

– Mielai. Rūkyk kiek tinkamas, tau šito reikės.

Leopoldas sutrikęs pasižiūrėjo į grafą. Tas maloningai jam linktelėjo, atsistojo ir atidarė langą.

– Ką gi, mielasis, – pasakė vėl atsisėdęs grafas, – turiu pranešti tau liūdną žinią. Žinau viską apie tavo akcijas. Žinau, kur pirkai, kokios jos, kiek vertos ir iš ko jas gavai. Na, o ką dabar pasakysi?

– Aš tavimi netikiu.

– Taip? Ta firma ieško aukso dykumoje Australijoje. Šito gana?

Leopoldas mėgino įdegti cigarą, bet jo ranka taip drebėjo, kad jam nepavyko.

– Ta firma ieško aukso dykumoje Australijoje, – pakartojo dėdė Eduardas ir davė jam ugnies, – deja, ji nieko nerado.

– Kaip? Kas čia per nesąmonė? Žinoma, rado. Kalnus aukso. Neįtikimas daugybes aukso. Visa Pietų Afrika kremta nagus, kad Australijoje rasta šitokia baisybė aukso.

Dėdė Eduardas maloniai linktelėjo galvą:

– Firma bankrutavo prieš pusantro mėnesio. Netiki? Gerai, tada pasakysiu tau jos pavadinimą. – Jis reikšmingai patylėjo, o Leopoldas sunkiai gaudė kvapą. – firma „Aurelius"!

Cigaras paptelėjo ant staltiesės ir būtų tenai likęs, jeigu močiutė nebūtų skubiai padėjusi jo ant artimiausios lėkštės.

– Tavo Danielis niekšingas apgavikas. Anetė sutiko jį Londone ir išsiklausinėjo. Visi jo sandėriai apgavystė.

– Ar tu netekai proto? – sustaugė Leopoldas.

– Ne, Poldli, bet tu tikrai neteksi, jeigu ko nors skubiai nesigriebsi. Tas bernas pavojingas visuomenei. Bus geriausia, jeigu iškart liepsi jį suimti.

– Bet... bet aš mačiau dokumentus. Tenai ant balto juodu...

– Tai tik popierius, – sušuko močiutė, – ant jo parašysi ką nori. Užjaučiu, barone, bet Eduardas Zilvesteris sako tiesą. Tas žmogus sukčius.

Dėdė Eduardas pasilenkė į priekį.

– Poldli, aš net žinau, ko jis pas tave atvažiavo. Jam reikia dar *daugiau* pinigų. Deimantų kasyklai Australijos šiaurės vakaruose. Ar aš teisus? Atseit toji kasykla duos du šimtus milijonų pelno per metus.

Leopoldas sėdėjo sustingęs kaip statula.

– Tą žmogų reikia suimti! Pažįstu kai ką, iš ko jis išviliojo *turtą*. Iš Anetės pasakojimų supratau, kad jis parduos pilį su tavimi kartu, o tu net nepastebėsi.

– Ar tai tiesa? – sušnibždėjo Leopoldas ir maldaujamai apžvelgė mus visus.

– Deja.

– Ar aš pažįstu ką nors, ką jis apgavo?

– Žinoma.

– O *ką?*

– Vėliau pasakysiu, bet yra dar kai kas. Jeigu jam nesiseka su tėvais, tada gretinasi prie dukterų ir išvilioja iš jų palikimą.

Leopoldas išbalo:

– Vakar jis klausė, ar galėtų būti mano žentu.

– Na, matai! O Marija jo nori?

– Nori.

– Poldli, dabar tas tipas vaikštinėja po Lokenšteiną ir skaičiuoja, kiek verta tavo pilis. Paskui jis lieps Marijai surašyti visa, ką dar turi, o dabar, kai mes taip jaukiai sėdime, jis svarsto, kiek gaus už tavo paveikslų rinkinį.

Leopoldas pasibaisėjęs išvertė akis.

– Bet jis net neklausė, kiek kas kainuoja.

– Klausyk, – kantriai kalbėjo toliau dėdė Eduardas, – vakar buvau savo banke, juk pažįsti Rudį, jis dabar direktorius. Rudis man prisiekė, kad „Aurelius“ akcijos nevertos net popieriaus, ant kurio išspausdintos.

– Prisieki, kad tai tiesa?

– Prisiekiu.

– Ak tu, Viešpatie aukščiausiasis! – putojo Leopoldas. – Galvoje netelpa! Ir šitas šunsnukis dabar vienas namie su mano dukra. Žmona mieste. Turiu tuoj paskambinti. Tegu Valteris nė akimirkos neišleidžia jos iš akių. Kur aparatas?

– Tau už nugaros.

Telefonas stovėjo šalia durų ant indaujėlės. Bet keistas daiktas, vos Leopoldas ištiesė ranką, jis pats suskambo.

Baronas automatiškai pakėlė ragelį.

– Alio? – Ir nustebęs tarė: – Valteri! Kaip tik ketinau tau skambinti. Kas yra? – Jis įsitempęs klausėsi ir išraudo kaip vėžys. – Taip! Edis ką tik... Viešpatie aukščiausiasis! – Jis nuleido ragelį. – Taip, kuo greičiau atvažiuok!

Paskui atsisuko:

– Mano Marija išvažiavo. Su tuo šunsnukiu.

– Kaip? – sušuko močiutė. – Koks siaubas.

– Ji išvažiavo, – graudžiai sušuko Leopoldas, susmuko ant kėdės ir užsidengė veidą didžiulėmis plaštakomis.

– Poldli, – paskelbė grafas, – mes tau padėsime. Visi, kas čia sėdime. Pasakyk, ar tavo Marija neseniai gavo palikimą?

– Ne. Kodėl klausi? Bet banko kortelę pasiėmė.

– Kiek ji turi?

– Penkis tūkstančius markių.

– Tada nurimk, ji grįš po dviejų dienų.

– Tu tikras?

– Visiškai. Penkių tūkstančių markių anam užteks daugių daugiausia dviem paroms.

– Iš kur taip tiksliai žinai? – nevilties kupinu balsu paklausė Leopoldas. – Gal aš daugiau niekuomet nebepamatysiu savo vaiko.

– Todėl žinau taip tiksliai, kad iššvaistyti Anetės paveldėtam turtui jam prireikė *penkerių* metų.

– Kaip? – Leopoldas taip ir liko išsižiojęs. – Tas... Nestoro... Anetės... o jergutėliau! Edi, kaip siaubinga, aš pasiutusiai gailiuosi.

– Aš irgi, – išdrožė grafas.

– Viešpatie aukščiausiasis! – Leopoldas pasigręžė į mane: – Jis išviliojo iš tavęs pinigus, Anete, niekuomet sau to nedovanosiu. Juk *aš* tada jį atsitempiau, aš pamišėlis.

– Poldli, – dėdė Eduardas išsitempė kaip styga. – Mes turime dabar laikytis išvien. Pirmiausia išgelbėsime tavo Mariją, ji dar nebus labai toli. Kada ji išvažiavo? Vakar vakare? Tada ji tikrai dar šalyje. Ką gi, išvaduosime Mariją, o paskui pasisamdysime patį geriausią advokatą. Išlaidas pasidalysime. Aišku?

Mums reikia tarptautinės teisės žinovo. Danielį suims Londone, o tas kitas tipas, kuris dar turi dalį Anetės pinigų, – Ženevoje. Turime jo pavardę ir adresą. Leopoldai, pasakyk, ar jis tau įpiršo ir akcijų firmos, kuri ieško naftos Atlanto vandenyne? Taip? Gerai! Žinome, kur šuo pakastas. Bet pirmiausia Marija. Tuoj paskambinsiu policijos inspektoriui, o kai atvažiuos Valteris, pasiųsiu su jumis Hansą. – Jis atkišo man puodelį: – Anete, kavos! Tikros. Noriu susijaudinti.

– Viešpatie aukščiausiasis! – šūktelėjo Leopoldas ir taip atstūmė savo kėdę, kad ta parvirtusi trinktelėjo. – Nebegaliu nusėdėti. Edi, eime į lauką! Gal jau Valteris atvažiavo.

– Linkiu sėkmės, – užjausdama tarė močiutė.

– Ačiū!

Ir abu pilių šeimininkai koridoriumi nulėkė prie vartų. Mes tylėjome. Nickas nežinojo, ką sakyti.

– Puiki staigmena, – galop tarė močiutė ir paėmė laikraštį. – Na, bent nenuobodžiaujame. Atvirai prisipažinsiu, kad tokios jaudinamos vasaros kaip šįmet neleidau jau daug metų.

– Ir aš, – tuoj sušuko Olivjė, o paskui apgailestaudamas pridūrė: – Dabar baronas neapžvalgė lobio.

– Jis dar ateis, – paguodė jį močiutė, – tada jam viską parodysime. – Ji atsiduso ir pasklaidė laikraštį. – Vargšė Marija! Jau beveik ketvirtos sužadėtuvės per dvejus metus.

– Ar ji negraži?

– Graži. Ji tikrai daili, bet labai aukšta. Ir labai išlepinta.

– Didelės moterys *labai* trokštamos, – įtaigiai pareiškė Olivjė. – Pavyzdžiui, mano Roza yra didesnė negu mano galva, o ji man taip patinka, lyg nebūtų mažesnė.

– Įdomu. – Močiutė užvertė laikraštį. – O kada ji atvažiuos?

– Vėliau, mieliausioji teta. Kitą savaitę paskambins telefonu. Bet, mieliausioji grafiene, ar galiu ant jūsų dėtis su savo lova? Labai jus meldžiu!

– Be abejo. Nesirūpink! Atgausi lovą, gal jau šįvakar.

Olivjė pasirengė iškilmingai padėkos kalbai, bet vos ketino prasižioti, kažkas trenkėsi į valgomojo duris. Olivjė kaipmat užsičiaupė ir sutrikęs pasižiūrėjo į duris.

– Kas čia vėl nutiko? – sušuko močiutė. – Staigmena veja staigmeną. Anete, pasižiūrėk, kas tenai buvo!

– Ne! – sušuko Olivjė, ir jo ūsų galiukai ėmė virpėti.

Už durų pasigirdo žingsniukai: tap tap tap – tyla – tap tap tap.

Pašokau ir atlapojau duris. Ant akmeninių koridoriaus grindų tupėjo Bonis. Šalia jo gulėjo geltona sorų šluotelė, kurią paukštis buvo pasiėmęs maistui. Kai trenkėsi į duris, ta, matyt, iškrito iš snapo. Papūga valandėlę piktai spoksojo į mane, sušnypštė, nusisuko ir vis greitindama žingsnius nukepėstavo į virtuvę.

Pakėliau soras.

– Tai Bonis, – pasakiau. – Norėjo pas mus ir atsitrenkė į duris.

Olivjė išbalo kaip drobė.

– Ar jis nuėjo? – pralemeno.

– Taip. Grįžo į virtuvę. Įsižeidė, kad uždarėme duris. Paprastai durys būna atlapotos.

Tuo metu iš virtuvės atsklido nelaimę pranašaujantys garsai. Čekšt čekšt – lyg būtų pjaunami meldai. Kas ten? Iš pradžių tvyrojo tyla, paskui kažkas sunkaus nubildėjo ant grindų. Vėliau pasigirdo triukšmingas plasnojimas, o tada siaubingas krykštimas, kuris niekaip nesiliovė.

Išbalęs kaip kreida Olivjė mėšlungiškai įsikibo į kėdę.

– Greičiau, – sušuko močiutė, – jis tikrai prikrėtė eibių.

Ji pašoko, ir mes pasileidome per koridorių lenktynių.

Virtuvėje nieko nebuvo. Lotė su abiem ponais, matyt, išėjo už vartų, o tarnaitė tokiu metu tvarkė kambarius.

– Dieve, – šūktelėjau, – gėlės!

Ant grindų palei visą langų eilę gulėjo liekanos snapučių, kuriais taip didžiavosi virėja. Paukštis juos visus nuskabė. Paskui jis dar numetė ant grindų vieną vazoną, tad žiedlapiai, lapai, molinės šukės ir žemės grumstai pažirę gulėjo ant rudų plytelių. Pats Bonis žemyn galva kybojo po dideliu mediniu šviestuvu virš virtuvės stalo ir labai dėmesingai apžiūrinėjo savo triūso padarinius.

Dėdė Eduardas ir Lotė jau grįžo, o močiutė ir aš dar tebestebeilijome į išniekintas gėles. Virėja iškėlė rankas ir sustingo. Grafas niršiai pasižiūrėjo į grindis, paskui į mus.

– Kas čia vėl per netikėtumas? – paklausė griežtai.

Močiutė mostelėjo aukštyn, kur paukštis vis dar tebekabojo prie šviestuvo žemyn galva.

– Kerštas už tai, kad uždarėme valgomojo duris.

– Krrrkst, – sukrykštė Bonis ir ėmė siūbuotis su šviestuvu.

– Mano gražiosios gėlės! – sudejavo Lotė, ir jos akys paplūdo ašaromis.

Močiutė ramindama ją apkabino:

– Labai užjaučiu, Lote. Koks bjaurybė tas paukštis! Išlepintas kaip mažvaikis. Kai niekas nekreipia į jį dėmesio, kaipmat atsikeršija.

– Kas čia keršija? – sugriaudėjo grafas. – Mama, tu bejausmė. Vargšas paukštelis visai sutrikęs. Tai buvo nevilties žygis, tikrų tikriausias. Taigi!

Jis atsistojo po šviestuvu ir pamėgino prisikalbinti Bonį. Ir Bonis tikrai nuskrido – bet ne grafui ant peties, o ant apkapoto užuolaidų karnizo. Bet tas nebeišlaikė paukščio svorio ir perlūžo per vidurį. Užuolaidos nušlamėjo žemyn, ir taukšėdami ant grindų nubildėjo mediniai žiedai, kurie jas prilaikė. Bonis suklykė taip veriamai, kad persmelkė mus iki gyvo kaulo, ir pašėliškai plakdamas sparnais puolė it papaikęs skraidyti po virtuvę. Galop vėl nutūpė ant medinio šviestuvo, tvirtai įsikibo nagais, pašiaušė kuodą ir tyčia atsuko mums nugarą.

Dėdei Eduardui tai buvo smūgis į paširdžius.

– Toliau taip *neįmanoma!* – niršo jis. – Arba Olivjė *išvažiuos,* arba pripras prie mano paukščio!

– Tyliau, – sudraudė jį močiutė ir parodė atviras duris. – Jis juk girdi kiekvieną žodį.

– Man nė motais, girdi jis ar ne. Aišku? Ką nors *reikia* daryti. Anete, prašau atvesti savo pusbrolį, turiu su juo pasikalbėti. Olivjė, tučtuojau ateik čionai!

– Aš iškeliauju!!! – isteriškai klykė Olivjė iš valgomojo. – Aš neisiu prie šito *monstro, niekuomet!*

– Tu ateisi čia, tučtuojau!

– *Non, non! Pasigailėkite!* – O paskui išgirdome jo kūkčiojimą.

– Eduardai, – įspėjo močiutė sūnų, – jokių šeimos tragedijų! Nenoriu, kad giminės prancūzai taptų mums priešais.

Ir ji nuskubėjo į valgomąjį guosti Olivjė.

Grafas nusekė jai įkandin. Olivjė kūkčiodamas kiūtojo ant kėdės: gyva neviltis. Dėdė Eduardas kaipmat perėjo į jo pusę.

– Olivjė! Tvardykis! Aš tik taip pasakiau.

Močiutė atsisėdo šalia kūkčiojančio pusbrolio ir paėmė jo ranką. Jis leido, lyg ta ranka būtų buvusi ne jo.

– Ką gi, Olivjė, visi kartu mes rasime išeitį. Šitas paukštis mūsų šeimos, kaip ir tu, ir judu norom nenorom turite susigyventi. Aš netgi žinau, ką darysime. Tegu Hansas nuperka grandinėlę, ir kai valgysime, Bonis bus pririštas prie savo lipynės. Tada jis tau nebebus pavojingas. Kaip manai, Olivjė? Argi ne šauni mintis?

Olivjė vos linktelėjo galvą.

Užtat įsižeidė dėdė Eduardas.

– Mano paukščiukas prie grandinės? – sušuko jis. – Tik per mano lavoną!

Olivjė vėl įsikūkčiojo.

Sutrikęs grafas nužvelgė jį iš viršaus.

– Ką gi, – tarė jis netrukus, – gal ir būtų įmanoma pamėginti. Bet, mama, prie lengvut lengvučiukės grandinėlės su minkštu žiedeliu, kad nebūtų žalojama vargšė kojytė.

– Žinoma! O ką tu pamanei? Kad tavo brangųjį kakadu liepsiu sukaustyti grandinėmis? Beje. Eduardai Zilvesteri, tikiuosi, kad tau aišku, *kodėl* Olivjė toks perdėtai jautrus. Jis dvi naktis nemiegojo.

Olivjė balsu sukūkčiojo ir padėjo galvą močiutei ant peties. Graudus vaizdas.

Ir dėdė Eduardas neištvėrė:

– Olivjė, drąsiau! Gausi savo lovą, girdi? Užtat rytoj per pusryčius pamėginsi susitaikyti su paukščiu prie grandinėlės. Sutarėme?

Olivjė vos linktelėjo galvą ir nusišluostė ašarotas akis.

– Taip, – su palengvėjimu riktelėjo grafas, – išsiaiškinome. Visai būčiau pamiršęs, ką ketinau jums pasakyti. Vėjarodis vėl sukasi! Staigmena, argi ne? Ir girgžda dar tyliau. – Jis susijaudinęs pasižiūrėjo į mane: – Ar tu prisimeni, vaike, ką pasakiau tau apvaliajame bokšte, kai parvažiavai?

Linktelėjau galvą.

– Vadinasi, svečias iš vakarų buvo Danielis. Įdomu, argi ne? Tas bernas priverčia suktis netgi geležį.

– Nesuprantu, ką čia kalbi, – piktai šūktelėjo močiutė, – gal malonėtumei man paaiškinti?

– Anetė tau paaiškins. Neturiu nė minutės laiko. Susitinku su Leopoldu ir Valteriu policijos nuovadoje, o paskui važiuosime į stotį ir į miestą. Jeigu viskas bus gerai, Mariją iškart parsivešime. Jeigu ne, paskelbsime paiešką, ir eis kaip per sviestą. Tas velnio išpera mano, jog esame iš vidurio kaimo. Bet taip paprastai jis negrobs mūsų dukterų!

Grafas ryžtingai pažvelgė pro langą, užsisagstė švarką ir išeidamas trenkė durimis.

21

Marijos paieška truko neilgai. Leopoldo dukra pražuvėlė pati sugrįžo namo. Antrą valandą popiet jos mažas galingas reno išniro kelyje tarp Kronego ir Lokenšteino, kaip tik tada, kai jau turėjo būti paskelbta paieška.

Visi sėdėjome „Įžeisto kurtinio" terasoje, pietavome ir aptarinėjome paskutines ieškojimo smulkmenas. Kaip tik įnirtingai svarstėme, ar pasitelkti šunis pėdsekius. Leopoldas buvo už, dėdė Eduardas prieš, o policijos karininkas dvejojo, kai Valteris staiga pašoko, puolė ant kelio ir pradėjo kaip paklaikęs mojuoti.

Jo tėvas kaipmat suprato, išsivijo jį – tenai pasirodė žalias automobiliukas, ir apstulbusi Marija staigiai jį sustabdė. Iš jos veido buvo matyti, kad ji neturėjo nė menkiausios nuovokos, kiek jaudulio sukėlė jos dingimas.

– Marija, Viešpatie aukščiausiasis, Marija! – Leopoldas taip apkabino dukterį, kad mes išsigandome, ar ji liks gyva.

– Kas jums? – sušvokštė ši, mėgindama išsivaduoti iš galingų rankų. – Ar visai išprotėjote? Juk buvau tik oro uoste. Danieliui skubiai prireikė į Šveicariją. Paleisk mane, tėve, aš uždusiu.

– Kodėl pasiėmei santaupas?

– Nesijaudink, atgausiu jas po savaitės. Danielis vėlių vėliausiai grįš pirmadienį, tada atšvęsime sužadėtuves.

– Vienturte mano, – tarė Leopoldas, švelniai žiūrėdamas į dukrą iš aukštai, – jokių sužadėtuvių. Dabar atidžiai manęs klausykis!

Ir jis karštosiomis išklojo viską, ką buvo sužinojęs apie Danielį.

Marija nervingai mirkčiojo, nes saulė spigino jai tiesiai į veidą.

– Tai tiesa? – paklausė ji paskui.

Leopoldas linktelėjo galvą.

– Kaip amen poteriuose, – tarė nuoširdžiai. Tada pabučiavo į kaktą ir atsivedė pas mus į terasą, kur liepė įpilti jai dvigubą degtinės. Marija turėjo išlenkti ją vienu mauku, o kai kosėdama ir šnopšdama gaudė kvapą, tėvas meiliai daužė jai per nugarą ir sakė: – Tai sveika! Pamiršk tą šunsnukį ir atsakyk mums į kelis klausimus.

Regis, degtinė paveikė, nes Marija atsikvošėjo stebėtinai greit. Papasakojusi apie Danielį viską, ką žinojo, ji netgi nusišypsojo.

– Verčiau siaubinga pabaiga negu siaubas be pabaigos, – tarė ji, – bent nepardavėme žuvų ūkio. Kaip manai, tėve, gal nėra ir tos deimantų kasyklos, kuriai jis norėjo išpešti pinigų?

Ir išsiėmusi iš kišenės žiedą atidavė Leopoldui. Nedaug trūko, kad būčiau nusikvatojusi. Tai buvo tas pats žiedas, kurį Danielis man kišo paupyje.

Leopoldas žvilgtelėjo į briliantą.

– Jeigu jis tikras, duodu nukirst ranką, – pareiškė ir įsidėjo jį į švarko kišenę. Paskui visiems užsakė degtinės ir įsileido vienas per kitą su dėde Eduardu tartis, kaip sužlugdyti tą „šunsnukį".

Penktą valandą po pietų visi galop priėjo prie vienos nuomonės, ir mes, kiek apsvaigę, bet kuo puikiausiai nusiteikę, išsirengėme namo.

– Dabar pasimatysime per mano gimtadienį! – atsisveikindama linksmai mojavo močiutė.

– Rytoj trečią paupy, – sukuždėjo man Valteris. Tada susėdome į automobilius ir išvažiavome priešingomis kryptimis.

Kitą rytą užvirė veikla.

Dėdė Eduardas ir Leopoldas išvyko į miestą samdyti advokato, kurį jiems rekomendavo Rudis, banko direktorius. Tas vyriškis buvo laikomas itin uoliu. Buvo studijavęs tarptautinę teisę ir turėjo puikių ryšių užsienyje. Iš pat pradžių jis neabejojo, kad bus galima atgauti bent nedidelę palikimo dalį. Daugiausia vilčių jis dėjo į statybvietę, kurią Danielio draugas Kristianas už mano pinigus buvo nupirkęs Ženevoje.

Dėdė Eduardas švytėdamas grįžo iš miesto ir iškart mus pasišaukė, kad praneštų geras naujienas. Kai baigė, atrodė pajaunėjęs dešimčia metų.

– Na, mielosios, šuo jau seka pėdomis. Gal rezultatų sulauksime dar prieš vasaros pokylį. Tiesa, advokatas mano, kad pinigų lietaus reikės kiek palūkėti, bet aš trumpam paimsiu kreditą, kad įmokėčiau dalį pinigų už dvarą, o kai atvažiuos sesuo, ji turės paskolinti man dalį savo palikimo. - Jis atpalaidavo kaklaraištį. - Na, mama? Puiki mintis? Prisipažinsiu, dabar iš tiesų labai džiaugiuosi tavo gimtadieniu. Taip tave pagerbsime, kad pokylis įeis į istoriją.

Ir dar tą pačią dieną kibome rengtis.

Pirmiausia išsiuntėme kvietimus ir aptarėme, kaip sustatyti stalus. Grafas norėjo didelio U raidės pavidalo stalo, močiutė - keleto mažų stalelių. Kai buvo nutarta priimti močiutės pageidavimą, papūga gavo naują karnizą, šįkart padirbdintą iš kietmedžio. Kai jį pritvirtino virtuvėje, dėdė Eduardas atsistojo apačioje ir rimtai pasakė savo numylėtiniui:

- Ooo - žiema jau čia.

Paukštis iškart liovėsi valytis plunksnas, pakreipė galvą ir įsitempęs klausėsi.

Močiutė, stovėdama šalia, nesusigaudydama pažiūrėjo į sūnų:

- Šiandien liepos 21-oji. Vidurvasaris! Iki žiemos pusmetį dar turėsi palaukti.

- Aišku, - grafas prikišo veidą prie paukščio. - Ooo - gražuoliuk! Įsidėmėk!

- Tau negera?

Dėdė Eduardas atsitiesė ir meiliai pakasė kakadu po sparnais.

- Mama, juk tu neabejoji, kad visi svečiai per tavo gimtadienį užsimanys pasižiūrėti paukščio. Ir aš nenoriu mirti iš gėdos dėl to, ką jis pasakys.

- Aha, - tarė močiutė, nenutuokdama, kurlink suka grafas. - Kuo čia dėta žiema?

– Niekuo. Tai tik kalbos mokymo priemonė. Tiek laiko kalsiu paukščiui: „Ooo – žiema jau čia", kol jo „a" virs dailia „o". Supratai? Ir tada jis sakys „Bonis", o ne „papas", tokia kalba jau tinka svetainėje.

Močiutė tylomis linktelėjo, Bonis taip pat nereiškė pretenzijų, kad jam reikės skelbti žiemą. Paukštis dienų dienas dabar apskritai nebekalbėjo, nesakė nei „a", nei „o", netgi per pietus, – su grandinėle prie kojos juose vėl galėjo dalyvauti, – tylėjo kaip žemė.

Mes irgi nelabai kalbėjome, turėjome padėti mokyti Bonį – šalia jo vengti visų žodžių su „a". Bet lengva pasakyti ir sunku padaryti. Juk niekas iš mūsų kalbėdamas neskaičiuodavo „a". O kadangi nebuvome įgudę, tai beveik nedrįsome prasižioti. Pašnekesiai prie stalo darėsi vis vienodesni, galop visai išseko.

Kai sykį nepagalvojusi leptelėjau: „Ačiū, Lote", močiutė kaipmat sušuko: „Atsargiai!", o ne: „Dėmesio!" Tada grafas susiprotėjo, kad persistengė.

– Paklausykite visi, – pareiškė jis ryžtingai. – Vėl pradėkime normaliai kalbėti. Tegu visi sako „a", kiek tik telpa. Jeigu paukštis iki liepos 31-osios nesupras, ką kalbėti ir ko ne, bus uždarytas virtuvėje. Nebeturiu laiko šiai nesąmonei. Ką tik vėl atėjo kalnai laiškų, ir turiu tave, Anete, paprašyti pagalbos.

Argumentuotai atsakyti į laiškus irgi buvo mūsų uždavinys iki vasaros pokylio.

Nuo tada, kai buvo išspausdintas straipsnis apie Vengrijos karalių lobį, muziejų direktoriai, mokslininkai, meno istorikai, dailininkai, juvelyrai ir žurnalistai prašė leidimo atvykti į Kronego pilį jo apžiūrėti. Nieko sau dilema! Iš pradžių labai sutrikome. Ar atskleisti teisybę? Prisipažinti, kad radome ne aukso, o geležies krūvą? Ištisą rytą sukome galvas. O paskui nusprendėme, kad mūsų lobis liks „tikras“ iki to laiko, kol paaiškės dvaro reikalai. Tad visaip sukomės atsakydami į laiškus.

– Mielas vaike, – pareiškė dėdė Eduardas ir energingai persibraukė ranka baltus vešlius plaukus. – Sėskis ir parašyk porą mandagių laiškų. Pirmiausia padėkok už parodytą susidomėjimą lobiu, o paskui apgailestaudama pranešk, kad šiuo metu pilis pilna svečių ir jų bus pilna visą vasarą. Paskui vėl padėkosi už susidomėjimą ir paprašysi palaukti rudens. O rudenį, – tarė jis viltingai, – sugalvosime ką nors geriau.

Kol kasdien dvi valandas rašydavau laiškus, Hansas sumeistravo pakylą lobio skryniai ir dvi puikias stiklines vitrinas. Pastarąsias išmušė žaliu šilku, o paskui nubogino į Imperatoriaus kambarį. Dėdė Eduardas kiaurą dieną sugaišo tvarkydamas brangenybes, ir dabar niekam nešautų į galvą, kad jos netikros. Žmonės nori pasižiūrėti aukso – labai prašau! Jis ir parodys auksą.

Vakare jis liepė mus pašaukti, kad išdidžiai parodytų savo triūsą. Ant žalio šilko lyg gyvas žėrėjo Vengrijos karalių lobis. Niekam nebūtų kilę net minties, kad čia kažkas negerai. Brangiausi atrodė Elžbietos iš Tiuringijos kraičio papuošalai, tiesą sakant, visi atrodė puikiai. Diadema, grandinėlės ir segė gulėjo pačiame lobio skrynios viršuje.

– Kaip manote, ar širdys ims plakti smarkiau? – paklausė dėdė Eduardas.

– O, žinoma, – sušuko pusbrolis, ir aš pamačiau, kaip išraudonijo jo skruostai.

– Labiausiai aš džiaugiuosi įsivaizduodamas, kokį veidą nutaisys Leopoldas, – toliau kalbėjo grafas, įjungdamas visas šviesas. – Jam kaipmat išgaruos noras varžytis su manimi dėl dvaro. Kaip manote: ar neturėtumėte liepos 31-ąją vis dėlto užsisegti kelių aukso grandinėlių?

– O, prašau, – sušuko Olivjė ir pabučiavo močiutei rankutę, – užsidėkite diademą!

– Net dėl pilies nesidėsiu! – riktelėjo ta balsu, nepakenčiančiu prieštaravimų. – Gal norite, kad per gimtadienį man pritrūktų kvapo? Aš trokštu linksmintis, ir daugiau nė žodžio.

Močiutė pasižiūrėjo į mane, ji, kaip ir aš, skausmingai prisiminė tuos geležimi apsunkintus pietus „Įžeisto kurtinio“ viešbutyje.

– Dėde Eduardai, – suskubau jai į pagalbą, – su senoviniu auksu reikia elgtis atsargiai. Dukart užsidėsi, ir viršutinis sluoksnis nusitrins.

– Žinoma, – sušuko močiutė, – Anetė teisi. Viršutinio sluoksnio kaip nebūta. Tavimi dėta nerizikuočiau. – Ir ji taip primygtinai pasižiūrėjo grafui į akis, kad tas kaipmat užrakino vitrinas.

Močiutė buvo tikras gyvybingumo įsikūnijimas.

Juo labiau artėjo jos gimtadienis, juo energingesnė ji darėsi. Visas priešpietes ji praleisdavo virtuvėje su Lote, kur darbavosi už du. Sudarinėjo ilgus pirkinių sąrašus, skambino telefonu, važiavo su virėja į turgų ir telegrafu užsakinėjo pirkinius mieste.

Prie pilies vartų buvo atvežami paslaptingi didžiuliai krepšiai, kuriuos ji tuojau pat paimdavo. Niekam neleisdavo nė akies krašteliu pažvelgti vidun.

– Nesmalsaukite taip, – paliepdavo, kai ginčydavomės, – leiskite jus nustebinti, tada bus kur kas gardžiau.

Kad močiutė pati yra jubiliatė, buvo galima atspėti tik iš to, jog po pietų jai buvo draudžiama rodytis virtuvėje. Lygiai trečią prie išorinių pilies vartų paskambindavo, ir pro juos įsmukdavo šykštuolės Anos vyras. Jis buvo įgijęs konditerio išsilavinimą, todėl, padedamas Lotės, kepė gimtadienio tortą, kurio receptą buvo sukūręs dėdė Eduardas.

Visą savaitę nuo pusės keturių didžiajame kieme sklandė gardūs kvapai, ir pilies šeimininko motina uostydama stovėdavo po kaštonais.

– Riešutai? – spėliodavo ji. – Punšas? Šokoladas?

Bet niekas jai nieko nesakydavo. Buvo atskleistas tik vienas dalykas: dar niekuomet gyvenime ji nebus mačiusi tokio stebuklingo torto.

Liko tik septynios dienos iki vasaros pokylio. Buvo jau pats pasirengimų įkarštis. Jeigu nebuvo kepama ar troškinama, tai viskas buvo blizginama – nuo ryto iki vakaro. Ana atsiuntė „Įžeisto kurtinio“ darbuotojus, bendromis jėgomis iki blizgesio buvo iššveistas visas trečias pagrindinio pastato aukštas.

Nuvalyti visi baldai ir veidrodžiai, išdulkinti kilimai, išvaškuotos grindys ir nublizginti langai. Didžiuliai Riterių salės ir valgomojo šviestuvai buvo atsargiai nukabinti ir nuplauti muilingu vandeniu taip, kad kiekvienas karuliukas kibirkščiavo kaip briliantas. Brangūs Venecijos stiklo šviestuvai, kurie kabojo didžiojoje svetainėje ir kur turėjo būti šokama, žiedas po žiedo buvo nušluostyti minkštomis skepetomis. Paskui grafas patikrino apšvietimą ir, kur reikėjo, liepė įsukti naujas lemputes.

Vos baigta tvarkyti apšvietimą, atėjo sunkių brokato ir aksomo užuolaidų eilė. Jas nukabino, išsiurbė dulkes ir išdaužė. Nuo protėvių portretų, riterių šarvų, ginklų ir puošnių koklinių krosnių buvo pašalinta kiekviena dulkelė. Pilies koplyčioje paklotas naujas raudonas kilimas, šeimos klauptai minkštai apmušti puikiu raudonu aksomu. Galiausiai šventosioms statuloms nuplauti veidai, o drabužiai itin atsargiai nuvalyti, kad nebūtų pakenkta lakštiniam auksui. Naujoji šventosios Cecilijos arfa nulakuota elegantiška tamsiai ruda spalva.

Hansas visąlaik ir visur tampėsi kopėčias ir įrankių dėžę. Jis buvo atsakingas už visus darbus aukštai. Be to, jam reikėjo pritvirtinti ant gynybinės sienos ir abiejuose pilies kiemuose du šimtus lempučių, kurios šventinės dienos rytą turės būti apmautos sodo žibintų gaubtais.

Dar buvo matuojamasi drabužiai, skalbiama, lyginama, pakviesta iš miesto kirpėja, kuri turėjo atvykti į pilį prieš pat pokylį. Be to, Lotė dukart per savaitę važiuodavo pas siuvėją, jai siuvančią puošnius tautinius drabužius, kuriais ji troško mus visus apstulbinti. O kol vis labiau didėjo jaudulys ir džiaugsmas būsimu pokyliu, aš kasdien matydavausi su Valteriu. Tiesa, dėdė Eduardas buvo uždraudęs su juo bendrauti, bet mane palaikė močiutė, ir jos padedami mes galėjome susitikinėti. Nuo anos popietės paupy man išgaravo bet kokio švelnumo Danieliui likučiai. Aš pamilau Valterį, jis pamilo mane. Mudu karščiausiai troškome kuo greičiau susižadėti, bet močiutė patarė luktelėti, kol galutinai paaiškės dvaro reikalai.

– O jeigu dvarininkas sugrįš iš Kanados tiktai po mėnesio? – paklausė nelabai patenkintas Valteris.

– Tada grafą paprašysi mano rankos per vasaros pokylį. Pažadėk man, kad anksčiau nieko nedarysi. Nebūk toks nekantrus! Argi taip jau svarbu *tos kelios* dienos.

Valteris ne vienintelis laukė dvarininko. Kur kas labiau jo pasigedo dėdė Eduardas. Jis skambino kasdien ir visąlaik išgirsdavo tą patį. Nei laiško, nei žinios. Buvo tartasi, kad ta kelionė truks kelias dienas, bet dvaro savininkas jau buvo dingęs pusę mėnesio. Net ir jo žmona nieko nežinojo. Jis paskambino vienintelį kartą, pirmąją dieną, kad praneštų, jog sėkmingai nuvyko į Manitobą. Paskui stojo tyla.

Dėdė Eduardas paprašė, kad apie dvarininką jam būtų pranešta *tuojau pat,* pirmajam, anksčiau negu Leopoldui. Moteris pažadėjo, ir grafas nurimo, tai maloniai atsiliepė namų ramybei.

Užtat Olivjė kasdien darėsi vis irzlesnis, nes jo Roza tebebuvo Italijoje. Neva ji žadėjo atvažiuoti prieš vasaros pokylį, bet garantijos nebuvo. Močiutė labai jį užjautė, nes ji laukė Anos Luizos, kuri irgi nedavė jokios žinios. Močiutė jau skambino į pietų Prancūziją, bet tarnaitė pranešė jai, kad duktė išvažiavusi prieš porą dienų ir nepalikusi jokios žinios. Atėjo močiutės jubiliejaus išvakarės. Sėdėjome mano svetainėje su ilgais sąrašais ir aptarinėjome puokštes. Buvo vienuolikta valanda, oras prastas. Prieš pusvalandį pylė kruša, dabar, regis, giedrijosi.

Nebuvau pasipuošusi. Tai buvo darbo diena, permetusi akimis gėlių sąrašus, ketinau baigti antrąją kaimišką skrynią, kurią neseniai buvau pradėjusi restauruoti. Olivjė ir dėdė Eduardas irgi buvo apsirengę veikiau praktiškai negu gražiai, o močiutė net neužsidėjusi gėlių skrybėlaitės. Mes kaip tik ginčijomės dėl puokščių, kurių turėjome pamerkti valgomajame, kai staiga suskambėjo telefonas.

– Pagaliau! – sušuko močiutė. – Tikrai Ana Luiza. Pats metas jai atsirasti.

Bet skambino Olivjė: iš Italijos.

– Mano Roza! – sušuko jis laimingas, čiupdamas ragelį. – Ji tikriausiai atvyksta.

Ir jis ėmė nekantriai laukti, kol sujungs. Roza buvo ne sykį skambinusi, ir Olivjė kalbėdavosi su ja vokiškai. Jis nemokėjo angliškai, o ji menkai šnekėjo prancūziškai. Kuo puikiausiai prisiminiau pastarąjį jų pašnekesį. Jis truko pusvalandį, ir Olivjė ko nenusigalavo iš pavydo. Akivaizdu, kad jo sužadėtinė tiek ilgai gaišo Italijoje dėl fotografo.

Galų gale ryšys atsirado.

– Alioo, aliooo! – karštai sušuko Olivjė. – Roooza, mano *darlink!!!* Taip, taip, aš girdžiu. Dirbi be paliovos… su vakarine suknele… ir kostiumėliu. Mano vargšas ėriukas. Kada atvyksti?

Stojo ilgėlesnė pauzė, per kurią Olivjė veidas vis labiau tįso.

– Ką? – galop sušuko jis pasipiktinęs. – *Vėl* ne? Rytoj vasaros pokylis. Kiekvienas kilmingasis yra. O tu būsi?

Rodos, Roza kažką aiškino, o mano pusbrolis beviltiškai spaudė ragelį prie ausies.

– Ne, ne, ne! – staiga išsiveržė jam. – To per daug! Įtariu žiemos drabužius. Kaip jie *gali* būti perkaupti? Prisipažink, man įkyri mintis! Fotografas šaknyje. Ak, *mano darlink*, taip nieko neis. Pikčiausiai įtariu. Kaip, dvi dienos? Gerai! Bet paskui meluojama. Iš rimto. Supratai? Taip, taip, bučiuoju.

Jis nusviedė ragelį ir įsiutęs vėl atsisėdo prie mūsų.

– Dvi dienos! – niršo jis balsu. – Ji *neatvyksta* į pokylį. Įtariu ją su fotografu. Sako ne, žiemos drabužiai kalti. Bet aš prancūziškas ir pažįstu italus, lyg pats turėčiau nebūti vyras. Kaip manote, mielas dėde, ar man palydėti pavydą?

Dėdė Eduardas klausėsi kaip pakerėtas.

– Pavydas visuomet blogai, – rėžė jis, – ypač palydoje. Norėčiau tau patarti, žiūrėk į viską su humoru! Šiuo metu visur tvyro blogis, mano mielas. Įrodymas yra gražuolė mano sesuo... gal važiuodama čionai ji vėl sutiko savo gyvenimo vyriškį ir meilės nuotykis jai svarbiau už aštuoniasdešimtąjį motinos gimtadienį.

– Nesąmonė! – įsiterpė močiutė. – Eduardai, tavo įtarinėjimai nebepakenčiami. Olivjė, netikėk nė vienu jo žodžiu! Tavo Roza tikrai dieną naktį dirba. Juk žinai, kokia daugybė drabužių sudaro kolekciją. Be to, madelių fotografai visiškai nepavojingi. Dauguma kitokios pakraipos. Argi nežinojai?

Olivjė sutriko:

– Iš kokios krypties? Jis itališkas, gal iš Sicilijos per salą, tai atstumas ilgas. Bet ką tai padės mano Rozai?

– Padės, nes asmeniškai jam mielesni vyrai. Ar dabar supranti? Jeigu yra kitokios pakraipos, moterys jam nerūpi.

Olivjė nusišypsojo:

– Ar tikrai, mieliausioji grafiene?

– Be jokios abejonės. – Močiutė sulankstė popieriaus lapą, paėmė pieštuką ir atsistojo. – Taip, – tarė ji, – o dabar jums kai ką pasakysiu. Dabar galas visiems laukimams. Olivjė, tavo Roza atvažiuos poryt, Ana Luiza pasirodys irgi laiku. Jūs veltui apsunkinate sau gyvenimą įtarinėjimais. Anete, eini su manimi? Dabar aš lipsiu į viršų tvarkyti gėlių. Ar vazos jau tenai?

Linktelėjau galvą ir pasižiūrėjau pro langą. Krušos kamuoliukai buvo sutirpę. Netrukus vėl išlįs saulė.

– Ar būsite didžiajame valgomajame? – paklausė dėdė Eduardas. – Kiek laiko tenai darbuositės?

– Pusvalandį, – tarė močiutė. – Jei nori, vėliau galėsi ateiti.

Tada paėmė mane už rankos ir mudvi išėjome.

Gaila, kad didysis valgomasis naudojamas retai. Jo lubų lipdiniai buvo patys gražiausi visoje pilyje, negalėjai įeiti vidun, neatsistojusi tarp durų ir nepasigrožėjusi. Lubų pakraščiai – gėlių girliandų, o keturiuose kampuose pakibę pūstažandžiai angeliukai, pučiantys trimitus. Pačiame viduryje – didžiulis prašmatnus giminės herbas, labai įspūdingas, nes lubos buvo dviejų spalvų: rožiniame fone spindėjo akinamai balti lipdiniai. Dabar valgomasis atrodė kiek nykiai, nes trūko užuolaidų. Bet jos jau buvo išvalytos, taigi Hansas ketino pakabinti dar prieš pietus. Kai įėjome, visi keturi langai buvo atdari. Vis dėlto saulė jau buvo prasimušusi pro debesis ir atsispindėjo ką tik vaškuotame parkete. Močiutė atsisėdo ant kėdės, dar aptrauktos baltu dangalu, kostelėjo ir iškart prašneko apie reikalą:

– Mielas vaike. Tavo gėlės nuostabios, tik ne rožės ir lelijos, kurių tu būtinai nori čia pamerkti. Žinai, kodėl negalima to daryti? Jų per stiprus kvapas.

– Net ir kai langai atdari?

– Net ir tada. Rožes ir lelijas visuomet užuosi. Jos atitrauks dėmesį nuo valgio, o šito nieku gyvu nevalia. Valgomajame visuomet turi kvepėti valgiai, visa kita maišo.

Valandėlę pasvarsčiau:

– O ką tu manai apie irisus?

– Nuostabu! Ar turime jų tiek spalvų, kiek tu siūlei?

– Galybes! Rožinių ir oranžinių, baltų, geltonų ir raudonų. Jie kaip tik tinkamai prasiskleidę. Šįryt anksti apžiūrėjau, išeis kaip tik penkios didžiulės puokštės.

Man prieš akis jau iškilo valgomasis, pilnas gėlių. Gerai žinojau, kaip išdėliosiu gėles. Atrodys puikiai, ypač prieš didžiulius sieninius veidrodžius. Tikiuosi, mano motina atvažiuos laiku, kad pamatytų tą prašmatnybę.

Močiutė, regis, atspėjo mano mintis.

– Nesirūpink! Ji atvažiuos. Ar manai, kad mus apgaus?

Ir atsistojusi įniko rūšiuoti vazas.

Tada tai ir nutiko. Iš koridoriaus atsklido balsai. Močiutė atsisuko ir įsiklausė. Paskui nusijuokė, sušuko: „Na, ką aš sakiau?" ir vikriai nutipeno prie durų.

– Ana Luiza! – išgirdau jos šūksnį. – Tikrai pačiu laiku!

Atsigręžiau su sunkia sidabrine vaza rankoje ir pamačiau, kaip močiutė karštai apkabino jauną liekną moterį. Grafas stovėjo šalia tiesus ir be žodžių iš aukšto žiūrėjo į jiedvi. Padėjau vazą. Vadinasi, tai mano motina!

Ana Luiza buvo smulki, grakšti ir daili. Juodi plaukai, visai kaip mano, bet lygūs, pusilgiai, šukuosena berniukiška. Jos akys kaip *mano:* mėlynos, su violetiniu atspalviu. Oda šviesi, veide – nė raukšlelės. Petys petin jiedvi priėjo prie manęs. Motina buvo balta vasarine suknia, su sunkiais raudonų koralų karoliais ant kaklo.

– Anete, – sušuko ji linksmai, – tu už mane aukštesnė!

– Vaike, – paliepė dėdė Eduardas ir krenkštelėjo. – Pabučiuok mano seserį!

Su didžiausiu malonumu paklusau, ir mane tvirtai apkabino. Juodi plaukai gaiviai kvepėjo, o nuo skruosto, prie kurio prispaudžiau nosį, padvelkė saule ir jūra. Mažai trūko, kad būčiau apsiverkusi, bet nebuvo kada.

– Išsiskirkite! – įsakė grafas po akimirkos. – Ana Luiza, jau gana.

– Na, žinoma, – sušuko jo sesuo ir vėl širdingai mane apkabino. – Ar man nevalia pasisveikinti su dukra?

Ji suspaudė man ranką ir drąsiai pasižiūrėjo į grafą. Tas sutrikęs krenkštelėjo.

– Ką gi! Galų gale jūs suaugusios. – Ir tarė man: – Vaike, čia mano sesuo. Kaip manai, kiek per maža? Juk vaizdavaisi ją kitokią, ar ne?

– Nebūk toks netaktiškas, Eduardai. – Močiutė susijaudinusi stebėjo pasisveikinimą. – Ana Luiza puse galvos aukštesnė už mane. Moteriai to gana. Juk ne visi gali siekti iki dangaus.

Ana Luiza nusijuokė:

– Visai kaip anksčiau. Vėl pasijutau namie. Be kivirčų tiesiog neįmanoma.

Dėdė Eduardas pastatė prie atdaro lango keturias kėdes, ir mes susėdome. Saulė kaip tik užlindo už debesų, ir mes girdėjome, kaip Hansas greta didžiojoje svetainėje kabina užuolaidas.

– Na, tai pasakok! – Močiutė meiliai apžiūrinėjo elegantišką savo dukterį. – Kur tiek ilgai buvai? Kodėl tik dabar atvažiavai? Kodėl tarnaitei nepasakei, kur vyksti?

Dėdė Eduardas nesusivaldė:

– Jai neleido naujas meilužis. Gal jis vedęs ir nenori viešumo.

– O ne! Atvažiavau tik dabar, nes turėjau paimti mamai gimtadienio dovaną.

– Ir tam tau prireikė *trijų* dienų?

– Būtent tiek.

– Gana rietis! – paliepė močiutė. – Ana Luiza, kas gi tenai yra?

– Labai didelė dovana. Didesnė už tave ir mažne penkiolika kilogramų sunkesnė.

– Kaip? – Dėdė Eduardas kaipmat pamiršo meilužį. – Patraukliai skamba. Lažinuosi, kad tai didelis susuktas persiškas kilimas.

– Suklydai!

– Spinta? – spėjo močiutė. – Mano prieškambariui pietų Prancūzijoje?

– Visiškai pro šalį. Žinai ką? Liaukis spėliojusi ir leisk tave nustebinti. Vis tiek jau šiandien gausi. Ją netrukus atveš.

Visąlaik kaip pakerėta žiūrėjau į motiną. Ji buvo labai moteriška ir atrodė neįtikimai jauna. Kiek jai metų? Mane pagimdė aštuoniolikos, vadinasi, dabar jai keturiasdešimt penkeri. Atrodė nuostabiai! Jos ranka grakščiai gulėjo ant plačios palangės, ir aš mačiau, kad ji tokia pat maža kaip močiutės ir mano. Ant dešinės bevardžio piršto ji mūvėjo puošnų tamsiai raudoną rubiną, išpuoselėti nagai buvo nulakuoti tokia pat spalva. Nužvelgiau save – kokia aš nuskurusi. Ir būtinai šiandien turėjau apsimauti šiomis senomis kelnėmis! Kokia nesėkmė, kitaip nepavadinsi.

Ana Luiza pastebėjo, kad spoksau į ją. Padrąsindama nusišypsojo.

– Gražu pas tave, Eduardai, – tarė paskui. – Šio vaizdo pasigendu net pietų jūrose. O kokia daugybė naujienų: nauja virėja, kakadu *ir* telefonas! Jeigu ir toliau taip bus, čia pasidarys tikrai jauku.

– Kiek laiko nebuvai pilyje? – paklausiau smalsiai.

– Penkerius metus. Kaip tik buvai pabėgusi, o tavo sargas neabejojo, jog mano padedama. Taigi pasikvietė čionai ir atskaitė pamokslą.

– Bet juk tu buvai visai niekuo dėta!

– Dabar jau ir aš žinau, – nutraukė mane dėdė Eduardas, – bet tada buvo kitaip. Tuomet tu suvaidinai ištisą dramą, Ana Luiza, kad turiu leisti Anetę pas tave, tad ir neabejojau, jog tu pagrobei.

– Tu mane kvietei? Niekuomet negirdėjau apie tai nė žodžio. Būčiau mielai apsilankiusi. Kada tai buvo?

– Prieš pat tavo dvidešimt pirmąjį gimtadienį. Būčiau surengusi tau didžiulę šventę ir pristačiusi visiems savo draugams.

– Kaip tik tai ir norėjau sukliudyti, – susijaudino dėdė Eduardas. – Aš atsakiau už jos auklėjimą, todėl ir nesutikau.

– Kokia nesąmonė, – įsiterpė močiutė. – Jeigu būtum ją išleidęs, gal nebūtų nutikusi ta istorija su Danieliu.

– Danielis ar ne, – sugriaudėjo grafas, – Ana Luiza negali auklėti savo dukters. Tu tiktai pasižiūrėk į ją: raudonos lūpos, raudoni nagai, dirbtinės blakstienos. Manai, kad laisva valia aš siųsčiau savo vaiką į nuodėmių liūną?

– Dirbtinės blakstienos? – pasipiktino mama. – Na, šito tai jau per daug!

– Blakstienos tikros, – užtarė močiutė dukterį.

– Ar visos laikote mane kvailiu? Mano dailininko akis neklysta. Priešais mane – tuštybės mugė, o blakstienos – velnio pramanai!

– Tai patampyk jas! – Ana Luiza atkišo jam po nosimi savo veidą.

Dėdė Eduardas timptelėjo ir pabalo.

– Na, nieko sau! – nusistebėjo jis ir apžiūrėjo pirštus, prie kurių prilipo juodų dažų. – Jos iš tiesų tikros. Kas būtų pamanęs. Bet dažytos. Vis dėlto nėra *visiškai* natūralios. Mano dailininko akimi galima kliautis.

Ana Luiza atsisėdo ant palangės.

– Mandagiausiai prašau keisti temą. Važiuodama čionai prisiekiau sau niekuo nesipiktinti. Jeigu ir toliau taip bus, sulaužysiu priesaiką.

– Su malonumu pakeisiu! – Dėdė Eduardas tučtuojau įtaikaudamas nusišypsojo. – Pavyzdžiui, gal praneštumei man, kaip investavai savo palikimo dalį, kurią tau vargais negalais išmokėjau iki paskutinio skatiko.

– Mielai. Savo salelėje pastačiau naują viešbutį. Rudenį jis bus gatavas, taigi visus kviečiu į jo atidarymą.

– Spėju, kad parduoti jo neketini.

– Parduoti? Niekuomet gyvenime!

– Gaila, – atsiduso grafas. – Man reikėtų pinigų dvarui pirkti.

– Eduardai, – tarė jo sesuo, – tu tikrai nepakartojamas! Likimas apipila tave dovanomis, o tu be paliovos skundiesi.

– Aš? – pasipiktino grafas. – Aš *pagrįstai* skundžiuosi tik tada, kai turiu pagrindo.

– Jokio pagrindo tu neturi.

– Šit kaip?

Ana Luiza sukikeno:

– Pasakysiu vienintelį žodį: auksas!

– Auksas?

– Auksas!

– Greičiausiai turi galvoje geležį.

– Geležį? Apie ką tu kalbi?

– Apie Vengrijos karalių lobį.

– Bet jis juk ne iš geležies! – paprieštaravo mano motina. – Pirmas dalykas, ką man parodė Kronau geležinkelio stoties viršininkas, buvo senas laikraštis. Jame visų jūsų nuotraukos, apsikarsčiusių brangenybėmis iki ausų. Iškasėte penkiasdešimt kilogramų.

Dėdė Eduardas graudžiai linktelėjo galvą.

– Pamažėle man ta vaidyba ima atrodyti kvailai. Ana Luiza, eime į Imperatoriaus kambarį! Parodysiu tau lobių skrynią ir tai, kas joje buvo.

– Ne auksas?

– Ne auksas. Sutaurinta geležis. Atrodo dailiai, bet dvaro žemei pirkti netinka. O dvaras bus parduotas, kai tik savininkas grįš iš Kanados. Ir aš ne vienintelis jo gviešiuosi. Jo nori Leopoldas ir kiaulininkas, kurio tu nepažįsti. Baronas rado investuotoją ir ketina pirkti. Matai, kokie reikalai. Visi turi pinigų. Leopoldas parduoda žuvų ūkį, tiktai mes pliki kaip tilvikai. Net pirmai įmokai turiu imti kreditą.

– Ar Anetė visiškai nieko nebeturi iš palikimo? – paklausė mano motina, atsikvošėjusi nuo naujienų.

– Tai dar sužinosime. Pasisamdėme advokatą. Bet juk pati žinai, kiek laiko tai trunka. Šiaip ar taip, ji turi tiktai kelis ipotekos raštus ir tokių daikčiukų, kurie tau ant kaklo.

– Kokių daikčiukų? – nesusigaudė Ana Luiza. – Juk neturi galvoje koralų?

– Kaip tik apie juos ir kalbu!

– Ji turi koralų? – staiga susijaudinusi šūktelėjo Ana Luiza. – Tai puiku. Pažįstu juvelyrų, kurie dėl jų galvas pametę. Kiek tu jų turi, Anete?

– Kalnus, – atsakė dėdė Eduardas.

– Keturiasdešimt kilogramų, – pataisiau jį.

– Kaip? *Keturiasdešimt kilogramų?* Eduardai, dabar tai didžiulis turtas. Kokie jie? Labai svarbu kokybė.

– Ekstra rūšies, – pareiškiau išdidžiai, – geriausi iš geriausių. Jie iš Raudonosios jūros.

– Valio! – sušuko mano motina. – Eduardai, tu išsigelbėjai!

– Kaip? – įsiterpė močiutė. – Iš viso nieko nebesuprantu. Kokia rūšis yra ekstra?

– Geresnės kokybės neįmanoma įsivaizduoti. Koralai yra trečios, antros, pirmos ir ekstra rūšies. Pasižiūrėk! Mano karoliai yra pirmos rūšies, ganėtinai brangūs, bet čia – ar matai? Maži juodi įdubimai, kur nutrūkusios atšakos. Ekstra rūšies visai lygūs. Prisimink, kaip atrodo koralų medis, mama, storiausių kamienų vidus yra ekstra rūšies. Iš jo šlifuojami dideli rutuliai, o paskui jie labai nublizginami. Europoje jie be galo reti. Daugiausia jų būna pietų jūrų salose arba Afrikoje. Tokius rutulius renka genčių vadai. Jiems tai karališki papuošalai. Na, jeigu tie koralai raudoni. Rožiniai ne tokie paklausūs. – Ji pasižiūrėjo į mane: – Anete, o kokios spalvos taviškiai?

– Raudoni kaip kraujas.

– Sveikinu! Eduardai, mano dukra genijus. Ar žinai, kad jos koralai verti trijų šimtų tūkstančių markių?

– Prašyčiau? – Grafas nesusigaudydamas spoksojo į seserį.

– Teisingai išgirdai: trys šimtai tūkstančių markių.

– Tu visiškai tikra? – griežtai paklausė močiutė.

– Visiškai! Anete, perleisk tuos reikalus man, aš išsiderėsiu tau puikią kainą.

– Valio! – sušuko dėdė Eduardas ir apkabino seserį. – Ana Luiza, tau atleista už viską. Dangus tave atsiuntė kaip atsvarą Leopoldui. – Jis pašoko, nesitverdamas kailyje. – Tuoj paskambinsiu Rudžiui į banką, kad duotų man pinigų, kol parduosime tuos daiktus, pardon, koralus. Jeigu pasiseks, dvaro savininkui, kai grįš, ant stalo tėkšime daugiau negu trijų tūkstančių markių čekį.

Ir jis nukurnėjo į kabinetą.

Grįžo po penkių minučių.

– Rudis sutinka, – šūktelėjo švytėdamas iš džiaugsmo. – Jeigu noriu, galiu dar šiandien išrašyti čekį. Argi aš nesakydavau? Mus globoja geraširdė lemtis.

– O kodėl tu taip priešiniesi, kad Leopoldas pirktų dvarą? – paklausė jo sesuo.

Atsakymas buvo šaute iššautas:

– Mat jis „sukiaulins“ ūkį. Galas šviežiems kiaušiniams ir šviežiam pienui. O dabar melskitės, kad savininkas kuo greičiau parsirastų. Juo anksčiau baigsis visi tie reikalai, juo geriau.

Vos tą pasakė, pro duris Hansas įsinešė kopėčias ir paklausė, ar gali kabinti užuolaidas.

Pro jį prasibrovė tarnaitė ir sušuko:

- Pone grafe, greičiau, ponas prie vartų!

- Šaunu! - sušuko dėdė Eduardas. - Kaip sviestu patepta. Lažinuosi, tai dvaro savininkas.

- Ne, ne jis, - tarnaitė papurtė galvą. - Dvarininką aš pažįstu. Šio pono niekuomet nesu mačiusi. Jis kalba tik užsienietiškai.

- Kaip? Užsienietiškai? Tada jo neįleisime. Užsieniečių mes nelaukiame.

- Luktelėkite! - Ana Luiza pakėlė ranką. - Pamiršai, kad šiandien turi būti atgabenta mano gimtadienio dovana. Ji iš Prancūzijos, Eduardai, leisk man, aš netrukus grįšiu.

Ji norėjo praeiti pro mus, bet močiutė stvėrė ją už rankos:

- Pala! Aš irgi lipsiu į apačią. Ar tikiesi, jog liksiu čia kiurksoti?

- *Visi* lipsime, - nusprendė dėdė Eduardas ir padavė motinai ranką. - Iškilmingai nužingsniuosime prie vartų, kaip ir dera grafo šeimai, ir pasižiūrėsime, ką ten atgabeno.

Pasakyta - padaryta. Apačioje pamanėme, kad Lotė viską jau sutempusi į pusryčių kambarį.

- Įeikite, - pasakė ji ir gudriai mums nusišypsojo. - Viskas viduje.

Tačiau pusryčių kambaryje nebuvo jokio ryšulio - nei dėžės, nei ritinio, nei lagamino.

Užtat į valgomąjį stalą buvo atsišliejęs elegantiškas žilaplaukis ponas, kuris maloniai kalbino paukštį, dėl visa ko užskridusį ant koklinės krosnies.

Kakadu pamatė mus ateinančius, išskėtė sparnus ir balsiai bei aiškiai išdrožė:

– O – o!!!

Močiutė riktelėjo, pribėgo prie krosnies ir puolė nepažįstamajam ant kaklo.

Dėdė Eduardas suglumęs pasižiūrėjo į seserį, paskui į motiną, galop į mane. Aš gūžtelėjau pečiais, bet jau numaniau, kas tas nepažįstamasis. Ana Luiza patvirtino mano spėjimą.

– Eduardai, – sušuko ji linksmai, – ar galiu pristatyti? Čia Aristidas de Pjemontas, atsargos admirolas, vynuogyno ir pilies savininkas, kuris jau trejus metus švelniai bendrauja su mūsų motina. Mama, man prireikė *keturių* dienų, kol įtikinau jį važiuoti. Na, ką pasakysi, ar tai staigmena?

Dėdė Eduardas nustebo gerokai labiau už močiutę. Nelaukti svečiai kėlė jam siaubą, tad jis susitvardė tik po geros valandėlės. Keliskart kostelėjo, pasitampė švarką, galop pasitelkė visas savo prancūzų kalbos žinias, kad kaip nors pasveikintų svečią.

Aristidas irgi stengėsi iš paskutiniųjų, laužyta vokiečių kalba atsiprašė už įsibrovimą. Dėdė Eduardas pagyrė jo kalbos mokėjimą ir toliau prancūziškai švebeldžiavo, kad nėra ko atsiprašinėti, viskas esą kuo puikiausia. Aristidas nusilenkė, dėdė Eduardas nusišypsojo, ir po ilgokų derybų dviem kalbomis abu priėjo prie išvados, kad reikėjo susipažinti kur kas anksčiau.

Šiaip ne taip išsiaiškinę abu ponai nuoširdžiai paspaudė vienas kitam rankas, ir visi supratome, kad juodu puikiai sutars. Ir kodėl neturėtų? Aristidas turėjo didelį vynuogyną, ir dėdė Eduardas vieną puikų vynuogyną vadino savu.

– Aristidai! – sušuko jis smagus. – Šiandien per pietus bus patiekta savos gamybos vyno. Balto, be cukraus, neputojančio – pernykščio rudens. Labai įdomu, ką tu pasakysi!

Ir užvirė aistringas pokalbis apie prancūziškus raudonuosius ir naminius baltuosius vynus, apie kreidos, molio ir kitokias dirvas, o kai ėjome iš pusryčių kambario, išgirdau, kaip grafas šnibžtelėjo seseriai: „Ana Luiza, atleidžiu tau už viską. Šis vyras sėkmingas radinys!"

Aristidą ir Aną Luizą įkurdino viršuje, šalia Olivjė, dviejuose dailiuose svečių kambariuose. Tiesa, pasiūliau motinai savo kambarius, bet ji net nenorėjo klausytis.

– Man kur kas labiau patiks trečiame aukšte, – pasakė. – Vaizdas gražesnis. Be to, esu viešnia kaip visi kiti. Lik tenai, kur esi, Anete. *Tu* čia namie.

Diena pralėkė linksmai. Tiesa, Olivjė iš pradžių įsižeidė, kad per daug kalbama prancūziškai, ir jis neturi kaip praktikuotis vokiškai. Bet netrukus jį taip sužavėjo Aristidas, kad Olivjė pratrūko šnekėti lyg krioklys, ir jo nebebuvo įmanoma nutildyti. Jis norėjo atverti Aristido vynams kelią į Afriką, kur svečiai prašmatniuose viešbučiuose geria kibirais, ir iki pat nakties planavo, kaip tą geriausiai padaryti.

Vakare sėdėjome žydrojoje močiutės svetainėje, nes dangus buvo apsiniaukęs ir žvaigždėmis gėrėtis negalėjome. Aristidas atsivežė nuostabaus raudonojo vyno, kuris anaiptol nepagadino nuotaikos. Vis dėlto lygiai vienuoliktą dėdė Eduardas atsistojo, visiems parodydamas, kad metas gultis.

– Nenoriu jūsų versti, – tarė jis, – bet rytoj didi diena. Mama, gerai išsimiegok ir saldžiai pasapnuok! Pasimelskite, kad oras būtų geras, visu kitu pasirūpinta. Ir valgiais, ir gėrimais, ir šokiais, ir švente. – Jis atsiduso ir pabučiavo motinai ranką: – Pamatysite, tai bus tobula harmoninga diena!

Bet jis klydo.

22

Išaušo vasaros šventės rytas, iki pat vakaro viskas tikrai ir vyko pagal planą. Oras buvo giedras, ir močiutę per pusryčius po kaštonais šeima pasveikino ir apipylė dovanomis.

Ana Luiza padovanojo močiutei nuostabaus žalio, rankomis austo šilko, Aristidas – tris butelius jos amžiaus vyno, o dėdė Eduardas – didžiulį smaragdą, neįprastos spalvos ir skaidrumo.

Smaragdas ją trupučiuką sutrikdė.

– Eduardai, – ji pasižiūrėjo į keturkampį akmenį ant savo delno, – gal jis pernelyg ryškus mano metams?

Grafas nusikvatojo:

– Aštuoniasdešimties sulaukus prasideda gyvenimas. Argi *aš* turiu tau tą sakyti? Kai tau aštuoniasdešimt, reikia naujų papuošalų ir naujų drabužių.

– Teisybė! – sušuko Ana Luiza. – Todėl ir padovanojau tau šilko. Pasisiūsi stulbinamą suknią, o sąskaitą apmokėsiu aš.

Pagal planą buvo paaukotos ir Mišios pilies koplyčioje, ir pietūs praėjo. Kritiška padėtis susiklostė tiktai vakare.

Grafas buvo pakeitęs programą. Atsakęs vaikams kavos ir arbatos popietę, todėl ji liko laisva paskutinei ruošai. Ketvirtą iš miesto atvažiavo kirpėja, o penktą – dešimt padavėjų, kurie iškart kibo į darbą, budriai stebimi Lotės. Muzikantai, iš viso aštuonetas vyrų, buvo pasamdyti pusei dešimtos vakaro.

Lygiai šeštą apsiaviau batelius. Kai bokšto laikrodis dar mušė septintą, išėjau pas močiutę, nes tenai ketinome susitikti visi: apsirengę, susišukavę, švaruliai, garbanoti, manikiūruoti – ir pasiruošę bet kokiai šunybei.

Lipau iškart per dvi pakopas ir sustojau priešais veidrodį močiutės prieškambaryje atsikvėpti. Atidžiai apžiūrėjau save. Atvirai prisipažinsiu: esu atrodžiusi ir blogiau.

Puošni mano suknia buvo iš lengvo gelsvo šilkinio šifono; atidengianti pečius ir išryškinanti liemenį. Tokia lengvučiukė, kad vos ją jutau. Apsisukau, ką tik išplautos garbanos papuro. Nuostabu! Ištiesiau rankas ir žemai pritūpiau, tada išgirdau garsų dėdės balsą iš svetainės.

– *Kas* čia? – atsklido pro duris. – Negali būti! Ne, ne, nieko nebus, girdite? Taip greit neįmanoma.

Įėjau degdama smalsumu. Motina sėdėjo ant sofos su raudona, atidengiančia pečius šilkine suknia šalia močiutės, kuri tikrai atrodė kaip kunigaikštienė su baltu apdaru, smaragdų vėriniu ir tokiais pat auskarais. Dėdė Eduardas, labai elegantiškas, apsivilkęs fraku, įsisegęs baltą rožę į atlapą, stovėjo prie lango. Visi trys gėrė šampaną.

– O, štai ir ji, – sušuko Ana Luiza. – Suknelė žavinga. Labai panaši į manąją. Prieik, pasisuk, kad pasigrožėtume iš visų pusių!

– *Mano* seserėčia! – patenkintas pareiškė grafas.

– Turi galvoje *mano* dukterį. – Ana Luiza padavė man taurę: – Anete, sėskis šalia, kaip tik kalbėjomės apie tavo ateitį.

– Tikrai. – Dėdė Eduardas priėjo arčiau ir atsistojo priešais. – Ką tik sužinojau, kad Valteris šiandien mėgins įsitrinti į šeimą.

– Kvailas žodis, – sumurmėjo močiutė.

Dėdė Eduardas nepaisė jos pastabos.

– Anete, tu ką nors apie tai žinai?

Linktelėjau galvą.

– Aha! – grafas buvo įsižeidęs. – Vis tas pats. Visi žino, tik aš ne. Bet nieko iš to neišeis, girdi? Valteris pernelyg žemos kilmės, Leopoldas irgi tik baronas, be to, per atsitiktinumą. Atiduosiu tave tik princui, daugiau niekam.

– Sutarta! – šūktelėjo mano motina. – Anetė plauks su manimi į pietų jūras, tenai princų nors vežimu vežk. Krūvos baltaodžių ir dar daugiau juodukų. Lažinuosi, kad ji pasigaus vieną jų per mėnesį.

– Aš sugalvojau kur kas geriau, – tarė močiutė. – Rudenį Anetė važiuos su manimi į Prancūziją ir lankys *École du Louvre.* Tenai išmoks restauruoti, o kai baigs, turės specialybę. Kursai trunka pusmetį. Kaip manai, Eduardai?

– Pusė metų užsienyje? – pasipiktino grafas. – Negali būti! Juk ką tik buvo užsienyje. Restauruoti lygiai taip pat ji gali išmokti ir čia. Pažįstu miesto muziejaus direktorių. Paklausiu jį, ar yra tokie kursai; suprantama, teorijos. O praktikos pamokysiu pats.

Močiutė išgėrė savo taurę.

– Kaip nori. Bet ką tu pasakysi Valteriui?

– Nežinau. Manau, kad nesipainiosiu jam po akių. Bet dabar štai kas. Reikalauju, kad šįvakar nepadarytumėte man gėdos. Ana Luiza, jokio flirto su Leopoldu! Anete, tu laikysies atokiau nuo Valterio! Mama, tas pats skirta tau ir Aristidui. – Jis patylėjo. – Kaip judu elgiatės vieni, kas kita. Šito net nenoriu žinoti.

– Nebijok, – sušuko močiutė, – mes ir vieni elgiamės padoriai. Sėdime be žodžių vienas priešais kitą, ir jis kartkartėmis pabučiuoja man ranką. Beje, ranka, Anete, duokš rankutę! Šeimos taryba nusprendė, kad tu šiandien gausi savo žiedą.

Ji paėmė nuo stalo man jau matytą juodą odinę dėžutę.

– Pala! – sušuko grafas ir atėmė dėžutę iš močiutės. – Tai *mano* darbas.

Tada užmovė man ant kairio bevardžio piršto didelį Emė briliantą su keturkampiais rubinukais.

– Taip, – tarė patenkintas, – dabar tau iš viso nebereikia susižadėti. Su tokiu gražiu žiedu nepajėgs varžytis joks vyras. – Paskui žvilgtelėjo į laikrodį ir pasirengė eiti: – Anete, liksi čia ir palauksi abiejų ponų. O mes lipsime į apačią pasisveikinti su svečiais. Ir įsidėmėkite: jokio flirto, jokio laikymosi už rankučių! Padorumas, laikysena, orumas.

Jis išdidžiai žengė prie durų, ir likimas viską pasuko sava vaga.

Riterių salė buvo pilnutėlaitė. Atvyko devyniasdešimt penki svečiai, ponai su frakais, ponios lengvomis ilgomis vakarinėmis sukniomis. Švytėjo daugybė brangių senovinių giminės brangenybių. Mane sveikino kaip dukrą paklydėlę, nes dauguma svečių manęs nebuvo regėję jau penkerius metus. Leopoldas ir Valteris buvo stulbinamai elegantiški, Marija labai daili, vilkėjo žydra karoliukais siuvinėta plisuota suknele. Jos motina, nuo galvos iki kojų apsitempusi standžiu tailandietišku šilku, atrodė vienakaulė ir plokščia kaip visuomet.

Engelbertas atsivedė naują draugužę, kuri kaipmat patraukė visų akis. Bemaž dvigubai storesnė už jį, nieko sau laimėjimas! Norėdama paslėpti apkūnumą ji buvo įsibraškinusi į ryškiai žalią palaidinukę, o galingą krūtinę pridengusi stambių barokinių perlų vėrinių eilėmis.

Hoenfrydai, Hernšteinai ir Frydensburgai atrodė panašūs kaip visada, lyg giminės. Ponios apsirengusios *Azzaro* kūriniais, ponai tyčia apsimovę *ne* naujausios mados kelnėmis.

Buvo patiekta aperityvo, ir Lotė išsiuntė padavėjus kaip generolas kareivius.

Močiutė priiminėjo sveikinimus it karalienė su Aristidu ir dėde Eduardu iš abiejų pusių. Kartkartėmis grafas tiriamai nužvelgdavo tamsius kampus. Kur jo namiškiai? Ar irgi elgiasi kaip dera?

Kilstelėjau į jį taurę nejausdama jokio sąžinės graužimo. Valterio šalia manęs nebuvo. Jis su Leopoldu stovėjo šalia Anos Luizos, visi trys sukišę galvas juokėsi.

Atsirėmęs prie atviro lango Olivjė gurkšnojo viskį. Per spūstį prisiartinau prie jo. Jis atrodė gerai su fraku. Geltoni ūsiukai kiek patrumpinti, plaukai šauniai perskirti, jo akyse pastebėjau blizgesį, kuris bylojo: prancūzas *užkariaus* bet kokią moterį!

„Kokią moterį?" – pamaniau, tada išvydau ją ateinančią.

Ryški žalia palaidinukė ryžtingai atsiyrė prie lango, ir uždususi moteris sustojo šalia mano pusbrolio.

– Karšta, – tarė pastarasis užjausdamas.

– Taip, – pritarė Engelberto draugužė, o galinga jos krūtinė kilnojosi taip audringai, kad tylutėliai barškėjo net ją pridengę perlai – jų eilių negalėjai ir suskaičiuoti.

Olivjė kaip pakerėtas įsistebeilijo į jos viršutinę kūno dalį. O kur princas? Akivaizdu, atsilikęs. Aš apsidairiau. Žinoma! Engelbertas grožėjosi riterių šarvais ir ginklais, kabančiais ant sienų. Regis, jį ypač apstulbino dvi geležimi kaustytos ietys iš Trisdešimties metų karo. Jis taip užsižiūrėjo, kad visiškai pamiršo savo draugužę.

Olivjė giliai įkvėpė, išpūtė krūtinės ląstą ir įtraukė pilvą.

– Madam, – tarė jis ir prisivertė pakelti akis, – ar galiu jums užmesti savo ranką?

Princo draugužė nesuprato:

– Pardon, *ką* norėtumėte mesti?

– Ranką, – pakartojo Olivjė. – Na, sakau, sulenkti.

Susikalbėti vis dar nesisekė, bet Olivjė nepasidavė. Atkišo alkūnę ir taip įsmeigė į moterį akis, kad pasipriešinti buvo neįmanoma. Ponia įsikibo jam į parankę ir geraširdiškai nusijuokė:

– Sakykite, iš kur jūs?

– Aš prancūziškas. Esu grafo giminaitis, gal kai kada pilies savininkas, kas žino? – Jis pamojo padavėjui. – Visą vasarą praktikuoju savo vokiečių. Sakykite, ar jūs arti?

Priėjęs padavėjas nutraukė pašnekesį. Olivjė paėmė nuo padėklo dvi taures viskio ir vieną žemai nusilenkęs padavė palydovei.

– Už meilį! – pasakė ir gerokai trūktelėjo iš taurės.

– *Meilė*. Vokiškai meilė moteriškos giminės.

– Ji tikrai tokia ir yra, – švelniai šūktelėjo Olivjė ir nunarino akis banguojančių perlų link. – Madam, jūs labai trokštama. Jūs pataikėte į asmenybę. Ateikite, mano brangioji, parodysiu jums šventės puotą.

Ir jis mikliai nuvairavo į didžiąją svetainę, dar tuščią.

Jų nebuvo gal penkias minutes, kai Engelbertas atsisuko.

Jokio žalumo prie lango! Iškilo pavojus.

Princas su fraku kaipmat pavirto į medžiotoją, persekiojantį žvėrį. Iškart krito į akį, kad jis patyręs. Trumpai pasistiebė, žvaliai metė žvilgsnį visomis kryptimis, o tada nedelsdamas nudrožė į svetainę.

Puiki nuojauta, pamaniau, ir iškart išgirdau garsius balsus už suveriamųjų durų, kurias Engelbertas dėl visa ko buvo uždaręs. Sudužo taurė. Trumpas barnis.

Olivjė riktelėjo: „Barbariškas!", ir Engelbertas išdygo ant slenksčio, stumdamas priešais draugužę. Perlai karojo labai netvarkingai, abu buvo iškaitusiais veidais, jis piktai šnypštė jai į ausį. Juodu kaipmat dingo tarp žmonių. Dėdė Eduardas atsisuko. Net per tokią daugybę žmonių jis pastebėjo, jog kažkas negerai. Gal didžiojoje svetainėje suskambėjo taurė? Jis atsiprašė močiutę ir nuėjo pasižiūrėti. Nusekiau jam iš paskos, o kadangi durys buvo tik privertos, tapau baudžiamojo pamokslo liudytoja.

– Kad daugiau nė lašo viskio, – baigė grafas, – supratai? Ir nekišk nagų prie tos moteriškės. Engelbertas krašto imtynių čempionas! Parodyk! Ar jis tau ką nors sulaužė?

Pusbrolis paniuręs sėdėjo ant pakylos, sumeistrautos muzikantams. Dėdė Eduardas pasilenkė prie jo ir valė nuo Olivjė frako baltos pudros sluoksnį. Paskui nušluostė dar truputį raudonų dažų nuo jo smakro ir žengtelėjo atgal.

– Taip. Pėdsakų neliko. Stokis ir elkis padoriai! Ir įsidėmėk: visą vakarą neišleisiu tavęs iš akių.

Vakarienė sulaukė didžiulės sėkmės.

Valgoma buvo prie devynių staliukų, padengtų mūsų gražiausiu Limožo porcelianu. Pirmiausia patiekta šparagų su totorišku padažu ir ką tik iškeptos baltos duonos. Paskui andalūziško gazpacho* ir rūkytų upėtakių su špinatais. Dar buvo ir citrininio šerbeto, o tada stojo trumpa, itin linksma pertrauka.

Buvo pripilta šampano, ir visi išgėrė į močiutės sveikatą. Dėdė Eduardas ir Leopoldas pasakė kalbas, galop buvo atvesta besispyriojanti Lotė ir jai audrin-

---

* Šalta daržovių sriuba, kurios pagrindiniai produktai pomidorai, agurkai ir svogūnai (isp.).

gai paplota. Su balta puošnia tautine suknia, siekiančia grindis, virėja atrodė dar apvalesnė, užtat niekuomet nebuvo tokia patraukli. Ji skaisčiai išraudonijo, dukart nusilenkė ir kuo greičiausiai išsmuko rūpintis antra vakarienės dalimi.

Svečiams padalijo minkštos ėriuko nugarinės, viduje rožinės, su ja – keptų pomidoriukų bei salierų ir morkų tyrės. Be to, žalių salotų su riešutų alyva ir obuolių actu, paskui dar atbogino didžiulį padėklą sūrių, o pabaigoje – nuostabaus šaldyto vyšnių kremo.

Bet ypatingoji akimirka, kurios jau nekantriai laukėme, stojo prieš geriant kavą.

Užgeso visos šviesos, ir, įsiviešpatavus jaudinamai tamsai, ant žemo staliuko buvo įvežtas gimtadienio tortas.

– Valio! – vienbalsiai sušuko visi svečiai, ir prapliupo plojimai. – Nepakartojamas reginys!

Tortas buvo visiškai tokio pat dydžio kaip močiutė. Iš aštuonių sluoksnių, kiekvienas skirtas močiutės gyvenimo dešimtmečiui. Kiekvienas sluoksnis papuoštas dešimčia degančių žvakių ir labai natūraliai atrodančiomis gėlėmis iš marcipanų ir karamelės.

Pačioje apačioje buvo tamsiai raudonos rožės, virš jų rožiniai irisai, tada rožinės ybiškės, alyvinės raktažolės, tamsiai mėlyni varpeliai, melsvos žibuoklės, gelsvos gegužraibės, o pačiame viršuje lyg sniegas baltavo lelijų karūna. Gėlės kvepėjo, lyg ką tik nuskintos. Mat Lotė buvo apšlaksčiusi jas gėlių kvapais. Žemiausiam sluoksniui ji pavartojo tikrą bulgarišką rožių aliejų.

– *Labai* pažymėtina, – šūktelėjo šalia sėdintis Olivjė, – bet nebegaliu jokio kąsnio, aš per daug maitinausi.

Ir vis dėlto leido įdėti jam į lėkštę didelį torto gabalą.

– Aš dar galiu, – pasakiau ir paragavau. – Nuostabu! Riešutai. Nuoširdžiai siūlau!

Aš nevalgiau nė kąsnelio mėsos, o užkandžių tik ragavau. Todėl jaučiausi lengva, linksma, pasirengusi šokiams. Džiaugiausi pokyliu.

Kai padavėjai pilstė kavą, atvyko muzikantai. Buvo girdėti, kaip jie didžiojoje svetainėje derina instrumentus: pianinas, kontrabosas, smuikai, klarnetas. Tie garsai jaudino.

– Dėde Eduardai, – pasilenkiau, – ar galiu bent kartą pašokti su Valteriu?

Grafas, kuo puikiausiai nusiteikęs nuo šampano, maloningai linktelėjo.

– Bet nešok per ilgai, – dėl visa ko įspėjo mane, – ir nepamiršk, kad nenuleidžiu nuo tavęs akių.

Kapela užgrojo pirmąjį valsą – ir aš ištisas tris valandas šokau su Valteriu. Smerkiami žvilgsniai, varstantys man nugarą, nė kiek nebaugino, bet kai sukaitę ir kiek besisukančiomis galvomis priėjome prie atdaro lango ir Valteris mane apsikabino, vis dėlto išsigandau.

– Atsargiai, – pasakiau, – grafas tyko. Jis išgėrė tris puodelius tikros pupelių kavos ir yra pavojingas.

Valteris nė trupučiuko nesusijaudino. Drąsiai pabučiavo mane į lūpas, nusiskynė nuo gėlių puokštės šalia muzikantų pakylos geltoną rožės žiedą ir įsikišo jį į frako kilputę.

– Tokios pat spalvos kaip tavo suknelė, – tarė kovingai, – dabar aišku, kad mudu pora.

Laukiau grafo perkūnų, bet kadangi jų nebuvo, paėmiau Valterį už rankos, ir mudu nulipome žemyn į didįjį pilies kiemą.

Naktis buvo šilta, kerinti, apšviesta tik margaspalvių sodo žibintų. Po kaštonais stovėjo keli stalai su kėdėmis, ir padavėjas, dirbęs čia, kaipmat priėjo ir paklausė, ko pageidaujame.

– Aš nieko nenoriu, – pasakiau ir atsisėdau. Valteris paprašė konjako ir visai arti prislinko savo kėdę. Pro skaisčiai apšviestus svetainės langus sklido muzika. Buvo matyti šokėjų šešėliai. Muzikantai grojo „Lady be good", vėliau – „The Man I love". Užsimerkiau. Kai vėl atmerkiau akis, šalia buvo atsisėdę močiutė ir Aristidas.

Regis, Valteris tik šito ir laukė.

– Žinote ką, – pasakė jis ryžtingai ir atsistojo, – dabar lipsiu į viršų ir paprašysiu grafą Anetės rankos.

– Kaip tik dabar? – nustebo močiutė.

Valteris linktelėjo galvą.

– Neaišku, kada grįš tas dvarininkas. Noriu, kad viskas pagaliau būtų baigta.

– Na, gerai, laikysime už tave špygas. – Močiutė prisiglaudė prie savo Aristido ir užsimerkė.

Likau sėdėti besidaužančia širdimi ir laukti.

Praėjo dešimt minučių, ketvirtis valandos, o Valteris negrįžo. Dvidešimt minučių, pusvalandis: nieko.

– Močiute, – tariau galų gale, – jis per ilgai užtruko. Gal mums irgi užlipti ir truputį padėti?

Močiutė nespėjo atsakyti. Vyriškis plevėsuojančiais švarko skvernais tekinas išlėkė iš mažojo pilies kiemo ir pasileido prie mūsų. Kai jis priartėjo, pažinau, jog tai Olivjė, visiškai uždusęs, susivėlusiais ant kaktos uždribusiais plaukais. Dieve, pamaniau, jį vejasi Engelbertas! Bet Olivjė niekas nesivijo.

Jis užkliuvo už stalo kojos ir vos nepargriuvo.

– Mieliausioji grafiene, – sušvokštė jis gaudydamas orą, – *tuojau* aukštyn į milžinų salę! Tragedija! Siaubinga!

– Kokia tragedija? – susijaudino močiutė ir išsitempė kaip styga.

– Dvikova! Viduramžiais! Ateina riteris, grafas greitai ietį, visi du kaipmat duria, be paliovos!

– Dėl Dievo! – sušuko močiutė. – Olivjė, *kas* dūrė?

– Ietis, ne, riteris! – baisiausiai susijaudinęs sušuko mano pusbrolis. – Didelis! Kuo vardu? Iš kilmingųjų namelio!

– Dabar jis kraustosi iš proto, – pareiškė močiutė. – Olivjė, tu dar supranti, ką kalbi?

– Žinoma! – riktelėjau išsigandusi. – Valteris ir dėdė Eduardas kaunasi dvikovoje!

– Tai tiesa, Olivjė?

– Taip, taip – ne, ne, meldžiu jus! – Jis ėmė tampyti man už suknios. – Tuojau visi aukštyn, *gyvenimas* už visų kalnų.

– Negyvi? – pasibaisėjusi šūktelėjo močiutė. – Iš tikrųjų – puikus gimtadienis! Aristidai, kuo greičiau lipkime viršun! Štai, imk mano krepšelį, aš turiu prilaikyti šleifą. Olivjė, kur lavonai?

– Jų dar *nėra*, – išlemeno mano pusbrolis. – Milžinų salė pilna. Kiekviena akimirka brangi.

Ir jis nuskuodė pirmas, o mes iš paskos.

Kad Riterių salėje vyksta kažkas keista, išgirdome jau ant laiptų. Mus pasiekė neįprasti garsai, ir viską supratome tada, kai įpuolėme pro dideles suveriamąsias duris.

Tiesa, lavonų nepamatėme, užtat išvydome dėdę Eduardą ir Leopoldą, kurie stovėjo vienas priešais kitą kaip du fechtuotojai ant didelio poliruoto ąžuolinio stalo salės viduryje. Abu be frakų – visi matė jų petnešas; ant veidų užkritusiais plaukais, raudoni kaip vėžiai, kiekvienas, įsitvėręs sunkią, geležimi kaustytą ietį, kiek pajėgdamas stengėsi nustumti priešininką nuo stalo.

Abu gaidžius peštukus supo daugybė svečių, uoliai įkalbinėjančių juos išsiskirti. Artintis nedrįso niekas, nes tada abu imdavo kaip paklaikę badyti į visas puses. Frontą pralaužė tik Valteris. Jis stovėjo už tėvo, stipriai suspaudęs jam kojas, ir bandė jį pargriauti.

– Padėkit man! – sušuko jis, kai pamatė mus ateinančius. – Juodu nori nudobti vienas kitą.

– Dėl mūsų? – surikau baisėdamasi.

– O ne, – sušnopavo Valteris. – Dėl dvaro. Jo atsisako tas, kuris pirmas nukris nuo stalo. Tėve, pasiduok! Juk mes gyvenam ne viduramžiais.

Ir susirietė, nes Leopoldas stipriai spyrė jam į krūtinę.

– Edis išvarys mane iš proto, – sustaugė Lokenšteino ponas ir bedė ietimi į orą.

Dėdė Eduardas, nė kiek nesutrikęs, pamėgino pulti ir ko nepataikė. Leopoldas atrėmė smūgį paskutinę akimirką, ietys susikryžiavo, ir garsiai švogždami priešininkai pradėjo stumdytis pirmyn ir atgal, bet nė vienas neįstengė nuversti varžovo ant grindų. Staiga padėtis dramatiškai pablogėjo.

Engelbertas, kuris iki šiol tik stebėjo susidomėjęs, nusprendė įsikišti. Jis prišoko prie stalo ir pamėgino sučiupti už iečių.

– Nešdinkis! – pašėlo grafas, ir abu pilių šeimininkai kaip patrakę ėmė mosuoti ietimis aplinkui. Nieko nesisaugodami juodu žiūrėjo žemyn į Engelbertą, ir netrukus abi ietys susmigo į sunkų šviestuvą, kuris kabojo virš stalo.

– Atsargiai! – subliovė Engelbertas, bet Leopoldas jau trūktelėjo ietį.

Visi vienbalsiai suriko, šviestuvas grėsmingai susvyravo, paskui bildėdamas ir dzingsėdamas nugarmėjo žemyn. Stalas liko it nušluotas, krištolo karuliai pakilo į orą ir pabiro ant grindų, svečiai žviegdami atšoko, o tada užgeso šviesa.

Didžiojoje svetainėje nutilo muzika. Valandėlę tvyrojo kapų tyla, paskui čionai suplūdo šokėjai. Atsilapojo visos durys, iš koridoriaus ir svetainės įspindo šviesa. Laimė, Riterių salė turėjo savo transformatorių, antraip būtų aptemęs visas aukštas.

– Trumpasis jungimas, – perrėkė Lotė balsų gaudesį, – gal ponai teiktumėtės grįžti į svetainę? Nieko nenutiko. Čia tik trumpasis jungimas. Tuoj pat pataisysime.

– Eduardai, – suriko močiutė, pažvelgusi į suknežintą šviestuvą, kuris kūpsojo ant stalo. – Ar užsigavai?

– Žinoma, ne! – Grafas stovėjo patamsy ir sumišęs glostėsi žilus vešlius plaukus.

Močiutė pakėlė jo fraką.

– Štai apsirenk ir padėkok likimui, kad dar esi gyvas!

– Edis pirmas nušoko, – džiūgavo Leopoldas, kuris ėjo prie mūsų vienmarškinis, lydimas Valterio. – Gerai mačiau. Edi, tu atsisakai dvaro.

Grafą vėl užliejo įniršis.

– Užsičiaupk, antraip tave pasmaugsiu!

– Jokių žudynių per mano gimtadienį, – paliepė močiutė. – Paduokite vienas kitam ranką ir susitaikykite!

– Kaip? – įniršo grafas ir vėl numetė ant grindų fraką. – *Aš* turiu taikytis? Tik per mano lavoną. Leopoldas ketina parduoti žuvų ūkį ir penkiolika procentų viršyti mano pasiūlytą kainą. Aš tuoj pasiusiu.

– Aš irgi, – staiga nuskambėjo balsas, ir pro svetainės duris krintančioje šviesoje išryškėjo vyriškis, kuris žengė tiesiai prie mūsų. – Tai mane irgi siutina, bet tik todėl, kad negaliu priimti pasiūlymo.

– Na, nieko sau! – išsprūdo grafui.

Tai buvo dvaro savininkas.

– Pone Kornbinderi, – šūktelėjo nustebusi močiutė, – sveikas sugrįžęs į tėvynę! Jau labai jūsų pasiilgome.

– Kuo geriausios kloties gimimo dienos proga, ponia grafiene! Matau, pašėliška šventė. Net turnyras surengtas, kaip dera.

– Kaip pažiūrėsi, – močiutė mostelėjo dėdei Eduardui galų gale apsivilkti fraku. – Šiaip ar taip, staigmena su šviestuvu nebuvo planuota.

– Grįžau prieš pusvalandį. Ir žmona iškart pasiuntė pas jus. Ir štai aš čia, jūsų paslaugoms.

– Kornbinderi, – griežtai pareiškė dėdė Eduardas sagstydamasis fraką, – kas čia per kalbos, kad nepriimate pasiūlymo? Ketinate išpešti iš mūsų dar daugiau? Įspėju – viskas turi ribas!

– O ne, – sušuko Leopoldas ir įsispraudė tarp jųdviejų. – *Aš* siūlau daugiau. Kornbinderi, mudu tai jau sutarsime.

Dvaro savininkas atsiduso:

– Manau, kad ne, pone barone. Aš *neparduodu.*

– Kaip? – vienbalsiai sušuko visi ir įsistebeilijo į dvaro savininką.

– Kanada man nepatinka, – paprastai tarė ponas Kornbinderis ir atsisėdo.

– Kas čia per pareiškimas! – sušuko Leopoldas nesusigaudydamas. – Viešpatie aukščiausiasis, ar jūs rimtai kalbate?

Kornbinderis linktelėjo galvą.

Dėdė Eduardas irgi atsisėdo.

– O *mes* bemaž nenugalabijome vienas kito dėl dvaro, kuris neparduodamas.

– Šampano! – paliepė močiutė. – Vaikai, mums reikia išgerti. Na, mielasis, o dabar pasakokite! Kodėl taip nusprendėte?

– Labai paprasta, ponia grafiene. Jau pirmą dieną Kanadoje taip pasiilgau namų, jog supratau, kad nieko gero iš to neišeis. Mano brolis visai neturi skonio.

Tiesa, ferma didžiulė, bet niekur nėra nė medelio. Namas – kiek pagerintas gyvenamasis vagonėlis, o apylinkės – nykios. Lygios kaip lenta, kiek akys aprėpia, aplinkui nė gyvos dvasios.

– Lygios kaip lenta? – susidomėjo močiutė. – Tai bent naujiena. Juk Kanados kelionių reklaminiuose lankstinukuose visuomet matyti kalnai ir nuostabūs miškai.

– Kelionių biurai Manitobos nefotografuoja, – atkirto ponas Kornbinderis. – Išmėginau savo kailiu. Manitoba žmogui pernelyg atkampi.

– O rankpinigiai? – paklausė dėdė Eduardas. – Juk sumokėjote juos už fermą, argi ne?

– Kaip į balą.

– Aha, – tarė močiutė, – o ką apie visa tai mano jūsų žmona?

– Devintame danguje. Ji taip norėjo čia pasilikti.

– Vadinasi, viskas liks po senovei?

– Viskas po senovei, – patvirtino Kornbinderis. – Tik dabar sužinojau, kaip pas mus gražu. Miškas, vynuogynas, jūsų gražiosios pilies vaizdas! Gyvo iš čia manęs niekas neišgabens.

– Nuostabu! – Dėdė Eduardas pergalingai pasižiūrėjo į Lokenšteiną. – Man tai *labai* tinka. Taip pripratau prie gero jūsų pieno, ką jau kalbėti apie kiaušinius ir sviestą, kad sunkiai susitaikyčiau su permainomis. Be to, jūs mums labai mielas kaimynas, Kornbinderi. Sveikinu, kad nusprendėte šitaip!

Dvaro savininkas atsistojo.

– Dešimt valandų prasėdėjau lėktuve. Man reikia namo.

– Aš jus palydėsiu.

– Nebūtina. Bet jeigu leisite, trumpam užsuksiu ryt vakare. Žmona parodė straipsnį apie Vengrijos karalių lobį. Nuoširdžiausiai sveikinu, pone grafe! Ar galima pamatyti auksą?

– Kada tik pageidaujate! Užsukite rytoj penktą su žmona arbatos, tada nuvesiu jus prie lobio skrynios. Taip, taip, mes uoliai darbavomės, kol buvote Kanadoje.

– Valteri, – pasakė močiutė ir įsikibo jam į parankę, – eikš, turime pasikalbėti! – Ir kai niekas jų nebegirdėjo, paklausė: – Ką mano sūnus pasakė apie sužadėtuves?

– Nieko. Aš jo netgi nepaklausiau. Kai užlipau čionai, juodu jau ginčijosi.

– Tada šį reikalą sutvarkysiu aš.

Šventė truko iki trijų nakties.

Kai paskutiniai svečiai išėjo ir buvo užgesinti visi žibintai, pilies įnamiai susirinko aukštai prie gynybinės sienos. Naktis tebebuvo šilta, o kadangi buvo jaunatis, žvaigždės spindėjo ryškiau negu paprastai. Mus gaubė prašmatnus dangaus skliautas. Lyg palankus mums burtininkas būtų apgobęs pilį šydu su blizgučiais.

– *Voilà**, – šūktelėjo močiutė ir parodė į dangų. – Vėl žvaigždė nukrito. Anete, tai jau ketvirta. Tai neša laimę tavo sužadėtuvėms.

---

* Štai (pranc.).

– Sužadėtuvėms? – pakartojo nustebęs Olivjė. – Kas jų kliudytas?

– Anetė susižadės su Valteriu, – paaiškino Ana Luiza.

– Mm, – numykė dėdė Eduardas, bet nieko daugiau nepasakė.

– Bet pirma vedu aš, – paskelbė Olivjė. – Vedu savo Rozą vasarį, o jūs visi atvažiuojate į Antibus, ir mes švenčiame didžias stumdynes.

– Žinoma! – Grafas vėl atgavo balsą. – Apie vestuves dar negali būti nė kalbos. Anetė pirmiausia išmoks kaip dera restauruoti, dar ją išmokysiu, kaip reikia per meno kūrinių aukcionus nepermokėti. Tada pažiūrėsime, kaip jai seksis su kaimiškais baldais. Yra dar ir pinigai už koralus. Jeigu viskas gerai klostysis, ji galės su tais pinigais įsitraukti į prekybą meno dirbiniais.

– Aha, – patenkintas tarė Olivjė, – o paskui?

– Paskui ji ištekės ir pagimdys porą mielų vaikučių. Po kaštonais vėl pakabinsime sūpuokles, visai kaip anksčiau, ir sutvarkysime senąjį vaikų kambarį. Ar dar prisimeni sūpuokles, Anete?

– Žinoma. Tu ant jų sėdėjai beveik taip pat dažnai kaip aš.

– Tikrai, – labai linksmai sutiko dėdė Eduardas, – sūpuoklės būtinai reikalingos. O paskui pasamdysime mielą vaikų auklę...

– Prancūzę, – pertraukė jį močiutė.

– Žinoma, anglę, kad mažyliams taip nesugadintų laikysenos kaip Olivjė...

– Prašau, kaip? – šūktelėjo susijaudinęs mano pusbrolis. – Mano laikysena...

– Žinoma, – nuramino jį grafas, – ji labai pagerėjo, jeigu nepaisysime šio vakaro nukrypimo. Kad ir kaip ten būtų, samdysime anglę, ji galės originalo kalba skaityti vaikučiams knygutę „Alisa Stebuklų šalyje". Štai ką aš vadinu geru auklėjimu.

– Jeigu jau užsispyrei. – Močiutė nusižiovavo. – Anglų kalba puiki.

– Ir lengva, – pritarė jai dėdė Eduardas. – Ypač kakadu. Tikiuosi, kad paukščiukas pagaliau išmoks kalbėti, jeigu pilyje bus šnekama taisyklinga anglų kalba.

– Ir vėl nukrito žvaigždė! – sušuko Ana Luiza. – Eduardai, o ką tu darysi, jeigu Valteris užsimanys gyventi Lokenšteino pilyje?

– Lokenšteino? Jokių kalbų. Lokenšteine tik vienas bokštas, ir tas pats pakrypęs.

– Eik jau! Bokštas geras, tereikia atnaujinti stogą.

– Bokštas? – Staiga sušuko grafas ir kaip pakerėtas pasisuko į dešinę.

– Kas nutiko? – išsigando močiutė. – Išvydai vaiduoklį?

Dėdė Eduardas staiga abiem rankomis taip plojo sau per šlaunis, kad net sužlegėjo.

– Žinau! – sušuko karštai. – Man nušvito protas. Lobis yra *kampuotajame* bokšte!

– Kaip? – užsidegė Olivjė. – Jūs įtariate *dar* vieną lobio ieškojimą?

– O ne! – iškart sušuko močiutė. – Šito jis nedarys. Jis turės kitų rūpesčių, jeigu čia netrukus vyks didelės vestuvės.

– Mieliausioji grafiene, – susijaudinęs prašneko Olivjė, – vestuvės su *vienu* lobiu yra labai linksma, bet su *dviem* jos perviršs. Jeigu leisite, brangiausiasis dėde, aš liksiu Kronege ilgiau ir eisiu su jumis į ranką.

– Dar viena žvaigždė! – sušuko Ana Luiza. – Kad nepamirščiau, povestuvinė kelionė bus į pietų jūrų salas!

– Žinote ką? – Grafas atsistojo. – Visa tai aptarsime rytoj. Anete, kaip vadinasi rytinė žvaigždė?

– Venera.

– O kada daugiausia nukrinta meteoritų?

– Apie rugpjūčio dešimtą. Bet ir šiąnakt jie krinta kaip papaikę.

– O kaip juos vadina, vaike?

– Perseidais, kirčiuojama „i".

– Nuostabu! Prieik vakaro bučiniui! Taip, – pasakė jis paskui atsipūsdamas, – tai bent diena buvo! Rytoj liepsiu sutaisyti šviestuvą, o tada Lokenšteinai ateis pietų. Nežinia, kodėl jiems žūtbūt prisireikė šeimoje mano seserėčios. Ką gi, būna ir blogiau. Verčiau baronas pilyje, negu princas ant stogo. Ar aš teisus?

Ir mirktelėjo man.

Kubelka, Sussana
Ku-06 Pilis yra - ieškom princo!: romanas/Susanna Kubelka; iš vokiečių kalbos vertė Laima Bareišienė. - Vilnius, Alma littera, 2005. - 368 p.

ISBN 9955-08-822-2

Gerai lietuvių skaitytojams žinomos vokiečių rašytojos S. Kubelkos nauja knyga lietuvių kalba. Prašmatnioje viduramžių pilyje ir Londone rutuliojasi intrigos ir meilės istorijos...

UDK 830-3

SUSANNA KUBELKA

PILIS YRA – IEŠKOM PRINCO!

Romanas

Iš vokiečių kalbos vertė *Laima Bareišienė*

Redaktorė *Danutė Gadeikienė*
Viršelio dailininkė *Judita Židžiūnienė*
Korektorė *Marija Treigienė*
Maketavo *Zita Pikturnienė*

Tiražas 5000 egz.
Išleido leidykla „Alma littera", A. Juozapavičiaus g. 6/2, 09310 Vilnius
Interneto svetainė: http://www.almalittera.lt
Spaudė AB spaustuvė „Spindulys", Gedimino g. 10, 44318 Kaunas
Interneto svetainė: http://www.spindulys.lt